Infographie: Chantal Landry
Révision: Ginette Choinière
Correction: Sylvie Massariol
et Caroline Hugny

Catalogage avant publication de Bibliothèque et Archives
nationales du Québec et Bibliothèque et Archives Canada

Streep, Peg

    [Mastering the art of quitting. Français]

    Partir ou rester : l'art de prendre la bonne décision dans la
vie, en amour et au travail

    Traduction de : Mastering the art of quitting.
    Comprend des references bibliographiques et un index.

    ISBN 978-2-7619-4243-0

    1. Échec. 2. Motivation (Psychologie). 3. Persévérance
(Morale). 4. Changement (Psychologie). I. Bernstein, Alan B. II.
Titre. III. Titre : Mastering the art of quitting. Français.

BF575.F14S77514 2015   158   C2015-941403-2

DISTRIBUTEURS EXCLUSIFS :

Pour le Canada et les États-Unis :
MESSAGERIES ADP inc.*
2315, rue de la Province
Longueuil, Québec J4G 1G4
Téléphone: 450-640-1237
Télécopieur: 450-674-6237
Internet: www.messageries-adp.com
* filiale du Groupe Sogides inc.,
  filiale de Québecor Média inc.

Pour la France et les autres pays :
INTERFORUM editis
Immeuble Paryseine, 3, Allée de la Seine
94854 Ivry CEDEX
Téléphone: 33 (0) 1 49 59 11 56/91
Télécopieur: 33 (0) 1 49 59 11 33
Service commandes France Métropolitaine
Téléphone: 33 (0) 2 38 32 71 00
Télécopieur: 33 (0) 2 38 32 71 28
Internet: www.interforum.fr
Service commandes Export – DOM-TOM
Télécopieur: 33 (0) 2 38 32 78 86
Internet: www.interforum.fr
Courriel: cdes-export@interforum.fr

Pour la Suisse :
INTERFORUM editis SUISSE
Route André Piller 33A, 1762 Givisiez – Suisse
Téléphone: 41 (0) 26 460 80 60
Télécopieur: 41 (0) 26 460 80 68
Internet: www.interforumsuisse.ch
Courriel: office@interforumsuisse.ch
Distributeur: OLF S.A.
ZI. 3, Corminboeuf
Route André Piller 33A, 1762 Givisiez – Suisse
Commandes:
Téléphone: 41 (0) 26 467 53 33
Télécopieur: 41 (0) 26 467 54 66
Internet: www.olf.ch
Courriel: information@olf.ch

Pour la Belgique et le Luxembourg :
INTERFORUM BENELUX S.A.
Fond Jean-Pâques, 6
B-1348 Louvain-La-Neuve
Téléphone: 32 (0) 10 42 03 20
Télécopieur: 32 (0) 10 41 20 24
Internet: www.interforum.be
Courriel: info@interforum.be

Gouvernement du Québec – Programme de crédit d'impôt pour
l'édition de livres – Gestion SODEC – www.sodec.gouv.qc.ca

L'Éditeur bénéficie du soutien de la Société de développement
des entreprises culturelles du Québec pour son programme
d'édition.

Conseil des Arts   **Canada Council**
du Canada   **for the Arts**

Nous remercions le Conseil des Arts du Canada de l'aide accor-
dée à notre programme de publication.

Nous remercions le gouvernement du Canada de son soutien
financier pour nos activités de traduction dans le cadre du
Programme national de traduction pour l'édition du livre.

Nous reconnaissons l'aide financière du gouvernement du
Canada par l'entremise du Fonds du livre du Canada pour nos
activités d'édition.

PEGG STREEP ET ALAN BERNSTEIN

PARTIR OU RESTER

L'ART DE PRENDRE LA BONNE DÉCISION
DANS LA VIE, EN AMOUR ET AU TRAVAIL

Traduit de l'anglais (États-Unis)
par Louise Sasseville

LES ÉDITIONS DE
L'HOMME

Une société de Québecor Média

À Alexandra Israel, la meilleure des filles,
et à Craig Weatherly, le meilleur des beagles

— P. S.

Le mythe de la petite locomotive

La prémisse sur laquelle repose *Partir ou rester* va à l'encontre des idées reçues, car les mythes nord-américains laissent très peu de place aux lâcheurs. En fait, la seule forme d'abandon qui soit acceptée et appuyée collectivement est l'abandon de mauvaises habitudes, comme fumer ou boire. Mais ce n'est pas notre propos ici.

Nous avançons l'idée que la capacité de partir se situe entre la persévérance et l'optimisme, et qu'elle est nécessaire pour assurer l'équilibre entre ces deux caractéristiques. Cultiver l'aptitude à partir est très important, car, comme nous allons vous le démontrer, les êtres humains sont faits pour persévérer, même quand un objectif est inatteignable. Partir nous libère de la quête sans espoir de l'inaccessible, mais cela nous permet aussi de viser des objectifs nouveaux et plus gratifiants. Apprendre à partir fait contrepoids aux habitudes de pensée enracinées, dont plusieurs sont inconscientes et nous maintiennent sur une voie qu'il vaudrait mieux abandonner.

Partir n'est pas une fin en soi. C'est le premier pas nécessaire pour redémarrer et redéfinir nos objectifs, ainsi que ce que nous attendons de la vie.

Nous espérons que *Partir ou rester* contribuera à modifier des attitudes individuelles par rapport au départ, et fournira une marche à suivre à ceux qui ont besoin d'aide pour abandonner un objectif inatteignable ou pour en réviser un qui n'est plus satisfaisant. Ce livre offre un correctif nécessaire à une culture qui ne vante que les vertus de la persévérance.

Trouver l'équilibre

Enfants, nous nous sommes endormis en entendant l'histoire du *Petit Train bleu*, dans laquelle une petite locomotive scandait : « Je crois que je peux, je crois que je peux », ce qui nous enseignait que la persévérance et le pouvoir de la pensée positive sont les clés de la réussite. Nous apprenons très tôt que les « gagnants n'abandonnent jamais, et que les lâcheurs ne gagnent jamais », et des douzaines d'autres dictons nous font clairement comprendre que nous devons nous accrocher et persévérer.

Placer l'accent sur la persévérance fait partie des mythes américains. C'est peut-être parce que la fondation des États-Unis l'exigeait : survivre aux premiers hivers rigoureux en Nouvelle-Angleterre, coloniser l'Ouest en franchissant des terres accidentées et parfois hostiles, avoir le courage d'entreprendre un périple de milliers de kilomètres et tenir le coup malgré les nombreuses embûches. La ténacité constitue l'épine dorsale du rêve américain, qu'il s'agisse de grimper des échelons dans la hiérarchie sociale, de gagner des élections ou de réussir un combat, contre toute attente, comme Rocky le boxeur.

Considérer la persévérance comme la clé du succès est également démocratique. Si tenir bon est tout ce qui compte, alors on peut balayer tous les autres avantages et caractéristiques qu'une personne peut avoir, en matière d'instruction, de classe ou de privilèges.

En ce que Sisyphe représentait pour les Grecs de l'Antiquité, les Américains voient un héros en puissance.

La petite locomotive et ses équivalents pour adultes dominent la pensée collective à tel point que nous voulons que nos histoires à succès contiennent au moins un soupçon d'échec et, de préférence, une pincée d'impossible, de sorte que la persévérance puisse occuper l'avant-scène. Serions-nous aussi admiratifs devant l'ampoule électrique inventée par Thomas Edison s'il avait réussi du premier coup ? Non, parce que nous admirons les gens qui réussissent après être sortis de nulle part, comme en font foi les 25 années d'émissions d'Oprah, sans parler des innombrables nouvelles, livres et films qui en témoignent également. La persévérance de certains animaux nous les rend aussi admirables : on n'a qu'à songer à Seabiscuit, un célèbre cheval de course pur-sang américain, ou à certains chiens ou chats, qui peuvent parcourir des milliers de kilomètres pour rentrer à la maison.

Répétée à l'infini, la formule « détermination = succès » donne lieu à d'autres malentendus culturels, dont celui, qui n'est pas le moindre, selon lequel l'échec suivi d'une reprise des efforts est gage de réussite. Il n'est pas étonnant que la vidéo parue sur YouTube et intitulée « Famous Failures » ait été regardée des millions de fois et affichée sur d'autres sites Web, à la grandeur d'Internet. Son message ? « Si vous n'avez jamais connu d'échec, vous n'avez pas vécu. »

Cette pensée est réconfortante. Nous endossons ces histoires comme la cape d'un boxeur (les manuscrits de Stephen King refusés 30 fois par des maisons d'édition, l'échec de Next computer créé par Steve Jobs, et de nombreux autres exemples comme ceux-ci) lorsque nous nous fixons de nouveaux objectifs. Nous nous disons que le bourdonnement culturel dans notre tête, le mantra du « je crois que je peux », combiné à la rengaine « si tu ne réussis pas la première fois, essaie une autre fois », nous permettra de réussir.

Notre croyance en la valeur de la persévérance teinte la façon dont nous racontons nos propres histoires et les leçons que nous tirons des histoires que l'on nous raconte. Cette croyance est tellement ancrée dans notre manière d'envisager la vie qu'il nous est difficile de la considérer autrement.

Cela ne pose qu'un problème : peu importe le nombre de fois que Rocky gravit les marches, la persévérance ne garantit pas à elle seule son succès. En fait, notre croyance en la ténacité rétrécit grandement notre champ de vision parce qu'elle programme notre cerveau à cette fin. De plus, chacun de nous a des habitudes innées qui le poussent à l'engagement et lui font éviter l'abandon, quelles que soient les possibilités de réussite.

Étant donné que notre cerveau est programmé pour nous faire tenir bon, lorsque nous songeons à la probabilité d'atteindre un objectif, nous avons plutôt tendance à pencher du côté de l'optimisme, et même de la pensée magique. Par conséquent, nous ne sommes pas très compétents pour juger du fait qu'un objectif soit atteignable ou non. Mais ce n'est pas tout. Lorsqu'un objectif déjà atteint ne nous rend plus heureux, tant nos habitudes mentales que le fardeau de l'abandon nous font obstacle et nous empêchent de fixer de nouveaux objectifs. La persévérance se met en travers de notre chemin parce que lorsque nous n'atteignons pas notre objectif, souvent, nous ne l'abandonnons pas complètement. Notre persévérance nous empêche d'avancer et de nous fixer de nouveaux objectifs.

Tout comme la persévérance, la capacité d'abandonner complètement quelque chose est un outil précieux pour bien vivre.

Accepter la valeur de l'abandon peut sembler étrange, illogique, idiot et, peut-être, subversif. On nous a tous appris qu'abandonner est un signe de faiblesse et que les lâcheurs sont des perdants.

Mais voici le secret, en quelques mots : les gens satisfaits et couronnés de succès savent *autant* persévérer qu'abandonner. Les gagnants abandonnent aussi, mais pas de la façon dont vous pensez, et lorsqu'ils le font, c'est avec autorité et intelligence.

En dépit du folklore culturel, savoir comment et quand partir est une aptitude importante dans la vie, et non une solution de dernier recours, comme veut le faire croire la culture. Songer à partir nous donne une perspective différente sur notre vie, qui ne fait pas partie de ce qu'on nous a appris ni de ce que nous enseignons à nos enfants. Cela apporte un important correctif à la façon dont fonctionne le cerveau humain, qui penche déjà en faveur de la persévérance. Lorsque nous comprenons pourquoi il est difficile de partir habilement, nous saisissons le degré d'inconscient qui entre en jeu dans notre prise de décision, et ce que nous pouvons faire pour la rendre plus consciente.

Ce livre se fonde sur la science : ce que les psychologues et les chercheurs connaissent de la motivation et du comportement humains, et ce que les scientifiques connaissent du cerveau. On y considère le départ comme un art qui peut être maîtrisé et qui vous aidera à comprendre comment l'équilibre entre l'acquisition de l'aptitude au départ et l'aptitude à la persévérance vous rendra plus heureux et plus satisfait des décisions que vous avez prises. Il vous décoincera lorsque vous serez coincé et vous aidera à aller de l'avant dans votre vie. La seule manière de fixer de nouveaux objectifs et de créer de nouvelles possibilités est de laisser tomber complètement les anciens objectifs.

Les simples observations qui suivent s'appliquent aux objectifs de tous les domaines de la vie, notamment l'amour, les relations et le travail :

- Les gens qui finissent par atteindre leurs objectifs font plus qu'apprendre de leurs erreurs. Ils doivent abandonner complètement les objectifs à l'égard desquels ils ont échoué.
- Partir libère l'esprit. C'est l'acte de partir qui permet de grandir et d'apprendre, et qui favorise la capacité de formuler de nouveaux objectifs. Échouer sans partir par la suite affecte le moi et, dans bien des cas, entrave notre capacité d'agir. Sans l'aptitude à laisser tomber, la plupart des gens entrent dans un cercle vicieux décourageant.
- Les gens les plus satisfaits ont, à la fois, la capacité de persévérer et celle de partir. Ils savent quand il est temps de persévérer et quand il est temps de partir. Lorsqu'ils partent, ils laissent vraiment tomber. Ils changent de vitesse, se fixent un nouvel objectif et se remettent à persévérer. Ils ne regardent pas en arrière.
- Certaines personnes ont un talent naturel tant pour la persévérance que pour l'abandon. Bien que ce ne soit pas aussi démocratique que de croire en l'obstination, la bonne nouvelle est que tout le monde peut maîtriser l'art de partir.
- Partir est une réaction saine et adaptative lorsqu'un objectif ne peut être atteint ou lorsque ce qui semblait être un chemin de vie se révèle être un cul-de-sac ou encore lorsque la vie nous place devant un obstacle. Le seul fait d'envisager de partir, de voir le départ comme un plan d'action possible constitue un

correctif utile à la vision en tunnel que la persévérance crée souvent, et une première étape nécessaire dans notre changement de perspective.

- Pour réussir, il faut que notre aptitude à persévérer soit contrebalancée par notre capacité de partir.

En psychologie, l'expression utilisée pour désigner cette aptitude est « désengagement à l'égard de l'objectif », qui est constitué d'une série d'étapes interreliées ; il ne s'agit donc pas d'un événement isolé. La signification du désengagement et les raisons de son importance (pourquoi les gens qui peuvent partir sont réellement plus heureux et plus satisfaits de leur vie que les gens qui ne le peuvent pas) ont fait l'objet de vastes recherches, dont la plupart se sont limitées au milieu universitaire. Le bien-être que les gens ressentent est au sens propre ; la recherche a démontré que l'incapacité à se désengager d'un but inaccessible peut vraiment rendre malade.

Le désengagement ne veut pas dire un départ associé avec le fait d'envoyer promener quelqu'un de façon impromptue, en claquant la porte ; c'est quelque chose de tout à fait différent. Il ne s'agit pas d'un geste fait par une personne lâche ou qui n'a pas l'énergie nécessaire pour tenir le coup.

Ce livre se veut un guide sur un genre de désengagement éclairé et intelligent, dans tous les aspects de la personne. Ce genre de désengagement modifie la façon de penser, de ressentir et de se comporter. Lorsque c'est bien fait, quitter quelque chose ou quelqu'un donne la motivation nécessaire pour se fixer de nouveaux objectifs et envisager de nouvelles possibilités.

CHAPITRE UN

La psychologie de la persévérance

En commençant, il est important de préciser que les auteurs de ce livre ont tous deux quitté de grands parcours de carrière. Chose étrange, ils ont laissé le même parcours professionnel, même s'ils se sont retrouvés dans des milieux très différents et qu'ils sont partis pour des raisons différentes. En plus du fait qu'Alan et Peg ont travaillé pendant des années comme psycho- thérapeutes, leurs changements de carrière leur ont donné une perspective de l'intérieur de ce que c'est que de quitter son poste, tant sur le plan des coûts que des possibilités.

L'histoire de deux lâcheurs

Au début des années 1970, Alan était dans la fin de la ving- taine ; il était marié, père de famille et candidat à un doctorat en littérature. Il avait passé ses examens oraux, il rédigeait sa thèse et approchait de son but : obtenir un doctorat et un poste de professeur à l'université. Il aimait l'enseignement (et détes- tait la recherche), mais il s'est rendu compte qu'il souhaitait moins enseigner les sonnets de Shakespeare à ses étudiants que les écouter parler d'eux-mêmes, de leurs objectifs et de leurs aspirations, ce qu'il avait amplement le temps de faire dans un contexte universitaire décontracté où les étudiants s'arrêtaient pour passer du temps avec leurs professeurs. Les détails de ce qu'Alan aimait vraiment faire sont ressortis de ces interactions, à un moment où il se cherchait lui-même. Ses étudiants le passionnaient en tant que personnes, et il voulait davantage les aider à faire des choix positifs dans la vie que de leur enseigner les pentamètres iambiques. Il ne recevait pas l'appel de la littérature, mais celui de la psychothérapie. Il est donc parti au milieu de sa thèse.

À cette époque, la transition entre la possibilité d'être titulaire d'un prestigieux doctorat et l'inscription à un établissement d'enseignement notable en vue d'obtenir une maîtrise en travail social ne s'est pas faite en douceur. Elle s'est faite au prix de fortes doses de doute de soi et d'inquiétudes, dont Alan se souvient encore très bien, même après de nombreuses années d'une carrière extrêmement gratifiante: « La transition n'est pas le passage de l'obscurité à la lumière, mais davantage un processus teinté d'espoir et de doute, les deux s'affrontant tout au long de 15 rounds. »

Que lui a apporté ce départ? Cela l'a poussé à chercher et à définir la carrière d'une vie qui serait gratifiante et enrichissante: aider des gens à faire les choix les plus importants de leur vie.

Peg a aussi quitté l'université à un moment où les emplois étaient rares, pour se lancer dans le monde de l'édition. Elle était en voie de terminer sa thèse, c'est-à-dire ce qui lui manquait pour obtenir son doctorat en littérature, mais les enjeux politiques de la vie universitaire l'ont incitée à penser qu'elle avait mieux à faire, pour le plus grand chagrin de ses mentors. Elle a cependant été étonnée de découvrir que la vie en entreprise s'apparentait à celle du milieu universitaire, par certains aspects, et, quand elle a atteint la trentaine, elle a décidé de travailler pour elle-même et de fixer ses propres objectifs. Avec le temps, elle est devenue auteure, ce qu'elle trouve gratifiant, et est devenue maman à temps plein tout en poursuivant une carrière, ce qu'elle considère comme une bénédiction.

Tous deux admettent qu'abandonner un objectif ou un rêve de longue date non seulement représente un acte de foi, mais comporte aussi les doutes et les inquiétudes qui accompagnent les premiers moments d'un saut en chute libre.

Pourquoi le mot « lâcheur » est-il un gros mot ?

Le genre de départ dont il est question dans ce livre n'est pas celui que le terme « lâcheur » exprime. Étant donné la forte croyance en la persévérance et au rêve américain, le terme « lâcheur » est l'un des qualificatifs les moins flatteurs que l'on puisse balancer à quelqu'un. Il dénote un défaut de caractère profondément enraciné, l'inaptitude à s'engager, à suivre une ligne de conduite, et la faiblesse devant un défi à relever.

Cherchez le terme « lâcheur » dans un dictionnaire et vous trouverez qu'il signifie « une personne qui abandonne facilement et sans scrupule ». Le jugement moral est sans équivoque.

Le véritable désengagement à l'égard d'un objectif ne se fait pas facilement. Il implique de se libérer l'esprit de son engagement antérieur, de gérer ses émotions négatives, de se créer un nouvel objectif et de modifier son comportement en fonction du nouvel objectif qui a été fixé. Mais le geste de quelqu'un qu'on qualifie de « lâcheur » est tout à fait différent.

Prenons le cas de Jason, âgé de 32 ans, qui a pris six ans pour terminer ses études secondaires (ses parents l'avaient inscrit à une école privée pendant deux années de plus afin qu'il apprenne davantage), puis six années pour terminer ses études collégiales (après s'être fait mettre à la porte d'un premier collège, prestigieux, parce qu'il n'étudiait pas). Plus tard, lorsqu'il était dans la vingtaine et la trentaine, son *modus operandi* a été de quitter ses emplois, de rompre ses relations et même de quitter des villes. Il est allé en Espagne pour enseigner, même si son but n'était pas d'enseigner, mais juste de tuer le temps. Il s'est rendu sur la côte Ouest pour se réinventer, a abandonné ce projet, puis est retourné dans l'Est.

Selon ses dires, aucun emploi n'a jamais été assez stimulant ou à la hauteur de ses talents et de ses aptitudes, et on l'a toujours sous-estimé. C'est pourquoi il n'a jamais occupé un poste plus d'un an. Il n'est pas encore certain du cheminement de carrière qui lui conviendrait, et il ne semble pas s'en soucier. Il abandonne toujours une entreprise avant d'avoir vraiment à faire ses preuves, ce qui l'empêche pratiquement d'échouer; cela pourrait bien être le nœud du problème.

Nous avons tous rencontré un Jason ou deux, en cours de route, ou une Jill. C'est la personne qui plie bagage quand elle trouve le temps long ou que le travail devient ennuyeux, ou lorsqu'elle croit qu'elle risque d'échouer. Collectivement, nous n'aimons pas les lâcheurs, parce que, lorsque nous travaillons avec eux en tant que collègues ou membres d'une même équipe, ce sont ceux qui sont le plus susceptibles de partir en nous laissant le gros de leur travail à effectuer.

Qu'est-ce qui fait de quelqu'un un lâcheur? Un tas de facteurs! Les lâcheurs peuvent être incapables de s'engager, ou avoir peur du succès ou de l'échec. Ils peuvent être enlisés dans des comportements autodestructeurs. Ils peuvent être paresseux, fainéants ou se laisser dériver sur le grand lac de la vie.

Ce genre d'abandon repose tant sur la volonté d'évitement que sur l'inaptitude à s'engager; cela n'a rien à voir avec le départ réfléchi dont nous parlons ici.

Avant d'aborder la bonne façon de partir, examinons comment notre confiance en la persévérance suffit à trahir nos émotions et ce que nous pensons du fait de lâcher prise.

L'élan émotionnel qui nous pousse à persévérer

Étant donné les pressions culturelles et internes qui nous poussent à persévérer, on ne peut trop souligner la charge émotive que comporte l'acte de partir. En premier lieu, il faut prouver qu'on n'est pas un lâcheur, selon la définition traditionnelle du mot, soit la personne qui réagit de façon émotive, qui ne réussit pas à tenir le coup, qui n'a pas les ressources intérieures nécessaires pour aller au bout d'une situation, qui est le maillon faible de la chaîne.

En tant que groupe, nous considérons le départ comme proactif uniquement lorsqu'il s'agit d'abandonner une mauvaise habitude. Le reste du temps, l'abandon est considéré comme réactif, et pas comme une très bonne attitude. Pour ces raisons, toute personne qui ne fait que songer à partir éprouvera un bouleversement émotif et se recroquevillera sur elle-même, se tenant sur la défensive. Le contexte culturel exige que nous justifiions l'acte de partir, tant en public qu'au point de vue personnel, ce qui implique d'accepter un lourd bagage émotif. Il n'est donc pas étonnant que cela nous incite à persévérer.

Il existe une autre raison tout aussi importante pour laquelle nous évitons de partir. De manière générale, les êtres humains ont tendance à l'évitement, particulièrement lorsqu'il s'agit d'une douleur affective ou physique. Lorsque les gens se trouvent coincés dans une situation toxique ou stressante, que ce soit au travail ou dans une relation intime, ils sont beaucoup plus susceptibles de continuer à endurer la douleur affective qu'ils connaissent plutôt que d'affronter un bouleversement émotionnel qu'ils ne connaissent pas, cette terre inconnue qu'ils devront explorer s'ils décident de partir. Les bureaux de thérapeutes sont remplis de gens qui sont ainsi coincés, qui ont décidé de demeurer dans des situations qui les rendent malheureux, mais qui leur sont familières. De plus, la persévérance n'entraînera aucun des sentiments de honte, d'impuissance ou d'échec que l'on associe souvent à la mauvaise façon de partir.

Étant donné que maintenir le cap est considéré comme une vertu, on lui associe une certaine sérénité, contrairement aux bouleversements qui accompagnent le fait de partir. Voilà donc un autre élément qui incite à la persistance.

Même si le genre de départ dont il est question dans ce livre est résolument différent, il comporte aussi une valeur émotionnelle. L'art de partir implique, par définition, de laisser le connu pour explorer un nouveau territoire et traverser une période de flottement, tout en composant avec les conséquences affectives qu'entraîne l'abandon de quelque chose d'important. Ce ne sont pas des eaux sur lesquelles il est facile de naviguer, mais au bout du compte, la satisfaction émotionnelle sera grande. Gérer ses émotions est un élément important non seulement de l'art de partir, mais aussi du processus de fixation de nouveaux objectifs. Paradoxalement, l'accent qui est placé sur la persévérance (qui nous fait rester en place) ne nous enseigne pas à gérer nos émotions, mais plutôt à les contenir. En ce sens, maîtriser l'art de partir implique aussi une éducation affective. Comme le dit une femme, aujourd'hui sexagénaire, qui a eu quatre parcours professionnels différents au cours de sa vie : « Partir demande du courage ; il n'est pas toujours facile de décider de courir un risque. L'un des aspects de ma personnalité que j'apprécie particulièrement est que j'arrive toujours à trouver le courage d'aller de l'avant et de faire le saut, même quand je ne sais pas où j'atterrirai. Il faut beaucoup de confiance pour s'aventurer dans l'inconnu et supposer que tout ira bien. »

Au bout du compte, ce n'est pas seulement la volonté d'éviter ce qu'il en coûte émotivement de partir ni la honte culturelle de laisser tomber un objectif de longue date qui nous fait persévérer ; c'est aussi que notre cerveau est programmé pour persévérer.

Le cerveau et la persévérance

Ce qui rend l'art de partir difficile découle, en partie, de la façon dont notre cerveau traite l'information que lui transmettent nos sens. Les pressions culturelles visant à nous faire persévérer s'allient au fonctionnement du cerveau afin de nous faire poursuivre des objectifs qui se révèlent inaccessibles.

Nous poursuivons des objectifs en croyant que le processus est méthodique, logique et conscient, mais, en réalité, notre cerveau fonctionne en recourant à des stratégies qui peuvent être précieuses si l'objectif est facilement atteignable, et néfastes si l'objectif est inatteignable. Les scientifiques ont défini deux systèmes de pensée, ou systèmes cognitifs, qui se chevauchent. L'un, appelé « intuition », est rapide et relativement sans effort. Il fonctionne par associations et comporte souvent une charge émotive. L'autre système repose sur le raisonnement ; il est beaucoup plus lent, délibéré et conscient. Étant donné que la capacité globale de traitement mental de l'être humain est limitée, les processus de pensée exigeant plus d'efforts ont tendance à s'interrompre les uns et les autres. Par contre, le mode de pensée intuitive s'exécute sans interruption lorsqu'on le combine à d'autres tâches. Par conséquent, quand nous pensons à plus d'une chose en même temps, la réponse la plus facile, celle qui est offerte par le système intuitif, est probablement celle qui viendra à l'esprit. Bien sûr, nous n'en sommes pas conscients, et nous avons tendance à croire que toutes nos pensées sont raisonnées et délibérées.

La pensée intuitive a déjà été très utile aux êtres humains, le plus souvent dans des contextes de poursuites, comme la chasse ou les prouesses physiques, lorsqu'une réaction rapide et la persévérance étaient essentielles à la survie. Au 21ᵉ siècle, notre cerveau utilise toujours ces stratégies qui n'ont rien à voir avec la logique ou la raison.

Les manières dont la plupart des gens réagissent devant un objectif difficile à atteindre sont universelles, à tel point qu'elles ont été baptisées et étudiées par des chercheurs. Dans certains cas, nous les avons renommées à des fins de clarté, mais nous les appelons aussi par leur nom scientifique. Ce sont toutes des habitudes de pensée courantes que nous devons reconnaître et comprendre parce qu'elles font ressortir les raisons pour lesquelles la persévérance doit être tempérée par la capacité de partir. Tous ces comportements innés sont alimentés par les mythes culturels et les incitations à ne pas abandonner.

L'histoire de Jennifer en est un exemple concret. Jennifer a 32 ans. Elle est la fille d'un avocat et travaille elle-même dans un cabinet, petit mais prestigieux. Dès ses études collégiales, elle s'était fixé comme but de devenir avocate, et à la faculté de droit, elle s'est montrée douée et studieuse. Elle a fait montre du même dévouement dans son travail et, pendant les quatre premières années de sa carrière, elle a adoré pratiquer le droit, en dépit des longues heures qu'elle y consacrait. Puis, son supérieur immédiat est parti pour s'associer à un autre cabinet d'avocats.

Son nouveau patron était tout un numéro. Même si les clients et les collègues de Jennifer semblaient bien apprécier la jeune femme, son supérieur se montrait très critique à son égard et à l'égard de son travail. Malheureusement, dans la hiérarchie du cabinet, l'évaluation qu'il faisait du travail de Jennifer pesait lourd dans la balance.

Elle changea ses façons de faire pour lui plaire et, de temps à autre, les réactions qu'il avait encourageaient la jeune avocate. À ces moments-là, elle se rassurait en se disant qu'elle allait finir par gagner son estime. Mais, au bout du compte, rien de ce qu'elle faisait ne semblait assez bon aux yeux de son supérieur.

Avec le temps, elle commença à appréhender d'aller travailler. Tout le plaisir qu'elle tirait de son travail se dissipait rapidement. Elle était anxieuse et déprimée, et ne savait plus quoi faire. Tous ceux à qui elle en parlait (son mari, ses parents, ses amis) lui conseillaient de tenir bon.

Comme elle avait investi beaucoup de temps et d'efforts dans cet emploi, elle ne voulait pas le laisser tomber : trois années d'études en droit et près de quatre ans de travail dans ce cabinet d'avocats. Elle avait encore une chance de devenir associée et elle espérait finir par entrer dans les bonnes grâces de son patron. Si elle quittait son poste, son patron gagnerait la partie. Dans une conjoncture économique difficile, lorsqu'il y a plus d'avocats que d'emplois, elle ne réussirait peut-être pas à décrocher un poste de procureure. Partir la ferait mal paraître, comme si elle ne supportait pas la pression. Si son patron fournissait de mauvaises références à son sujet, elle pourrait en subir les conséquences pendant des années. Si elle tenait bon, elle aurait davantage de contrôle sur ce qui arriverait ensuite que si elle abandonnait simplement la partie.

L'histoire de Jennifer n'est pas inhabituelle. On peut remplacer les détails de son histoire par d'autres : changer la profession, l'objectif, le scénario du mauvais patron, etc., et on se trouvera tout de même devant le dilemme que crée notre dépendance à la persévérance. Il pourrait tout aussi bien s'agir d'une relation intime ou même d'un mariage, auquel cas le dilemme serait de rester ou de partir, et tant la petite voix intérieure que tout l'entourage diraient quand même de tenir bon.

Comme nous le verrons plus loin, devant des obstacles qui se dressent par rapport à un objectif, il est possible de croire que nous réagissons de façon consciente et rationnelle, même quand ce n'est pas le cas.

Voir la quasi-victoire

Lorsque les gens, stimulés par le mythe de la persévérance, ratent leur objectif de peu, ils sont beaucoup plus enclins à considérer la situation comme une quasi-victoire que comme un échec ou une perte. Et il y a une raison à cela.

Le cerveau humain est fait pour réagir à une quasi-victoire parce que, lorsqu'il s'agit d'aptitudes physiques, la quasi-victoire est un bon indice de réussite à venir. Imaginons que vous chassez un animal pour vous nourrir, que vous visez une cible ou que vous frappez une balle de base-ball (soit toute activité physique qui exige de réelles aptitudes et de l'expertise) et que vous réussissez presque à atteindre le but. La quasi-victoire signifie que vous vous rapprochez de votre objectif, que si vous perfectionnez vos aptitudes un tout petit peu, vous réussirez fort probablement. Dans vos travaux universitaires, vous pouvez aussi vous fier à la quasi-victoire comme mesure de réussite (obtenir une note juste un peu inférieure à l'objectif que vous vous étiez fixé). En étudiant un peu plus fort et un peu plus longtemps, vous réussirez probablement, une prochaine fois.

Malheureusement, ni les êtres humains ni leur cerveau n'excellent uniformément à déterminer quand la quasi-victoire peut s'appliquer et quand elle ne le peut pas. Dans le cadre d'une étude britannique sur le jeu, on a sélectionné un groupe de personnes ordinaires, on les a placées devant des machines à sous, puis on a mesuré leur activité cérébrale pendant qu'elles jouaient. Bien sûr, gagner en jouant avec une machine à sous n'est pas une question d'habileté, mais les chercheurs ont découvert que les joueurs et leur cerveau réagissaient à la quasi-victoire exactement comme si des compétences étaient en jeu. Les zones du plaisir et de la gratification de leur cerveau se sont illuminées tout autant que s'ils avaient vraiment gagné de l'argent. De plus, la quasi-victoire a suffi à continuer à les faire jouer, même s'ils avaient perdu de l'argent, et ce qu'ils avaient perçu comme une quasi-victoire était totalement inutile pour prédire un véritable gain. Cela n'avait pas d'importance. On ne s'étonnera pas que la quasi-victoire tienne un rôle plus important dans la vie de ceux qui deviennent des joueurs compulsifs.

Mais il n'est pas nécessaire de jouer avec les machines à sous pour subir les effets de la quasi-victoire. Même lorsqu'elle ne s'applique pas à la situation que nous vivons, la quasi-victoire renforce nos croyances positives et stimule notre propension à la pensée magique. Cela découle souvent du fait d'être restés dans une relation ou une situation bien après sa « date d'expiration », même lorsqu'il est évident pour le reste du monde que cela a peu de chances de réussir. Notre croyance en la persévérance nous incite à considérer ce qui est un échec comme une quasi-victoire.

Dans l'histoire de Jennifer, la quasi-victoire au travail entre en jeu lorsqu'elle tente par de nouvelles façons de susciter les éloges de son patron et qu'elle commence à interpréter toute réaction qui n'est pas totalement méprisante comme un signe du fait qu'elle est en train de le gagner. Les seuls mots « ça va », plutôt qu'une critique cinglante, suffisent pour lui faire croire qu'elle fait des progrès.

La quasi-victoire ne nous influence pas seulement à cause des connexions de notre cerveau, mais aussi parce que notre culture nous empêche d'abandonner la partie. Si laisser tomber un objectif n'est pas une option envisageable, nous sommes d'autant plus vulnérables à la séduction de la quasi-victoire, que ce soit en affaires, dans nos relations amicales ou en amour. Comprendre la puissance de ce réflexe mental et saisir notre tendance personnelle à considérer une perte comme une quasi-victoire sont d'importantes premières étapes sur la voie de la nécessaire perspective de partir.

L'écoute des anecdotes

Lorsque vous pensez que quelque chose peut vous arriver ou qu'un événement en entraînera un autre, vous vous assoyez, vous appliquez les règles de la logique et en tirez la conclusion la plus probable, n'est-ce pas? Eh bien, non. Il est plus probable que votre cerveau puise dans les exemples ou les anecdotes qui vous viennent à l'esprit en premier, et que vous preniez votre décision en vous basant là-dessus.

Ce phénomène psychologique, qui porte le nom savant de « disponibilité heuristique », est une autre propension mentale qui entretient le mythe de la persévérance. Ce genre de pensée, reposant sur les exemples les plus accessibles et les plus vivants, a, à l'origine, été extrêmement précieux pour la survie de l'humanité. Supposons que vous soyez un chasseur de caribou du paléolithique et que vous ayez emprunté le chemin le plus court vers le lac où ces cervidés se rassemblent. Vous entendez alors dire que trois hommes ont été attaqués par des ours sur ce chemin. Grâce à cette information, vous reliez les points entre eux: raccourci = ours = danger ; vous décidez alors de prendre le chemin le plus long, qui rend la chasse plus ardue, mais qui vous permettra de vivre plus longtemps. De même, comme elles ne connaissaient rien des températures internes ou de la trichinose, de nombreuses cultures et religions anciennes se sont fondées sur les anecdotes de gens qui étaient morts après avoir mangé du porc, et en ont donc interdit la consommation.

Hélas, dans le monde d'aujourd'hui, la puissance de l'anecdote comme moyen de persuasion ne procure pas des bienfaits à tous. Comme les exemples sont faciles à trouver (les gagnants à la loterie que l'on voit à la télé et dans les journaux, les gens qui ont persévéré alors que tout jouait contre eux, qui ont réussi et que l'on voit en entrevue dans les émissions de variétés), on pourrait être porté à se dire : « Pourquoi pas moi ? » même si rien ne prouve que ce sera nous. Dans un monde saturé de médias, le fait d'entendre à répétition certains exemples peut nous inciter à faire des liens là où il n'y en a pas. Cela nous fait croire à la probabilité de certaines choses, qui ne sont pas vraiment probables. Et c'est vrai, tant pour les histoires de « persévérance = succès » que pour tout le reste.

Prenons, par exemple, l'attention que portent les médias à des événements comme des tueries dans des écoles ou des attaques de requins. À la suite de cette médiatisation, les gens, quel que soit leur degré d'intelligence, attribuent une plus forte probabilité à ces faits, simplement parce qu'ils parviennent facilement à se les rappeler. Plus un exemple est vivant ou suscite des émotions, plus il reste en mémoire.

Afin de prouver cette théorie, le psychologue Scott Plous a demandé à des sujets si une personne risquait davantage de se faire tuer par une chute de pièces d'avion que par une attaque de requin. Pensez-y une minute, et répondez-y vous-même.

Parce que les attaques de requins sont davantage publicisées, la plupart des gens répondront « par une attaque de requin », même si on court 30 fois plus de risques de mourir écrasé par des pièces d'avion tombées du ciel (événement fort improbable, mais qui serait tout de même moins rare qu'une attaque de requin). Voilà un bel exemple de disponibilité heuristique.

Les stéréotypes culturels sur la persévérance (et les nombreux exemples que les médias véhiculent sous forme de faits vécus) nous rendent particulièrement vulnérables au pouvoir de l'anecdote sur nos pensées. Bien sûr, les sources d'inspiration n'ont rien de mauvais et les anecdotes en lien avec la persévérance peuvent vraiment inspirer des gens. Le problème, c'est que lorsque nos décisions sont influencées par les premières choses qui nous viennent à l'esprit, il est peu probable que nous nous posions les bonnes questions. Et la bonne question à se poser n'est certainement pas : « Pourquoi pas moi ? »

Hélas ! La disponibilité heuristique fait que nous arrivons mal à prédire la réussite ou quoi que ce soit d'autre. Jauger la façon dont nous choisissons de persister dans un effort, tout en gardant la disponibilité heuristique présente à l'esprit, est une manière importante de tenir à distance les tenants de la persévérance et de commencer à jeter un regard sincère sur la nécessité ou non de partir.

Le pouvoir du renforcement intermittent

La persévérance injustifiée peut aussi être alimentée par ce qu'on appelle le « renforcement intermittent », et si cela vous rappelle quelque chose que vous avez entendu au cours Psychologie 101, vous avez une très bonne mémoire. Le renforcement intermittent est pertinent parce que ce qui arrive aux rats arrive aussi aux humains. (Celui qui a réalisé cette expérience s'appelle B. F. Skinner.)

Imaginez trois rats affamés dans trois cages distinctes, chacune comportant un levier. Dans la première cage, chaque fois que le rat appuie sur le levier, il obtient une boulette de nourriture. Il ne faut pas longtemps pour que le rat se rende compte que le levier est une source de nourriture fiable; et l'animal est libre de faire ce que les rats aiment faire: courir dans la roue, retourner du bran de scie, etc. Le rat est heureux parce qu'il sait d'où provient sa nourriture. Dans la troisième cage, rien ne se produit lorsque le rat appuie sur le levier. Il a beau appuyer encore et encore, rien ne se passe jamais. Comme il n'obtient pas de nourriture, le rat cesse d'appuyer sur le levier et reprend sa quête habituelle de nourriture.

Dans la deuxième cage, le rat est vraiment en difficulté. Lorsqu'il appuie sur le levier, il reçoit parfois de la nourriture, et d'autres fois non. Même chez les rats, l'espoir est éternel et l'animal fait une fixation sur le levier; il alterne entre la frustration et le désir satisfait. Le renforcement intermittent maintient le rat à proximité du levier, jour et nuit. Autrement dit, des trois rats, celui dont le levier ne procure de la nourriture qu'à l'occasion finit par être le plus persévérant.

Il ne fait aucun doute que le renforcement intermittent a parfois été utile dans l'histoire de l'humanité, particulièrement en ce qui concerne la chasse, la pêche et la recherche de nourriture. Obtenir le nécessaire, du moins en quelques occasions, renforçait la persévérance indispensable pour survivre. Malheureusement, appliqué à d'autres situations, le renforcement intermittent peut être moins positif. Et c'est assurément le cas d'un objectif inatteignable.

Disons que votre objectif est de rendre la communication plus ouverte et plus souple entre vous et quelqu'un d'autre (parent, frère ou sœur, conjoint ou conjointe, amoureux ou amoureuse, ami ou amie, collègue ou autre.). Vous avez avec cette personne de nombreuses conversations sérieuses et quelques disputes, et chaque fois, vous lui expliquez qu'elle n'a pas assez d'empathie ou qu'elle n'écoute pas ce que vous avez à dire. Elle ne modifie en rien son comportement et vous songez vraiment à faire vos valises lorsque, tout à coup, de but en blanc, cette personne s'ouvre à vous. Miracle, elle écoute, et toutes les hésitations que vous aviez à poursuivre cette relation se dissipent.

La vie continue, et la personne reprend ses anciens comportements. Vous reprenez les discussions sérieuses et les disputes, et, surprise, elle s'ouvre tout à coup et devient attentive. Une fois de plus, vous décidez de rester.

Il s'agit alors d'un renforcement intermittent. L'exemple classique d'un renforcement intermittent dans une relation est celui qui a existé pendant six saisons entre Carrie Bradshaw et M. Big, dans la série américaine *Sex in the City (Sexe à New York)*.

Mais le renforcement intermittent fonctionne aussi à l'extérieur des relations interpersonnelles. La résolution temporaire d'un problème qui fait obstacle à l'atteinte d'un objectif peut renforcer de la même façon une ténacité injustifiée.

Par exemple, la passion de Julie était de fabriquer des bijoux ; elle avait toujours rêvé d'être sa propre patronne et de se tailler une vie où elle ferait ce qu'elle aime. Elle a économisé, puis s'est lancée en affaires en sous-louant un espace dans une boutique. « Afin de réaliser un bénéfice, explique-t-elle, je devais vendre pour 3 000 $ de bijoux par semaine, en ouvrant boutique six jours par semaine. La plupart du temps, je n'atteignais pas mon objectif, mais de temps à autre, disons une semaine sur quatre, je l'atteignais ou je le dépassais. Cela me faisait croire que j'étais à deux pas de la réussite. Je suis restée dans cet engrenage pendant deux ans ; j'y ai englouti la plus grande partie de mes économies, jusqu'à ce que je finisse par faire face à la musique. »

Le renforcement intermittent alimente la persévérance, même lorsqu'il n'est pas lié à un véritable progrès permettant d'atteindre l'objectif et qu'il empêche la personne d'adopter de nouveaux comportements qui pourraient l'aider à se désengager. C'est une autre raison pour laquelle le fait de se fier uniquement à la persévérance n'est pas une bonne idée ; nous devons prendre du recul et nous demander si ce sont nos habitudes de pensée qui ont le contrôle.

Coincés dans l'escalade de l'engagement

On ne s'entend pas toujours sur la paternité de la phrase suivante : « C'est dans les moments difficiles que l'on voit si les gens ont de l'étoffe », mais cela se vérifie et de façons inattendues. En général, ce dicton appelle à la noble persévérance (pensez au débarquement de Normandie ou à Rocky qui monte l'escalier en courant), mais la vérité est tout autre. L'escalade de l'engagement, comme on l'appelle, a la cote chez les chercheurs, pour des raisons bien précises. En deux mots, les scientifiques ont découvert que les gens augmentent leur degré d'engagement à l'égard d'un objectif lorsque la situation commence à se détériorer ou à se montrer irrécupérable, et ils le font sans incitatif, ni même après avoir adressé une prière à saint Jude, patron des causes désespérées.

L'escalade de l'engagement est fascinante pour plusieurs raisons. Premièrement, elle est universelle et fonctionne dans toutes les cultures du monde, quelles que soient leurs particularités. Deuxièmement, être intelligent ou instruit n'empêche pas de tomber dans le piège de l'escalade. Troisièmement, tout le monde, sauf celui ou celle qui redouble ses efforts, sait que l'escalade est irrationnelle. Et enfin, l'escalade de l'engagement nous en dit long sur l'être humain et sur son cerveau, sur ses motivations et sur ses actes.

Inutile de dire que la quasi-victoire, la disponibilité heuristique et le renforcement intermittent peuvent tous contribuer à l'escalade de l'engagement. Mais il existe d'autres raisons (les idées préconçues, divers comportements innés ou sociaux et, bien sûr, le fardeau de partir) qui nous font «augmenter le volume», même lorsque l'échec est imminent.

L'un des principaux facteurs de ce phénomène s'inscrit dans la nature humaine : notre incapacité à nous évaluer nous-mêmes et à évaluer nos talents de façon réaliste. Même si les livres et les émissions de «croissance personnelle» ont tendance à se concentrer sur le manque d'estime de soi collectif, nous avons, pour la plupart d'entre nous, une idée amplifiée de nos compétences et de nos talents, par rapport à ceux des autres. Là encore, à un certain moment dans l'histoire de l'humanité, les idées préconçues ont eu leur utilité, soit donner à notre aïeul du paléolithique le dynamisme et la confiance nécessaires pour devenir le chef dont le clan avait besoin, ou l'avantage psychologique qui lui a permis de devenir un meilleur chasseur que les autres. Mais aujourd'hui, cela constitue davantage des œillères qu'autre chose.

L'effet «au-dessus de la moyenne» décrit la réaction des gens à qui on demande d'évaluer leurs capacités par rapport à celles de leurs pairs : la majorité d'entre eux se placent au-dessus de la moyenne. Et cette évaluation se vérifie dans de nombreux domaines, dont la conduite automobile, les prouesses athlétiques, les compétences en gestion et les traits de caractère, comme la bonté ou la générosité. L'une des études les plus connues, réalisée auprès d'un million d'élèves du secondaire par le College Board des États-Unis, a démontré que 70 % d'entre eux se trouvaient supérieurs à la moyenne en matière d'aptitudes au leadership ! Fait encore plus étonnant, lorsqu'on leur a demandé d'évaluer leur capacité à s'entendre avec les autres, chaque personne s'est classée à tout le moins dans la moyenne, 60 % d'entre elles se considéraient dans le dixième centile supérieur, et 25 % se plaçaient dans le premier centile! Autrement dit, sur un million de personnes, seulement 15 % évaluaient leurs aptitudes comme moyennes.

À vrai dire, nous tombons peut-être dans le piège de l'escalade parce que nous sommes mauvais juges du fait que nos compétences sont suffisantes ou non pour atteindre un objectif, ou même si elles conviennent à la situation. Si nous sommes dans un contexte compétitif, il est probable que nous surestimions nos capacités et que nous sous-estimions celles de nos concurrents. Nous avons tendance à faire montre de trop de confiance en nous.

Mais ce n'est pas tout. Dans le *Harvard Business Review*, Dan Lovallo et Daniel Kahneman ont écrit que l'effet «au-dessus de la moyenne» a un ou deux corollaires. Premièrement, nous avons tendance à être trop optimistes à l'égard des résultats, en exagérant leur probabilité, tout comme nous le faisons pour nos talents. Bien sûr, dans les circonstances appropriées, l'optimisme est une très bonne chose, à l'instar de la ténacité. L'optimisme alimente nos efforts lorsque nous sommes au bon endroit, avec les bonnes compétences et le bon objectif. Et sans l'optimisme, peu d'entre nous réussiraient dans quoi que ce soit. Mais, car il y a un «mais», dans la chute libre que finit par devenir l'escalade de l'engagement, l'optimisme délirant ne fait qu'accélérer la cascade. Ce n'est pas seulement que nous avons collectivement tendance à être optimistes par rapport à l'avenir, c'est aussi que nous ne considérons pas nécessairement les expériences passées comme des indicateurs de ce que sera l'avenir. Les êtres humains pensent à l'avenir en termes abstraits et généraux, exempts des détails parfois peu reluisants des expériences passées.

Lovallo et Kahneman expliquaient également que notre tendance à exagérer nos capacités est amplifiée par la façon dont nous déterminons la cause de nos réussites et de nos échecs. Alors que les gens s'attribuent le mérite des bons coups, ils ont aussi tendance à expliquer leurs échecs par des facteurs externes, qu'ils considèrent comme hors de leur contrôle. Ces deux façons de penser constituent des facteurs de l'escalade de l'engagement, d'autant plus que le départ n'est pas envisagé comme une option possible, mais plutôt comme un dernier recours.

Une chose encore : bien que nous ayons tendance à surestimer nos compétences, nous sommes aussi très susceptibles lorsqu'il s'agit de revoir cette opinion. C'est une autre raison pour laquelle les gens augmentent leur engagement lorsque la situation devient difficile. Comme plusieurs études l'ont démontré, quand les gens reçoivent beaucoup de mauvaises nouvelles ou de rétroaction négative à propos d'un projet dans lequel ils se sont engagés, il est beaucoup plus probable qu'ils multiplieront leurs efforts plutôt que de les diminuer, peu importe à quel point la rétroaction a été négative ou persuasive.

Nous avons déjà vu la manière dont le cerveau interprète la situation à des fins de persévérance, mais cela va beaucoup plus loin que cela. Plus un être humain a investi d'argent, de temps, d'énergie et d'efforts, plus il se sent responsable personnellement de la décision initiale, et plus il est probable qu'il persévère. C'est la justification de la décision initiale qui l'emporte et, en investissant encore davantage dans le projet, la personne a l'impression de prouver la justesse du raisonnement qui y a conduit.

Ce n'est pas très logique, mais les gens le font constamment, tant dans leur vie privée que dans leur vie professionnelle, individuellement et collectivement. Des études démontrent qu'un gestionnaire personnellement responsable d'avoir embauché un employé non compétent est beaucoup moins susceptible de congédier cet employé qu'un gestionnaire qui n'a rien à voir avec cette embauche. Le gestionnaire responsable va plutôt renforcer son engagement à l'égard de sa décision initiale d'embaucher le candidat. Dans une entreprise où ce sont des équipes d'employés qui prennent les décisions, les mauvaises nouvelles sont habituellement accueillies de la même façon. Les gens agissent ainsi dans le cas de l'échec d'un mariage et même d'une vieille voiture qu'ils ont décidé de garder.

Le véhicule qui finit par devenir un tacot constitue l'exemple parfait du «raisonnement» à la base de l'escalade de l'engagement. Patrick et sa femme Barbara ne s'entendent pas sur le fait de conserver leur vieille voiture ou de la changer. Patrick veut garder l'ancien véhicule. C'est lui qui gagne la partie, et il se met à dépenser pour l'entretien de l'auto : il fait installer de nouveaux pneus, de nouveaux freins, un nouveau silencieux et tout ce que le mécanicien lui conseille de remplacer. Fait typique, plus les dépenses augmentent, plus il espère que ce sera «la dernière» réparation à effectuer. Et plus il consacre d'argent à son véhicule, plus il est susceptible de continuer, car il reporte son attention du tas de métal devant lui aux sommes qu'il y a englouties.

On appelle ce phénomène «effet du coût irrécupérable», ou «aversion à la perte», et il s'agit là d'un autre facteur favorisant la persévérance.

Céder à l'aversion à la perte

L'aversion à l'égard de la perte est un concept plus simple qu'il n'y paraît. Essentiellement, lorsque nous laissons ce que nous avons déjà investi dans une situation dicter notre décision de poursuivre ou non, nous nous laissons aller à notre aversion à l'égard de la perte. Dans le cas de Patrick, il s'agit d'un véhicule ; dans le cas de Jennifer, notre avocate malheureuse, il s'agit de temps, d'argent et d'efforts fournis pour obtenir son diplôme en droit, des années passées dans ce cabinet d'avocats et de la possibilité de devenir associée. L'aversion à l'égard de la perte est un concept qui provient du domaine économique, décrivant le comportement d'investisseurs qui décident d'aller de l'avant ou non, concernant une opération problématique à laquelle ils ont déjà consacré de fortes sommes.

Cette aversion à l'égard de la perte est tellement omniprésente dans notre façon de penser qu'on peut la voir en action lorsque nos dirigeants parlent de la guerre ou des efforts militaires ou que les gens ordinaires parlent de tout, depuis les placements et l'emploi jusqu'à l'immobilier, en passant par le mariage. L'aversion à l'égard de la perte est le moteur de la persévérance et l'opposant de l'abandon.

Prenons, par exemple, la logique qui a prédominé dans la pensée des dirigeants américains lorsqu'ils ont envoyé des troupes au Vietnam, même en sachant que la victoire, au sens traditionnel, était impossible à atteindre. Les dirigeants ont invoqué l'aversion à l'égard de la perte en disant que, s'ils retiraient leurs troupes, les vies qui avaient déjà été perdues l'auraient été en vain.

De prime abord, cet argument est illogique : comment la possibilité qu'il y ait davantage de morts justifie-t-elle les décès précédents ? Mais bien des gens justifient le maintien d'une situation par ce qu'ils y ont déjà investi. C'est le genre de pensée qui incite à persévérer, parce que les gens sont souvent hésitants et réticents à (1) admettre que ce qu'ils ont investi est perdu et (2) à prendre le risque d'abandonner la partie prématurément. Bien souvent, ils sont enclins à investir encore davantage avant de reconnaître leur perte, dans l'espoir qu'en tenant bon, ils finiront par récolter d'importants bénéfices. La culture de la persévérance et le fardeau d'abandonner s'allient pour faire persister l'aversion à la perte.

Ce sont l'investissement de temps et d'argent et la réticence à abandonner la partie en admettant qu'il s'agit d'une cause perdue qui font que les gens tiennent le coup. Cela les empêche aussi de revoir la situation, de se fixer un nouvel objectif et de se réinventer. L'aversion à la perte influence la prise de décision lorsque les gens songent à divorcer après de nombreuses années de mariage, à quitter un emploi ou une carrière dans laquelle ils ont mis beaucoup de temps et d'efforts, et lorsqu'ils se trouvent dans diverses situations, graves ou anodines.

Un tiens vaut mieux...

Connaissez-vous l'expression « Un tiens vaut mieux que deux tu l'auras »? La recherche scientifique démontre que non seulement elle décrit adéquatement le comportement des gens, mais aussi que les êtres humains sont prêts à faire à peu près n'importe quoi pour avoir ce « tiens ».

D'après les anecdotes qui courent, les gens seraient davantage enclins à prendre des risques lorsqu'il existe une possibilité de gain (comme hypothéquer sa maison), mais ce n'est pas vrai. Comme l'ont découvert les lauréats du prix Nobel Daniel Kahneman et Amos Tversky, lorsque nous soupesons les perspectives qui s'offrent à nous, les deux plateaux de la balance ne sont pas égaux. Aussi étonnant que cela puisse paraître, lorsqu'ils mettent en balance les gains possibles et les pertes possibles, les humains sont très conservateurs. Les gens ne sont pas très enclins à prendre des risques dans l'espoir d'un gain, mais ils feront volontiers à peu près n'importe quoi pour éviter une perte. Paradoxalement, leur aversion à l'égard de la perte les incite à courir des risques. L'aversion à l'égard de la perte est une composante essentielle de la psychologie humaine, lorsqu'il s'agit de poursuivre un effort.

À quel point les gens sont-ils sensibles aux pertes ? C'est ce qu'a révélé une expérience tout à fait contre-intuitive, mais extrêmement éloquente, au cours de laquelle on demandait à des gens d'indiquer l'emploi qu'ils préféreraient avoir. Le premier comportait un salaire de départ de 30 000 $, puis un salaire de 40 000 $ la deuxième année, et de 50 000 $ la troisième année. L'autre emploi était assorti d'un salaire de 60 000 $ la première année, de 50 000 $ la deuxième année, et de 40 000 $ la troisième année. Malgré le calcul facile, les gens préféraient l'emploi comportant des augmentations de salaire, même s'il était moins bien rémunéré.

Il n'est pas étonnant que l'aversion à l'égard de la perte pousse à l'escalade de l'engagement, comme le démontre l'histoire qui suit. Professionnel du secteur des communications, Robert avait réussi à amener des gens très différents à collaborer à des projets commerciaux, mais il n'avait jamais travaillé à un projet qui soit aussi satisfaisant sur le plan personnel que sur le plan professionnel. Trouver un tel projet devint donc l'un de ses objectifs importants. Fervent environnementaliste, il eut l'idée de réunir un consortium d'experts qui mettraient leurs connaissances en commun en vue de créer une plateforme nationale axée sur les moyens d'existence durables. Pendant six ans, il s'est employé à recruter des particuliers et des groupes de scientifiques, d'ingénieurs, de cultivateurs, de cuisiniers et d'autres, déjà soucieux de la durabilité. Il envisageait de créer une banque d'information sur le sujet, ressource constituée de livres, de vidéos et de pages Web. Il a fallu du temps pour recruter ces personnes, plus de temps pour signer des contrats et encore plus de temps pour créer une plateforme sur la durabilité qui serait à la satisfaction de tous. Il fit participer ses investisseurs.

Deux des groupes professionnels changèrent d'idée. Ils voulaient mettre en valeur leurs membres, plutôt que les principes de la durabilité. Évidemment, ce n'était pas ce dont ils avaient convenu, mais Robert fit toutes les concessions qu'il put en vue de maintenir le projet à flot. Plus les membres demandaient de concessions, plus Robert renforçait son engagement et plus les querelles s'envenimaient. Les concessions ne suffisaient jamais.

Robert savait bien que le projet avait dévié de son parcours original. Pourtant, il croyait encore pouvoir le mener à bien. Puis, il apprit que les groupes avaient sollicité les autres experts parce qu'ils voulaient reprendre le projet à leur compte. Pire encore, les investisseurs de Robert discutaient avec eux. Son projet avait été détourné.

Un tas d'arguments pouvaient justifier la persévérance. Il avait remporté du succès en communications, et les autres participants, même s'ils se faisaient entendre haut et fort, ne semblaient pas avoir les compétences nécessaires pour mener le projet à bien. C'est lui qui avait eu l'idée du projet et il avait agi en toute bonne foi. Il n'avait pas compté ses heures, pour ne pas dire les années qu'il avait consacrées à cela. Il avait toutes les raisons de croire que la réussite de ce projet lui permettrait de faire progresser sa carrière. Il ne voulait pas, et ne pouvait pas, gaspiller tout ce qu'il y avait investi.

Avant qu'il décide de partir, Robert n'était pas en mesure de voir que son engagement drainait toute l'énergie mentale et émotionnelle qu'il avait, même si cet engagement ne le rapprochait pas de son objectif. Il continua de renforcer son engagement pendant des mois, jusqu'à ce qu'on lui force la main et qu'il soit obligé de songer à abandonner la partie.

L'énigme de la valeur perçue

Une fois que nous mettons le cap sur un objectif, peu d'entre nous prévoient tous les obstacles. Malheureusement, les pensées réalistes ou lucides et la persévérance ne font pas nécessairement bon ménage. Des chercheurs ont découvert que, lorsque la poursuite d'un objectif est entravée par des obstacles, les gens prennent en compte deux facteurs avant de décider de continuer ou non. Le premier facteur est la valeur de l'objectif. Évidemment, plus l'objectif semble avoir de la valeur, plus la personne aura tendance à persévérer. Le deuxième facteur est le degré de croyance à l'égard de la réussite future. Là encore, plus la personne croit au succès, plus elle aura tendance à poursuivre son objectif.

Tout cela semble assez explicite, mais là encore, la nature humaine entre en jeu. Des chercheurs ont découvert que la frustration causée par le fait d'avoir été contrecarré peut faire paraître l'objectif encore plus précieux qu'il ne l'était au début. Jusqu'à un certain point, le degré d'engagement s'élève en fonction de la rareté (et donc, de la valeur) que semble présenter l'objectif. Comme dans le mythe grec de Tantale, dont la punition consiste à ne jamais pouvoir attraper les fruits qui pendent d'une branche au-dessus de lui, l'objectif semble de plus en plus tentant, du fait qu'il est inatteignable.

Ce phénomène se constate dans tous les domaines de la vie, et dans pratiquement toutes les circonstances. Tout ce qui est inaccessible (l'amoureux ou l'amoureuse, la maison de rêve, l'emploi idéal) devient plus précieux aux yeux de la personne qui le désire parce qu'elle ne peut pas l'atteindre. Et l'acte conscient de songer à abandonner la partie ouvre le champ à des possibilités qui n'auraient pas été envisagées autrement : nous reconnaissons alors que notre investissement émotionnel et énergétique dans le rêve impossible pourrait être placé dans la poursuite d'un objectif susceptible de nous rendre heureux.

Le problème des ours blancs

Comme s'il ne suffisait pas de découvrir que lorsque nous croyons réfléchir avec logique, ce n'est pas du tout le cas, il nous faut aussi admettre que nous n'agissons pas uniquement sous le coup de la motivation ou de la pensée consciente. Notre inconscient nous influence également. Ici, le terme «inconscient» n'est pas celui que Freud a rendu célèbre (tous ces souvenirs et ces expériences d'enfance réprimés); il s'agit de quelque chose de tout à fait différent. En dépit de toutes les capacités remarquables du cerveau humain (composer des sonnets, envoyer des hommes sur la Lune, inventer le iPhone), il ne fonctionne pas comme nous le croyons. Comme l'explique Daniel Wegner : «La lenteur de la conscience nous amène à penser qu'une bonne partie de ce que nous voyons et faisons implique l'action d'un processus mental "préconscient".» Il semblerait donc que notre cerveau réfléchisse sans que nous le sachions, et que nous évoluions dans le monde, à faire ce que nous faisons, en fonction d'un processus de pensée que nous ignorons. Cela vous gêne peut-être de voir la «volonté» humaine décrite en ces termes, mais c'est la réalité. Je m'explique.

Prenons la poursuite d'un objectif. Ce peut être n'importe quel objectif (obtenir une promotion, avoir congé un vendredi pour jouer au golf, maintenir la paix lors des réunions de famille). Si vous deviez mettre par écrit ce que serait la poursuite de cet objectif, cela pourrait ressembler à ceci :

A. Définir l'objectif.
B. Songer à la façon d'y parvenir.

C. Déterminer des actes à poser et préparer des stratégies.

D. Agir.

E. Réfléchir à la façon dont nos actes nous rapprochent de l'objectif.

La plupart des gens croient que les étapes A à E sont conscientes, au sens littéral du terme, et sont accompagnées de processus de pensée qui sont totalement délibérés.

Mais en vérité, c'est un peu plus compliqué que cela, en partie à cause des capacités limitées du cerveau. Une portion de ce qu'il fait doit être automatique, car, autrement, les processus de réflexion accapareraient une trop grande partie de la capacité d'attention du cerveau. Certains actes sont intentionnellement automatiques, comme lorsque vous voulez faire marche arrière avec votre voiture dans votre entrée. Rappelez-vous la première fois que vous l'avez fait, et la nervosité et la fatigue que cela a occasionnées ; vous tentiez désespérément de vous concentrer et tourniez constamment la tête. Aujourd'hui, lorsque vous reculez, vous faites probablement autre chose en même temps : allumer la radio, parler à quelqu'un, penser à ce que vous allez faire ensuite. Nous ne mettrons pas en cause l'utilité de ce genre d'automatisme. Mais il existe un autre processus tout aussi automatique, au-delà de notre perception consciente, selon lequel les choix à faire dans certaines situations sont également automatiques. Il s'agit du processus selon lequel les « objectifs et les motifs seront automatiquement déclenchés par des situations », même si cela se fait à notre insu.

Cela est attribuable à l'influence de l'« amorçage » sur les décisions que nous prenons. D'après la recherche, tous les genres de signaux, ou d'amorces, présents dans l'environnement ont une influence sur nos pensées, nos attitudes et nos comportements sans que nous en ayons conscience. Ainsi, un stimulus comme l'odeur d'un liquide de nettoyage incite les gens à nettoyer. Et la représentation mentale d'une bibliothèque incite les gens à parler tout bas. D'autres expériences, particulièrement celles de John A. Bargh et Tanya L. Chartrand, mettent en lumière une influence beaucoup plus directe entre les amorces et le comportement. Par exemple, dans une expérience, les participants devaient compléter des phrases par des mots ayant soit une connotation brutale (comme agressif, audacieux, agaçant), soit une connotation polie (comme respect, honneur, courtoisie), ou par des mots neutres. Les participants qui avaient reçu le stimulus de mots brutaux étaient, dans d'autres parties de l'expérience, plus enclins à agir brutalement que ceux qui avaient été stimulés par des mots polis ou neutres.

Mais ce qui est peut-être encore plus pertinent, dans la discussion sur les objectifs et l'abandon, ce sont les expériences faites avec des objets physiques banals, et les représentations mentales et les comportements qu'ils évoquent. Bargh et ses collègues ont réalisé différentes expériences avec des objets censés représenter le monde des affaires capitaliste (comme des porte-documents, des tables de conférence, des plumes à réservoir, des chaussures chics, des complets, etc.). Il s'agissait de découvrir si ces stimuli allaient susciter la compétition, et ce fut le cas. Dans une expérience, on a demandé aux participants de compléter des mots à trous, notamment c_ _ p_ _ _ tif. Alors que 70 % de ceux qui avaient reçu le stimulus de représentations d'affaires ont trouvé le mot «compétitif», seulement 42 % de ceux qui n'avaient pas reçu de stimulus l'ont trouvé. Il faut noter que ce mot à trou aurait aussi pu être «coopératif».

L'expérience la plus claire sur les effets du stimulus comportait l'utilisation du «jeu de l'ultimatum», dans lequel une personne propose le partage d'une somme (dans le cas en question, la somme était de 10 $), que l'autre personne peut prendre ou laisser. La personne qui a l'argent doit en donner une partie; il s'agit donc de savoir combien la personne peut donner, tout en paraissant juste. Dans une expérience, la totalité des sujets qui n'avaient pas reçu de stimulus sous forme de symboles des affaires ont offert un partage moitié-moitié, ou de 5 $ à chacun, et seulement 50 % de ceux qui avaient reçu un stimulus l'ont fait. Dans une deuxième expérience, seulement 33 % de ceux qui avaient reçu un stimulus ont partagé moitié-moitié, comparativement à 91 % de ceux qui n'avaient pas reçu de stimulus. Le stimulus selon lequel «les affaires sont synonymes de compétition» a changé non seulement la compréhension que les participants avaient de l'objectif, mais aussi la façon dont ils se comportaient.

Des expériences semblables, ainsi que des scintigraphies cérébrales, ont montré qu'il n'y a pas de différence entre les objectifs consciemment choisis et ceux qui sont automatiques. Comme l'expliquent Bargh et ses coauteurs, non seulement les objectifs peuvent être activés par de l'information environnementale externe, mais «une fois qu'ils sont activés, ils fonctionnent comme s'ils avaient été délibérément choisis, au point de produire des changements de l'humeur et des croyances sur son efficacité personnelle, selon le degré de réussite dans l'atteinte de l'objectif». Autrement dit, nos réactions émotionnelles par rapport aux objectifs sont les mêmes, qu'ils aient été choisis de façon consciente ou non. Dans un chapitre ultérieur, nous reviendrons sur cette question afin de démontrer que cette tendance fait obstacle au «départ dans les règles de l'art».

Et comme si cette activation inconsciente ne suffisait pas, il y a la question des ours blancs, autre aspect de l'automaticité. Le psychologue Daniel Wegner a cherché à répondre à l'une des questions les plus intrigantes qui soient dans la vie : pourquoi, lorsque nous essayons de *ne pas* penser à quelque chose, cette pensée ne cesse-t-elle de nous poursuivre, tel un intrus ? Pourquoi est-ce si difficile de ne pas penser à des biscuits dès que nous décidons de suivre un régime amaigrissant, ou pourquoi sommes-nous hantés par la pensée de l'amoureux qui vient de nous rejeter, ou pourquoi remettons-nous en question notre décision de partir ? En deux mots, pourquoi les pensées que nous tentons de réprimer par tous les moyens continuent-elles de nous assaillir ? Wegner a découvert ce qu'il a appelé les « processus ironiques de contrôle mental », qu'il résume ainsi : « Il semble que le cerveau recherche inconsciemment et automatiquement toutes les pensées, les actions ou les émotions que la personne tente de contrôler. » Et voilà un autre coup donné à l'idée que nous nous faisions du libre arbitre.

Wegner et ses collègues ont expliqué le fonctionnement de ce processus dans une série d'expériences au cours desquelles les participants se sont fait dire, alors qu'ils effectuaient d'autres tâches, de *ne pas* penser à des ours blancs. Un autre groupe a reçu la consigne de penser à des ours blancs pour commencer, puis de *ne plus* y penser. Les participants qui s'étaient fait demander de ne pas penser du tout aux ours blancs y ont pensé plus d'une fois par minute ! Dans le deuxième groupe, les participants ont pensé aux ours blancs plus souvent lorsqu'on leur a dit de supprimer cette pensée qu'ils ne l'ont fait lorsqu'on leur a demandé d'y penser pour commencer.

Il s'avère que la suppression des pensées et l'effort visant à contrôler les pensées agissent comme des stimuli de l'effet contraire. Cela pose un véritable problème pour les gens qui décident de se désengager par rapport à un objectif, particulièrement s'il s'agit d'un objectif qui a été essentiel à leur estime d'eux-mêmes et à leur identité, et qui a une signification importante pour eux.

La persévérance et l'expérience personnelle

En plus des habitudes de pensée abordées dans ces pages, habitudes qui peuvent déformer notre pensée dans les situations difficiles, chacun de nous incorpore son histoire et ses expériences personnelles dans la détermination de ses objectifs, dans l'évaluation des probabilités de réussite et dans sa volonté de persévérer. Parfois, le renforcement positif, intermittent ou non, incitera des gens à redoubler d'efforts. Mais, paradoxalement, il est probable que d'autres persévèrent lorsque les circonstances suscitent des sentiments ou des comportements pénibles ou douloureux provenant de leurs souvenirs d'enfance. Comme ces sentiments sont familiers, ils créent une zone de confort pour la personne, même si les sentiments eux-mêmes sont stressants ou douloureux. Cela semble tout à fait contre-intuitif, mais c'est tout de même véridique.

La zone de confort a trait à la manière dont l'esprit humain est façonné par les expériences de l'enfance. Dans un chapitre ultérieur, nous en aborderons le fonctionnement et l'importance plus en détail, mais ce qui ressort, c'est que chacun de nous est plus à l'aise avec les modèles émotionnels qui lui sont familiers, que cela le rende heureux ou non. Généralement, le connu l'emporte sur l'inconnu, que le connu nous rende heureux ou non. Ces réactions ne sont pas conscientes, mais elles influencent nos perceptions d'une multitude de façons.

Les gens qui grandissent dans un contexte affectif sain, entourés de parents aimants et attentifs, sont beaucoup moins susceptibles de tomber dans le piège de la zone de confort. Ils réussissent mieux que d'autres à réagir relativement vite à des contextes de violence et de destruction. Mais la plupart d'entre nous ont un bagage psychologique mixte, alors le piège de la zone de confort nous fera sans doute persévérer, du moins pendant un certain temps.

La persévérance et l'inflexibilité

La persévérance fait obstacle lorsque les objectifs que nous avons déjà atteints, particulièrement les objectifs à long terme, doivent être révisés ou reformulés parce qu'ils ne nous servent plus ou qu'ils ne nous rendent plus heureux. Notre désir de maintenir le cap ne tient pas compte de qui nous sommes ni de ce que nous pourrions vouloir modifier au fil du temps. Peut-être est-ce que les compromis que nous étions prêts à faire au début pour atteindre un objectif ne fonctionnent pas, pour nous, à long terme. Ou peut-être que la vie que nous menons n'est pas celle que nous voulons mener en vieillissant. Ces grands objectifs peuvent avoir été choisis par nous-mêmes, ou être ceux que nous avons hérités de nos parents, mais dans un cas comme dans l'autre, les réviser est toujours une entreprise difficile.

En raison des pressions culturelles et personnelles, les objectifs les plus difficiles à abandonner sont ceux qui semblent couronnés de succès en surface, mais qui nous laissent abattus et vides, ou qui nous rendent malheureux d'autres manières. Parfois, un objectif devient périmé parce qu'il ne répond pas à nos attentes, ou parce qu'il entre en conflit avec de nouvelles priorités. Comme nous l'avons déjà vu, plus nous investissons de temps, plus il devient difficile ne serait-ce que de penser à nous désengager, en raison de l'aversion à l'égard de la perte. D'autres fois, ce tiraillement implique non seulement d'abandonner un objectif majeur, mais aussi de se définir soi-même.

Lorsque la persévérance n'est pas jumelée à la capacité de se désengager, la situation est sans issue et il n'y a aucune possibilité d'imaginer un avenir différent.

Comment le départ assure l'équilibre

Comme la décision de laisser tomber un objectif est un choix conscient, le fait d'envisager de partir atténue les effets des processus inconscients du cerveau, et nous permet de redéfinir et de réévaluer l'objectif courant. En plaçant le départ dans la balance, nous modifions notre perspective de bien des façons, et nous entamons un processus qui, ultimement, nous permettra de laisser tomber un objectif inatteignable et de formuler de nouveaux objectifs qui enrichiront nos vies.

Vous ne serez pas étonné d'apprendre que toutes les histoires d'objectifs inatteignables ont finalement été résolues lorsque la personne concernée a commencé à envisager le départ comme une solution possible. Chaque personne en cause a pris une décision bien réfléchie et a traversé le processus de ce que cela signifie de partir. Dans certains cas, il a fallu des mois, sinon des années pour franchir les étapes nécessaires.

Dans le cas de Jennifer, le processus a débuté lorsqu'elle a commencé à envisager d'utiliser son expérience en droit de façons différentes. Elle a fait du réseautage pour trouver d'autres personnes qui avaient abandonné la pratique du droit, mais qui se servaient de leurs compétences dans un autre contexte. Une fois qu'elle a eu envisagé de partir, elle a pu arrêter de considérer les années qu'elle avait investies comme une perte. Ce changement de perspective lui a donné la liberté d'explorer d'autres avenues auxquelles elle n'aurait jamais songé autrement. Elle est aujourd'hui heureuse et productive en travaillant dans un organisme sans but lucratif où ses compétences et son attitude sont appréciées.

Julie, la joaillière, a fermé boutique et a conclu qu'elle n'était pas faite pour être entrepreneure. Elle s'est rendu compte que la stabilité financière et la tranquillité d'esprit constituaient des objectifs plus importants que le fait d'être sa propre patronne, et que cela compensait largement la perte de son rêve. Elle a fait de son mieux pour mettre en valeur ses compétences en design et elle a obtenu un emploi auprès d'un fabricant de vêtements. Elle fait encore des bijoux, mais elle voit cela plutôt comme un exutoire à sa créativité. Elle en vend à des amis et à des connaissances par l'entremise de son site Web, ainsi que dans des salons d'artisanat.

Robert a finalement quitté la plateforme de durabilité qu'il avait créée et est retourné travailler en communications au sein d'une entreprise, qu'il envisageait comme une solution à court terme. Mais, cette fois, il s'est employé à trouver une société qui servait un large éventail de clients. Il s'est spécialisé dans les entreprises vertes. Même s'il recherche encore un nouveau projet qui répondrait à son objectif à long terme, il dit que s'il en trouve un, il portera une attention beaucoup plus grande à l'interaction entre les personnes et à la vision à long terme.

Tous reconnaissent qu'au début, ils ont eu de la difficulté à se faire à l'idée de partir, et à ce qu'ils ont considéré d'abord comme une perte de temps et d'énergie, et même, dans certains cas, d'argent. Et surtout, chacun d'eux admet que la pression culturelle les poussant à persévérer a rendu le désengagement encore plus difficile. Certains ont trouvé du soutien dans leur décision de partir auprès de leur famille et de leur cercle d'amis, et d'autres, non. En faisant les gestes de partir, puis de se fixer de nouveaux objectifs, chacun d'eux a eu une nouvelle perspective sur ce qu'il voulait vraiment et sur ce qui le rendait heureux.

L'un des objectifs de ce livre est de vous amener à changer votre façon de penser à propos du départ, de sorte que vous puissiez constater que le fait de lâcher prise peut augmenter votre bien-être. Ce livre a aussi pour but de vous aider à déterminer si vos objectifs vous sont favorables ou défavorables, et si vous devez réviser certains aspects de votre vie. Dans chacun des chapitres, il est implicitement reconnu que même si les objectifs donnent un sens et une structure à notre vie, rares sont les personnes qui les atteignent *tous*. Les déceptions et les réorganisations font partie de la vie de tous. Maîtriser l'art de partir est, en grande partie, apprendre à être souple lorsqu'on en a besoin afin de pouvoir relever tous les défis qui se présentent à nous. En nous permettant de partir, nous pouvons acquérir une souplesse d'esprit qui mène à une plus grande satisfaction dans la vie.

De plus, nous croyons que les leçons contenues dans ces pages seront utiles pour faire face aux revers imprévus de la vie et pour s'en remettre, revers qui nous forcent à revoir ou à abandonner les objectifs que nous nous étions fixés. Ces revers peuvent toucher la carrière, les relations personnelles, la santé ou les finances. Dans ces cas, même si nous avons décidé de ne pas changer de parcours, notre capacité d'abandonner habilement les objectifs initiaux sera déterminante dans notre rétablissement après cette perte et dans notre aptitude à nous engager par rapport à des objectifs réduits ou nouveaux, qui offrent une promesse de bonheur et de satisfaction. C'est là une autre raison pour laquelle maîtriser l'art de partir est important.

Maintenant que nous avons observé la façon dont les gens sont programmés pour persévérer, nous allons découvrir pourquoi le départ dans le sens traditionnel (qui n'a rien à voir avec le véritable désengagement par rapport à l'objectif) ne fonctionne pas.

PROFIL DE LA PERSÉVÉRANCE

Lisez les énoncés qui suivent. Répondez-y le plus sincèrement possible, par oui ou par non, afin de déterminer votre degré de persévérance.

1. Je crois que les choses finissent habituellement par s'arranger.

2. Je pense qu'abandonner une situation est une solution de dernier recours.

3. Les difficultés que d'autres trouvent décourageantes me stimulent.

4. Je m'inquiète beaucoup lorsque les choses ne se déroulent pas comme prévu.

5. Quand je ne peux pas obtenir ce que je veux, je le désire encore plus.

6. Je préfère rester dans une situation ou une relation trop longtemps plutôt que de partir trop tôt.

7. Je ne sors jamais d'une représentation pour laquelle j'ai payé, aussi ennuyeuse qu'elle puisse être.

8. Je suis optimiste de nature.

9. Je crois à la persévérance.

10. J'ai tendance à me remettre en question.

11. Je passe beaucoup de temps à parler des échecs de mes relations.

12. Ce que les gens pensent de moi m'importe beaucoup.

13. Quand je perds quelque chose, je ne peux pas m'empêcher d'y penser ou de le chercher.

14. Je ne me contenterai pas de moins : je vais magasiner jusqu'à ce que je trouve exactement ce que je veux.

15. Réussir est très important pour moi.

16. J'ai de la difficulté à faire des compromis.

17. Je dresse des listes de choses à faire, et je les accomplis toujours.

18. Je n'arrive pas à me distraire lorsque je suis stressé.

19. Je pense que je suis plus déterminé que les autres.

20. Je pense qu'abandonner la partie est un signe de faiblesse.

Plus vous avez répondu « oui », plus vous montrez une tendance à la persévérance, même lorsqu'elle est injustifiée, et il vous sera d'autant plus difficile de songer à abandonner la partie. Ce profil est une façon informelle d'observer vos attitudes personnelles par rapport à la persévérance.

CHAPITRE DEUX

Le départ raté

On peut s'étonner du fait que, la plupart du temps, les gens, en plus de ne pas savoir pourquoi ils pensent comme ils le font, n'ont pas d'idée précise sur ce qui les rendra heureux et jusqu'à quel point. Plusieurs d'entre nous se fixent des objectifs, et découvrent par la suite que ce qu'ils avaient désiré ne leur suffit pas. Étant donné qu'on ne peut pas se fier à une boule de cristal, la capacité de décider de se désengager ou non par rapport à un objectif, puis de lâcher prise et de tout recommencer est une compétence essentielle dans la vie.

Notez le terme « désengager ». Le désengagement, ou le « départ dans les règles de l'art » n'a rien à voir avec le départ sur un coup de tête que plusieurs d'entre nous, sinon tous, ont vécu au moins une fois dans leur vie. Certains ont un style de départ distinctif et, si c'est votre cas, cela vaut la peine de le cerner avant de commencer à apprendre la façon de partir dans les règles.

Bien sûr, les styles de départ suivants ne sont pas des descriptions scientifiques du processus de départ des gens ; ils sont destinés à servir d'exemples, afin que vous puissiez y reconnaître des aspects de votre propre comportement et de votre style de départ.

Le départ de paresseux

Nous avons parlé du lâcheur habituel au premier chapitre, mais cela vaut la peine de le revoir, étant donné que le « départ de paresseux » est ce qui vient en premier à l'esprit lorsqu'on parle de départ. Ce style de départ (auquel on a recours lorsque la situation devient difficile ou qu'elle exige davantage que ce que la personne avait prévu) est lié tant au non-engagement qu'au départ. Ce genre de départ peut devenir une habitude dans la vie de quelqu'un et s'étendre à un vaste éventail d'activités. En fait, les gens qui le pratiquent finissent rarement ce qu'ils ont commencé.

Le départ « affrontement »

Le départ « affrontement » fait allusion au départ selon lequel on prend la pose du gagnant qui remporte tout. Cette approche vise habituellement à montrer la personne qui s'en va sous le meilleur éclairage possible, faisant de l'acte de partir un geste moral ou un impératif. Sa description met l'accent sur ce qui aurait pu être perdu si la personne avait persévéré, en disant, par exemple : « Je m'en vais parce que mon intégrité est ce qui compte le plus pour moi. » Dans cette phrase, on peut remplacer le terme « intégrité » par n'importe quel autre terme, mais le fond reste le même. Étant donné que ce style de départ repose sur des bases éthiques, l'un de ses attraits est qu'il atténue la responsabilité culturelle du départ.

Voici un bon exemple, contemporain et public, du départ « affrontement » : celui de Greg Smith, le directeur de Goldman Sachs qui a annoncé son départ dans les pages d'opinions du *New York Times* après avoir « découvert », au bout d'une douzaine d'années en poste, que la banque d'investissement se préoccupait davantage de ses bénéfices que des intérêts de ses clients. Dans le cas de Smith, sa démission publicisée lui a permis d'obtenir une avance sur son livre, s'élevant à des millions de dollars, mais pour la plupart des gens, l'approche de l'affrontement, bien que momentanément satisfaisante et flatteuse pour l'ego, peut nuire grandement à leur carrière. Si vous comptez obtenir des recommandations ou que vous désirez poursuivre votre carrière dans le même secteur d'activité, ce n'est pas un geste à faire; vous couperiez ainsi les ponts.

Dans le domaine des relations personnelles, plus particulièrement dans le cas d'un divorce, l'approche de l'affrontement garantit presque d'importants dommages collatéraux, étant donné que l'autre personne fera nécessairement figure de « méchant » et qu'il n'y aura pas de terrain d'entente possible. Les divorces de célébrités tournent souvent en affrontements, chacune des parties tentant d'obtenir de la publicité à son avantage. Si vous désirez voir cette approche de l'affrontement dans une comédie noire, vous n'avez qu'à louer le film intitulé *La Guerre des Rose*.

La malhonnêteté affective est, par définition, associée à ce style de départ, étant donné que la personne qui s'en va n'a aucune responsabilité à assumer pour les actes ou les comportements qui ont précédé le moment de son départ, ou pour son départ lui-même. Tout cela est blanchi au nom de la noble valeur qui a forcé la personne à partir. Par conséquent, il est peu probable que l'approche de l'affrontement entraîne une véritable croissance personnelle ou le bonheur, ni qu'elle ouvre de nouveaux débouchés. Réparer les dégâts après le règlement de compte exige beaucoup de travail.

Le faux départ

Le « faux départ » n'est pas un style de départ en lui-même; il est constitué de plusieurs variations sur un même thème. Mais toutes les versions du faux départ, même si elles semblent conduire la personne vers la sortie, la maintiennent plutôt en place. La personne peut poser différents actes qui laissent croire à un désengagement, comme rompre temporairement une relation, établir de nouvelles limites ou suggérer différents plans d'action, mais elle finira par s'en éloigner. Ce style de départ fait parfois naître de nombreux problèmes, particulièrement en ce qui concerne les objectifs à long terme, la carrière et les relations personnelles. Le faux départ entretient le conflit, plutôt que de le supprimer.

Les relations familiales tendues (entre mères et filles, pères et fils, frères et sœurs) donnent parfois naissance à un modèle cyclique de faux départ, qui empêche la résolution des tensions affectives ou une simple détente. Les désirs contradictoires (être insatisfait d'un partenaire, mais être incapable de rester seul, détester un emploi, mais apprécier le salaire, et autres émotions contradictoires ou conflictuelles) peuvent transformer le faux départ en départ incomplet, qui laisse la personne dans une impasse totale, ou apparemment paralysée. Dans ces cas, la personne peut exprimer clairement son besoin ou son désir de partir, mais demeure incapable de le mettre à exécution. Le faux départ devient souvent un modèle de *statu quo*, laissant l'individu en suspens, incapable de s'engager entièrement dans un mode d'action, ou d'abandonner, en l'absence de thérapie. Et parfois, même une thérapie ne parvient pas à résoudre le conflit.

L'expression «faux départ», ou «départ incomplet», décrit également ce qui se produit lorsqu'une personne abandonne une situation, une relation ou un objectif de vie à long terme, mais continue à y penser ou à ruminer ce sujet autant qu'elle le faisait auparavant. Pensez à la divorcée qui passe des heures à parler de son ex-mari avec d'autres hommes, à la personne qui a été congédiée et qui déblatère contre son ex-employeur dans toutes ses entrevues d'emploi, ou à la personne qui abandonne une poursuite, mais qui en reste captive, émotivement, au point de ne pas avoir l'énergie pour aller de l'avant. Les divorces longs et contentieux sont souvent le résultat d'un, ou même de deux, départs incomplets; même si elles semblent finaliser leur rupture, les parties sont totalement engagées dans l'affaire, chacune cherchant à «gagner». Par définition, le faux départ maintient l'engagement.

Le départ « menace »

Le départ «menace» pourrait être comparé à l'attitude «Si tu ne fais pas cela, je te quitte». Et le «cela», dans la phrase, dépend entièrement de la personne qui la prononce. Le départ «menace» n'est pas un vrai départ; il s'agit de manipulation sous forme de menace de rupture. Souvent, la personne qui profère la menace n'a pas vraiment l'intention de mettre fin à l'interaction, quelle qu'elle soit. Les patrons, en entreprise, connaissent bien ce genre de menace, qui est parfois utilisée par les employés pour obtenir une augmentation de salaire ou une promotion. Les menaces de départ fonctionnent parfois à court terme, mais ce n'est jamais une bonne stratégie à long terme; il se trouve toujours une personne qui prendra la menace au mot et acceptera le départ. Dans les relations personnelles, menacer de partir s'inscrit souvent dans un modèle de comportement passif-agressif, une personne tentant d'adoucir l'autre, temporairement, du moins. Le départ «menace» est habituellement un jeu de pouvoir. À vrai dire, cette approche n'est pas une façon très saine de s'engager.

La disparition

La disparition constitue un véritable départ caractérisé par la fuite, mais la personne qui s'en va ne fournit aucun motif de sa décision. Même si la disparition lance parfois un message dévastateur («Tu ne vaux même pas un affrontement») ou punitif («Attends que l'équipe ait à combler le vide!»), la plupart du temps, elle révèle surtout le manque de courage ou de détermination de la personne qui s'en va. Ce style tend à confirmer tous les aspects négatifs que la culture attribue généralement au départ. Cela n'augure pas bien non plus pour la personne qui part, car ce geste est égoïste et ne fait pas grand-chose pour la faire avancer sur un nouveau territoire. La personne a peut-être disparu, mais elle traîne un lourd bagage derrière elle.

Avec l'arrivée des communications numériques, la «disparition» est devenue la méthode de rupture préférée des adolescents à la grandeur des États-Unis, à tel point que des séminaires sont donnés à des élèves des écoles secondaires au sujet des raisons pour lesquelles une rupture en message texte ou sur Facebook est malsaine. Les membres de la génération *post-boomer* ou perpétuellement branchée ont aussi recours au texto ou aux courriels pour quitter leur emploi ou une relation, car cette approche électronique constitue un moyen facile d'éviter l'affrontement. Ce n'est pas très positif, car la personne qui s'en va laisse bien des questions en suspens.

L'approche «big bang»

L'approche «big bang» fait référence au moment où on se dit: «Assez, c'est assez!», à la fameuse goutte d'eau qui fait déborder le vase, et lorsque ce moment survient, dans les domaines du travail, de l'amour et de la vie personnelle, il provoque probablement le départ le plus destructeur de tous, car il est réactif, émotif et dénué de planification ou de pensée consciente. Avec ou sans les claquements de portes et autres gestes spectaculaires, le big bang laisse à celui qui part un gâchis à nettoyer et un parcours futur semé d'émotions et d'autres débris, même s'il finit par se sortir de la situation. Certains gestionnaires qui sont insatisfaits du rendement d'un employé, mais qui se dérobent devant la tâche de le congédier ou qui cherchent à éviter d'avoir à payer des indemnités de départ, tentent parfois de susciter une réaction de big bang. Un jeu de puissance d'un dirigeant d'entreprise peut tenter de susciter une réaction de big bang de la part d'un autre.

Même si le big bang nous libère de la prison dans laquelle on se trouvait enfermé, il ne laisse aucune voie bien définie à emprunter ni position de repli. Comme il fait souvent suite à une longue période de stress, de frustration et d'émotions intenses (et en est souvent le résultat), ce style de départ explosif laisse fréquemment celui qui part vulnérable à une longue période de remise en question, de rumination et, parfois, de remords. Dans bien des aspects, il est le contraire du véritable désengagement par rapport à ses objectifs, et c'est un excellent candidat au titre de pire style de départ, avec le départ « affrontement ».

Le départ furtif

Ce type de départ pourrait aussi s'inscrire dans le style « menteur, menteur », parce que, dans ce contexte, la personne prétend ne pas partir, et peut même promettre de faire plus d'efforts, alors qu'elle se dirige vers la sortie. Les projets communs (depuis le rapport de groupe en sciences sociales à l'école jusqu'aux partenariats d'affaires, à l'âge adulte) sont souvent l'objet de départs furtifs, le partant refusant d'admettre qu'il veut s'en aller. On peut rejeter en partie sur la responsabilité culturelle la cause du départ furtif, mais d'autres facteurs entrent aussi en jeu.

Pourquoi ces genres de départ échouent-ils ?

Aucun de ces styles de départ ne se rapproche du départ dans les règles de l'art ou du désengagement à l'égard d'un objectif. Au mieux, ils dissocient la personne de la poursuite de son objectif, du moins en surface, mais ils laissent en place tous les mécanismes qui incitent les humains à la persévérance, sous une forme ou une autre. Aucun d'eux ne mène à la création de nouveaux objectifs et de nouvelles possibilités.

Et surtout, ces styles de départ ne permettent pas de régler, ou de neutraliser efficacement, toutes les habitudes de pensée qui nous incitent à persévérer et à nous engager à l'égard d'objectifs, de quêtes et de relations, même longtemps après leur «date de péremption»; ils ne nous empêchent pas non plus de ruminer ces pensées intrusives que nous n'arrivons pas à maîtriser. Ces styles de départ nous laissent coincés, d'une façon ou d'une autre; ils ne modifient pas notre perspective et ne font rien pour résoudre les conflits d'intérêts. Ils ne nous aident pas non plus à gérer les émotions qui peuvent nous submerger lorsque nous abandonnons une chose que nous avions cru pouvoir nous rendre heureux. Ils ne nous empêchent pas de ruminer sur ce qui aurait pu se passer différemment ni de nous remettre en question. Ils n'ouvrent pas la voie à la motivation qui nous permettra de nous fixer de nouveaux objectifs et d'abandonner les anciens qui peuvent faire obstacle aux nouveaux. Ils ne nous aident pas à nous réorienter et à recommencer à neuf.

Le véritable désengagement à l'égard des objectifs fait tout cela, et plus encore.

Les pierres d'achoppement

Même lorsque nous abandonnons une entreprise, la première chose que les gens nous demandent, c'est si nous avons tenté de faire fonctionner les choses. Par exemple, lorsqu'une personne parle de son divorce imminent (situation à laquelle à peu près la moitié d'entre nous feront face), les amis et les étrangers demandent si le couple est allé en thérapie. La réponse culturellement acceptable est « oui », ce qui témoigne de nos efforts en matière de persévérance, malgré l'échec final de la relation, et ce qui enlève un peu de responsabilité. Mais si la réponse est « non », vous verrez ce que les gens en diront et en penseront. Plusieurs d'entre nous sont tellement conditionnés à se sentir honteux s'ils font montre d'un manque de persévérance ou (le ciel nous en préserve) s'ils décident vraiment de divorcer, qu'ils se sentiront obligés de fournir des explications. Malheureusement, il se peut que nous sabotions involontairement nos efforts pour avancer dans la vie.

C'était le cas de Tim, un homme qui approchait de la trentaine, diplômé d'une faculté de droit d'une grande université. Il avait tout ce que possèdent les gens qui réussissent dans une culture d'entreprise : des études supérieures, du charme, de l'intelligence et, d'après les sports qu'il avait pratiqués à l'université, un excellent esprit d'équipe. Cependant, au bout de quatre années dans un cabinet d'avocats, il s'est rendu compte qu'il adorait certains aspects de son travail (voyager et s'entretenir avec les clients qui créaient de nouvelles entreprises), mais qu'il n'aimait pas les rouages de la rédaction de contrats, qui constituait le plus gros de sa description de poste. Il en est venu à souhaiter se trouver de l'autre côté du bureau, à créer de nouvelles entreprises, tout en craignant que ses supérieurs ne découvrent son insatisfaction. Il a consulté un thérapeute, et à la suggestion de celui-ci, Tim a commencé à se présenter à des entrevues d'information, afin d'apprendre ce qu'il pourrait faire par la suite. Il s'est fait un tas de bonnes relations (un large cercle de connaissances et d'amis), et tout cela semblait prometteur.

Fait assez curieux, ces entrevues d'information (qui mènent habituellement à des séances d'accueil, puis à des entrevues officielles et à des offres d'emploi) n'ont pas porté de fruits. Les gens ne le recommandaient tout simplement pas au niveau supérieur. Et pourquoi donc? Il s'avère que, pendant ces entretiens, Tim glissait toujours un ou deux commentaires sur le fait que d'avoir fréquenté la faculté de droit avait été une erreur monumentale et qu'il avait ensuite gaspillé quatre années de sa vie, ce qui avait gâché son parcours professionnel. Autrement dit, il se présentait comme un lâcheur et s'en excusait, au lieu de se faire valoir en tant que ressource potentielle pour l'entreprise, étant donné ses antécédents. Bien sûr, Tim ne faisait pas cela consciemment; en fait, il exprimait ses propres doutes à propos de son départ, sans toutefois s'en rendre compte.

Une fois que Tim s'est aperçu de ce qu'il faisait et qu'il a cessé de se voir comme un lâcheur, il a commencé à obtenir des références, puis des entrevues, jusqu'à ce qu'il puisse enfin réorienter sa carrière comme il le désirait. Le comportement de Tim est courant: les pressions culturelles sont peut-être invisibles, mais elles sont puissantes et omniprésentes.

Quelques éclaircissements

Bien que nous utilisions tous le terme «objectif», il serait bon de l'aborder plus en détail. En fait, que sont les objectifs et pourquoi sont-ils importants? Étant donné que les objectifs nous dictent nos actes, les êtres humains sont donc, par définition, orientés vers les objectifs. Au début, les premiers objectifs humains (que nous continuons tous à partager) étaient plus simples que ceux qui nous occupent l'esprit au 21e siècle. La liste des choses à faire par les humains a déjà été courte, mais essentielle, et centrée sur la survie, la recherche de nourriture, d'eau et d'un abri, sur le fait d'avoir des relations sexuelles et d'appartenir à un groupe. Aujourd'hui, à quelque moment que ce soit, chacun de nous a un éventail d'objectifs auxquels il consacre divers degrés d'attention. Certains d'entre eux sont tellement simples que nous les réalisons sans y penser consciemment. (Si l'objectif principal est de nous rendre au travail, nous avons une série d'objectifs intermédiaires : sortir du lit, prendre notre douche, nous vêtir, boire un café ou déjeuner, rassembler les choses dont nous avons besoin pour la journée, verrouiller la porte, conduire la voiture, soit tous les éléments qui nous aident à atteindre notre objectif.)

Un objectif peut être intrinsèque ou extrinsèque. Un objectif intrinsèque vient de l'intérieur de la personne (provoqué par l'image mentale que nous avons, ou voulons avoir, de nous-mêmes, ainsi que par nos désirs immédiats). Comme l'écrivent Richard M. Ryan et Edward L. Deci, « la distinction la plus fondamentale s'établit entre la *motivation intrinsèque,* qui consiste à faire quelque chose parce que c'est intéressant ou satisfaisant en soi, et la *motivation extrinsèque,* qui consiste à faire quelque chose parce que cela procure un résultat spécifique ». Il n'est pas étonnant que les objectifs ayant une motivation intrinsèque reçoivent la part du lion, en termes de créativité et d'efforts.

Les objectifs intrinsèques peuvent être des efforts personnels abstraits et être liés au développement de soi (acquérir davantage d'empathie, revendiquer ses droits, se faire de nouveaux amis, se cultiver et atteindre la paix intérieure) ou concrets (agir de façon à être perçu comme quelqu'un d'intelligent ou bon travailleur). Par ailleurs, les objectifs extrinsèques tirent leur origine du monde extérieur. Il peut s'agir de choses que d'autres veulent que nous fassions (être un étudiant consciencieux, devenir avocat comme son père, être un meilleur conjoint), ou de signaux non sociaux que nous envoie notre environnement. Comme l'écrivent Ryan et Deci : « La motivation extrinsèque est habituellement définie comme une pâle forme de motivation appauvrie (même si elle est puissante) qui contraste avec la motivation intrinsèque. » Dans les prochains chapitres, lorsque nous aborderons l'établissement des objectifs, le fait de savoir si l'un de vos objectifs est intrinsèque ou extrinsèque sera essentiel pour déterminer si vous devez partir et, surtout, vers quoi vous voulez vous diriger ensuite.

Certains objectifs sont à court terme, et résolument concrets (aller chercher les vêtements chez le nettoyeur, acheter de la litière pour chats, conduire les enfants à l'école, envoyer une carte d'anniversaire à l'oncle Arthur, payer des factures). D'autres sont à moyen terme, alliant à la fois des objectifs concrets et abstraits (faire plus d'exercice pour améliorer sa santé, économiser pour fréquenter une meilleure école, travailler à maîtriser ses humeurs pour que les repas en famille se déroulent plus en douceur). Et d'autres encore sont des objectifs à long terme (faire son droit et devenir associé dans un cabinet d'avocats, gagner beaucoup d'argent, acheter un bateau et voguer jusqu'aux îles Fidji, trouver le partenaire idéal pour le reste de ses jours). La théorie psychologique a classé les objectifs d'accomplissement en trois catégories utiles : les objectifs de maîtrise, axés sur l'acquisition d'une compétence ou d'une expertise ; les objectifs de performance, axés sur l'acquisition d'une compétence ou d'une expertise concernant les autres personnes ; et les objectifs d'évitement de la performance, qui permettent d'éviter l'incompétence, en comparaison avec les autres.

Chacun de nous, au cours de sa vie, aura des objectifs de performance-approche et de performance-évitement. Nous choisissons certains objectifs en raison de la promesse qu'ils offrent (l'état ou le résultat désiré). Il s'agit d'objectifs d'approche, parce que nous posons des actes pour atteindre le résultat désiré ou nous en approcher. On se dit alors : « Si je fais X, Y se produira », X et Y étant, respectivement, les actes et les résultats que vous recherchez. Les objectifs d'approche peuvent être concrets (« Si je lui souris et suscite son intérêt, elle sortira avec moi ») ou abstraits (« Si j'apprends une autre langue, les gens penseront que je suis plus cultivé »). De même, nous optons pour les objectifs d'évitement afin d'esquiver un résultat indésirable. Ici, la formule se résume à « Si je ne fais pas X, Y ne se produira pas ». C'est pourquoi certaines personnes ne fument jamais et que d'autres cessent de fumer, par exemple. Les objectifs d'approche et les objectifs d'évitement jouent un rôle important dans la vie humaine, sans parler des autres espèces, comme les chiens et les chats qui sont peut-être couchés à vos pieds pendant que vous lisez, ou la gazelle qui décide de rester sur sa soif lorsqu'elle aperçoit un lion au point d'eau. Comme l'ont démontré les travaux de John A. Bargh et de ses collègues, en majeure partie, les êtres humains classent et évaluent automatiquement, et souvent de façon inconsciente, tout ce qu'ils voient selon une dimension positive ou négative ; c'est inscrit dans l'instinct de survie de notre espèce et dans celui d'autres espèces.

D'après Andrew J. Elliot et Todd M. Thrash, l'approche et l'évitement pourraient être utilisés également pour décrire le tempérament d'une personne. On peut ainsi obtenir un modèle de personnalité différent et peut-être plus efficace, en ce qui concerne les objectifs, que les « cinq grandes » caractéristiques utilisées en psychologie. Elliot et Thrash soutiennent que les gens qui ont un tempérament « approche » sont sensibles aux objectifs positifs et désirables, qu'ils font montre d'une réceptivité émotionnelle et comportementale à ces objectifs positifs, et qu'ils sont enclins à poursuivre ces objectifs. Par contre, les gens qui ont un tempérament «évitement» ont tendance à réagir aux aspects négatifs de toute situation, ils choisissent leurs objectifs en fonction de l'évitement et se concentrent sur les signaux négatifs dans leur environnement. Les tempéraments «approche» et «évitement» ne sont pas synonymes de «verre à moitié plein» et de «verre à moitié vide» (soit un point de vue optimiste ou pessimiste); il s'agit plutôt d'une façon beaucoup plus vaste d'aborder la vie, qui tient compte des réactions affectives, cognitives et comportementales aux situations, aux événements, et même aux gens et aux relations dans le monde. En fait, l'orientation (que ce soit l'approche ou l'évitement) est tellement enracinée qu'elle chevauche les différents domaines, comme on peut le voir dans une série d'expériences réalisées par Elliot et ses collègues, et qui montrent de la constance, tout au long de la vie.

Imaginez deux personnes, chacune ayant pour but de nouer une amitié. L'une des deux est motivée par l'approche, attirée par l'objectif de se faire un ami en raison du lien social satisfaisant, de l'intimité partagée, de la façon dont les amis favorisent la compréhension sociale et émotionnelle. L'autre personne est motivée par l'évitement; elle recherche l'amitié pour éviter l'isolement social qu'entraîne la solitude, et pour éviter de se sentir impopulaire, rejetée ou déphasée, dans un monde où les gens ont des amis. Si ces deux personnes tentaient de se lier d'amitié ensemble, il s'ensuivrait un scénario raisonnablement prévisible de malentendus et de déceptions. Même si leur objectif (se faire des amis) semble le même, les motifs de leur objectif sont extrêmement différents. Transposons cet exemple à une relation plus intime (amis de cœur, amants, époux), et l'importance de la motivation devient très claire.

La distinction entre ces deux motivations et ce qui arrive aux gens qui ont l'une ou l'autre des orientations est énorme. Comme le note Elliot : « La motivation de l'évitement est limitée, d'un point de vue structurel, car, par sa nature même, elle ne peut que mener à l'absence de résultat négatif (lorsqu'elle est efficace) ou à la présence d'un résultat négatif (lorsqu'elle est inefficace). » Fait encore plus révélateur (et peut-être déprimant), « la motivation de l'évitement vise à faciliter la survie, alors que la motivation de l'approche vise à faciliter la réussite ».

Le passage en « mode survie », même lorsqu'il n'y a pas de danger (si on s'imagine que le lion peut se trouver au point d'eau, on risque de mourir de soif), peut non seulement faire perdre des occasions de croissance et de développement, mais il risque même de rapprocher une personne ou un animal de la chose qu'il cherche à éviter.

Qu'est-ce qui fait que certaines personnes sont orientées « approche » et que d'autres sont orientées « évitement » ? La réponse réside dans l'enfance (oui, retour à la pouponnière), et dans l'éducation, particulièrement dans l'attachement aux parents ou aux parents-substituts. Nous reviendrons sur ce sujet au prochain chapitre.

Objectifs contradictoires

Étant donné la complexité de la nature et des désirs humains, les objectifs ne sont malheureusement pas tous égaux ni toujours compatibles entre eux. Pour les femmes comme pour les hommes, le dialogue culturel continu sur le fait de tout avoir concerne, bien sûr, les objectifs contradictoires : trouver l'équilibre entre le besoin ou le désir de tenter d'atteindre l'objectif d'être un parent attentif et disponible, de satisfaire un aspect de la vie sans en sacrifier un autre, d'entretenir d'étroites relations sans perdre de vue ses besoins ou soi-même.

Comprendre les effets nocifs des objectifs contradictoires (comme les troubles émotifs, la perte du bien-être général et les répercussions négatives sur la santé) est une autre raison pour laquelle le fait de pouvoir envisager le désengagement face aux objectifs est une importante compétence de vie.

Les psychologues Robert Emmons et Laura King ont réalisé une série d'expériences visant à étudier les effets d'objectifs contradictoires sur les objectifs personnels. Les participants devaient compiler une liste de 15 objectifs, motivés par l'approche ou par l'évitement. (Voici des exemples d'objectifs d'évitement donnés par les participants, qui étaient des étudiants du niveau collégial : éviter la dépendance à un petit ami ; éviter de répandre des rumeurs malveillantes.) On leur a alors demandé, liste en main, d'indiquer les objectifs qui étaient contradictoires, puis si la réalisation d'un objectif « avait des effets utiles, nocifs ou aucun effet sur une autre réussite ». Finalement, les participants se sont fait interroger sur leur ambivalence : réussir à atteindre un objectif plutôt qu'un autre les rendrait-il insatisfaits ? Emmons et King ont fait un suivi auprès de ce groupe, un an plus tard.

Comme on pouvait s'y attendre, les résultats ont révélé que les gens étaient surtout ambivalents à propos des objectifs qui entraient en contradiction avec d'autres objectifs. Ces contradictions et ambivalences étaient associées à la perte de bien-être psychologique et à des problèmes de santé.

Dans une deuxième expérience, après qu'ils ont eu dressé leur liste d'objectifs et noté les contradictions et les ambivalences, les participants ont rédigé deux fois par jour des rapports sur leur humeur, pendant 21 jours. Ils y ont inscrit tant les émotions positives (bonheur, joie, ravissement), que les émotions négatives (tristesse, colère, anxiété). Ces données ont ensuite été mises en corrélation avec les autoévaluations de leur santé, ainsi qu'avec leurs rapports médicaux de l'année en cours et des années précédentes. Dans le cadre d'une troisième expérience, les participants à la première expérience ont établi des rapports sur leurs pensées et leurs actes, au signal d'un téléavertisseur qui se déclenchait à des intervalles aléatoires.

Les découvertes d'Emmons et de King ont trait au coût des objectifs contradictoires et à la valeur du désengagement par rapport aux objectifs. Premièrement, ils ont découvert que, lorsque des objectifs personnels entrent en conflit, les gens ruminent davantage, mais agissent moins, à l'égard de leurs objectifs – autre variante du thème du coincement : « Le conflit semble avoir eu un effet d'immobilisation sur les agissements, et il était associé à une diminution du bien-être. » Comme l'ont expliqué les chercheurs, en plus de laisser les gens coincés, le conflit entre les objectifs a affecté leur bien-être, tant physique que psychologique.

Il appert que le conflit entre les objectifs sans le désengagement peut littéralement rendre malade, et profondément malheureux. L'histoire de Linda et de George illustre de quoi ont l'air les objectifs contradictoires dans la vie réelle.

Linda, âgée de 62 ans, et George, âgé de 65 ans, sont mariés depuis 18 ans, et bien que leur mode de vie ne soit pas traditionnel (comme elle vit à San Diego et lui, à San Francisco, ils font constamment la navette), il n'est pas exceptionnel. Ils possèdent une propriété commune au Colorado. Il s'agissait d'un deuxième mariage pour tous les deux et, au début, ils avaient encore chacun des enfants mineurs qui vivaient avec eux. Les enfants sont maintenant grands, mais le travail et les habitudes de Linda et de George les maintiennent encore chacun dans leur domicile. Ils vivent des vies parallèles et se rejoignent les week-ends, pendant les longues vacances, au moyen d'appels téléphoniques et de courriels. Ils projettent toutefois de vivre ensemble à leur retraite.

Même si leur vie est exempte du stress quotidien que subissent la plupart des couples qui habitent toujours ensemble,
elle n'est pas complètement dépourvue de stress. Alors que
George dépense allègrement, Linda est axée sur l'épargne et
l'avenir. Au fil des ans, leurs attitudes différentes face à l'argent
ont provoqué d'énormes disputes. C'est Linda qui déclenche
ces affrontements lorsqu'elle découvre une situation financière pour laquelle George a pris seul des décisions. (Il a
vendu des meubles et d'autres biens de valeur, utilisé de
l'argent destiné à la retraite pour d'autres fins, trop dépensé
pour ses loisirs et autres intérêts.) Par le passé, Linda avait
l'énergie nécessaire pour trouver une solution, mais aujourd'hui, elle est fatiguée de se battre contre lui, et la vie
continue ainsi, ce qui laisse des conflits non résolus entre eux.
Par contre, à l'approche de la retraite, ces tensions deviennent
plus fréquentes, particulièrement depuis que Linda a découvert l'énorme dette qu'il a accumulée par carte de crédit (plus
de 100 000 $). Il est à court d'argent, en raison des frais d'inté-
rêt élevés sur sa dette.

Linda a tenté diverses approches, dont la consultation d'un
professionnel, mais George s'est montré réfractaire à toutes.
Étant donné qu'il a gagné cet argent, il veut être libre de le
dépenser à sa guise. Il se fâche lorsque Linda parle d'avoir un
droit de regard sur les dépenses de l'autre. Elle s'inquiète de
leur avenir financier et de leur retraite, ce qui lui cause beaucoup d'angoisse. Mais l'atteinte d'une sécurité financière n'est
pas son seul objectif; les liens émotifs et la famille comptent
aussi beaucoup pour elle. Elle craint également de passer le
reste de sa vie sans conjoint. Ainsi, lorsqu'elle songe à quitter
George, ces autres objectifs entrent en jeu et elle est vraiment
coincée: malheureuse à cause de ses craintes et des actes de
son mari, mais incapable d'y changer quoi que ce soit.

Les objectifs contradictoires laissent les gens coincés, sans espoir de résolution, à moins que le désengagement ne soit une possibilité. Les détails des objectifs contradictoires de Linda peuvent être interchangés avec d'autres : satisfaction au travail et gratification financière, stabilité familiale et satisfaction des besoins affectifs par un véritable partenaire, mais cela revient au même.

Sans la capacité de se désengager, les gens continuent de vivre une situation conflictuelle, malheureuse et malsaine. Heureusement, le véritable désengagement par rapport aux objectifs est une compétence qui se cultive et s'apprend.

CHAPITRE TROIS

De l'art de partir

Vous savez maintenant que, d'après la culture, partir est la solution facile, et que le véritable désengagement est difficile. Le désengagement à l'égard d'un objectif s'effectue simultanément sur quatre plans : cognitif, affectif, motivationnel et comportemental. En langage simple, il s'agit des niveaux de la pensée, des sentiments, de la motivation et de l'action. À mesure que nous décrirons et expliquerons ces aspects, il deviendra clair que la modification de la motivation et du comportement dépend entièrement de la réalisation du désengagement cognitif et affectif.

Pour que le désengagement fonctionne, il doit bousculer plusieurs des processus automatiques et habituels de l'esprit qui nous font persévérer quoi qu'il en coûte, et quelles que soient les pressions culturelles. Il semble que lâcher prise à tous les niveaux ne soit pas aussi facile que cela en a l'air.

Le désengagement cognitif

La partie du désengagement qui nécessite de se libérer l'esprit (la mémoire de travail, pour être plus précis) des pensées intrusives s'appelle le « désengagement cognitif ». Ici, le problème des ours blancs, ce processus automatique abordé au premier chapitre, entre en jeu, ainsi que d'autres formes de rumination qui font tourner nos pensées en rond au lieu de les acheminer dans une nouvelle direction. Pour lâcher prise au point de vue cognitif, nous devons gérer ces pensées intrusives de type « ours blanc ». Ces pensées peuvent concerner le succès que nous aurions pu remporter si nous avions persévéré, ou bien être des remises en question ou des variantes du même thème. Avez-vous déjà perdu un morceau de dent ou eu une dent qui branle ? Dans ces cas-là, on a tendance à passer la langue sur la dent pour en sentir les aspérités, même si on essaie de s'en empêcher. Les pensées « ours polaire » sont du même acabit ; elles surgissent automatiquement. Daniel Wegner explique qu'étant donné que l'esprit cherche les pensées, les actions ou les émotions que la personne tente de contrôler, le processus de « surveillance ironique » peut créer le contenu mental recherché. C'est pourquoi les pensées indésirables reviennent sans cesse à l'esprit.

Wegner et ses collègues ont réalisé de nombreuses expériences en vue de découvrir si on pouvait empêcher ces pensées « ours blanc » de revenir constamment. Leurs conclusions sont pertinentes relativement aux stratégies de désengagement cognitif que nous suggérons, et elles mettent en lumière les raisons (bien que ce soit assez évident) pour lesquelles il est si difficile de se débarrasser de ces pensées intrusives. Les chercheurs ont tenté de découvrir si le fait de se concentrer sur un « distracteur » (une autre pensée suggérée à l'esprit) empêcherait le retour de l'ours blanc intrusif. Certains participants à qui on a dit de supprimer l'ours blanc de leur esprit se sont vu demander de se concentrer sur une Volkswagen rouge lorsque l'ours blanc leur venait à l'esprit. Même si le fait de penser à la Volkswagen rouge n'a pas chassé l'ours blanc de leurs pensées, cela les a empêchés d'être préoccupés par l'ours blanc ultérieurement. Se concentrer sur une distraction ciblée (penser à une

Volkswagen rouge) au lieu de laisser aller ses pensées au hasard a empêché de relier l'ours blanc à la Volkswagen. Le distracteur ciblé a stoppé l'effet rebond que les chercheurs avaient constaté auparavant.

Quelle leçon faut-il en tirer? Wegner explique: «Si nous voulons supprimer une pensée, il est nécessaire de s'absorber dans une autre pensée. Le distracteur que nous recherchons devrait être intrinsèquement intéressant et susciter notre engagement, et même s'il n'est pas plaisant, il ne devrait pas être ennuyeux ou porter à confusion.» Comme nous le verrons au prochain chapitre, être en mesure de se concentrer non seulement sur un distracteur, mais aussi sur un nouvel objectif auquel aspirer (c'est-à-dire de commencer à s'engager à l'égard d'un nouvel objectif, tandis que l'on se désengage par rapport à un autre) est essentiel à l'ensemble du processus.

Malheureusement, l'ours blanc n'est pas le seul problème immédiat. Il s'avère que toute énergie que nous consacrons à nous débarrasser de ces pensées qui nous accaparent diminue la quantité d'énergie qu'on a à affecter à d'autres tâches. Roy Baumeister a appelé ce phénomène «épuisement de l'ego», mais on pourrait tout aussi bien l'appeler «pouvoir de la volonté», comme il le fait lui-même dans son populaire livre du même nom. Qu'on l'appelle l'ego, le moi ou la volonté, cette ressource n'est pas inépuisable. Lorsque nous, les humains, cherchons à réguler une impulsion ou une pensée, nous le faisons au prix de diminuer notre capacité de contrôler d'autres impulsions, pensées ou actions. L'ego, ou le moi, s'apparente davantage à une source d'énergie limitée (l'énergie cérébrale, en fait). Même si c'est devenu à la mode, dans les médias, de clamer que les humains excellent dans le multitâche, les travaux de Baumeister et d'autres amènent à penser le contraire.

L'expérience effectuée par Baumeister et ses collègues était simple. Les chercheurs ont demandé aux participants de jeûner avant l'expérience, puis ils les ont fait entrer dans une pièce sentant les biscuits aux pépites de chocolat sortant du four. Il y avait des bols de biscuits et de radis sur la table. Certains étudiants se font fait dire qu'ils pouvaient manger les biscuits, d'autres, qu'ils ne pouvaient pas manger les biscuits, mais qu'ils devaient manger au moins trois radis, et les derniers, qu'ils ne pouvaient rien manger. Puis, les étudiants ont reçu la consigne de résoudre une énigme qui, à leur insu, était insoluble. Ce sont les participants qui devaient résister aux biscuits et manger des radis qui ont abandonné en premier; en fait, beaucoup plus rapidement que les étudiants qui avaient mangé des biscuits et que ceux qui n'avaient rien mangé. Les étudiants qui devaient effectuer une double tâche (résister à quelque chose d'appétissant et manger quelque chose de pas très agréable) ont également signalé se sentir plus fatigués. Baumeister a conclu que l'énergie utilisée pour contrôler une impulsion laisse moins d'énergie pour réguler d'autres choix et actions.

Baumeister et ses collègues ont réalisé d'autres expériences, qui ont toutes confirmé un modèle d'épuisement de l'ego résultant non seulement du fait d'exercer un autocontrôle (ne pas manger de biscuits ou manger des radis), mais aussi de faire des choix. Les participants à l'une des expériences ont été divisés en trois groupes, dont l'un devait lire une allocution en faveur de l'augmentation des droits de scolarité à l'université. Étant donné que les participants étaient des étudiants, on peut supposer à juste titre qu'aucun d'entre eux n'était en faveur d'une hausse des droits de scolarité. Les membres du deuxième groupe (appelé « le grand choix ») se sont vu remettre des dossiers contenant des discours pour ou contre la hausse; on leur a dit qu'on aimerait qu'ils lisent l'allocution en faveur de la hausse, mais qu'ils étaient entièrement libres de leur choix. Le troisième groupe, le groupe témoin, n'avait aucun discours à lire. Les participants se sont vu remettre la même énigme (celle qui ne peut être résolue) que celle qui avait été fournie dans le cadre de l'expérience de résistance et de tentation. Tandis que les participants à qui on n'avait pas donné de choix (soit celui de lire un discours avec lequel ils étaient sûrement en désaccord) et ceux qui n'avaient pas eu de discours à lire ont continué de tenter de résoudre l'énigme, ceux qui avaient eu le choix entre deux discours ont abandonné l'énigme beaucoup plus rapidement. Cela a mené Baumeister et ses collègues à conclure que «poser un choix puise dans les mêmes ressources limitées que celles qui sont utilisées pour l'autocontrôle».

D'autres expériences ont démontré que la suppression des émotions menait également à l'épuisement de l'ego (élément à prendre en compte lorsqu'on réfléchit à l'effort qu'exige un départ dans les règles de l'art). L'expérience qui suit a des implications non seulement quant au lâcher-prise sur le plan cognitif, mais aussi en ce qui concerne la gestion des émotions (entreprise qui joue également un rôle important dans l'art de partir). Baumeister et ses collègues ont demandé à la moitié des participants de regarder une vidéo en réprimant leurs émotions; on a précisé aux participants que leurs expressions seraient filmées pendant qu'ils regardaient la vidéo. Ceux du groupe témoin se sont également fait dire qu'ils seraient filmés, mais on leur a demandé de «laisser libre cours à leurs émotions». La moitié de chacun des groupes a regardé un numéro de Robin Williams, alors que les autres ont regardé la scène déchirante où la fille se meurt du cancer dans *Tendres passions*. Après une pause de 10 minutes, on a demandé à tous les participants à quel point cela avait été difficile de se conformer aux consignes, puis on leur a donné trois anagrammes à résoudre. Non seulement ceux à qui on avait demandé de réprimer leurs émotions ont trouvé cela difficile, mais ils ont beaucoup moins bien réussi que les autres.

L'épuisement de l'ego n'est pas qu'un concept théorique, comme l'a démontré récemment une étude du cerveau de participants qui avaient posé des actes d'autocontrôle. Nous nous pencherons sur les détails de cette étude un peu plus tard, mais pour le moment, nous allons aborder certaines conclusions tirées par Dylan D. Wagner et Todd F. Heatherton, à Dartmouth. Les chercheurs ont découvert que les IRM du cerveau des participants qui avaient tenté l'autorégulation montraient un accroissement de l'activité du corps amygdalien, cette partie du cerveau qui, de concert avec le cortex préfrontal, gère les émotions.

Le câblage du cerveau en matière de persévérance fait également obstacle au désengagement cognitif, à un niveau tout à fait inconscient. C'est ce qu'on appelle l'« effet Zeigarnik». L'expérience que Bluma Zeigarnik a réalisée en 1927 a été la première à démontrer la façon de réagir du cerveau devant l'inachèvement d'une tâche (plus particulièrement un objectif qui a été consciemment sélectionné, puis laissé), mais ces résultats ont été reproduits plusieurs fois par la suite. Les expérimentateurs ont demandé aux participants de s'employer à faire des casse-tête jusqu'à ce qu'ils soient terminés. Mais on n'a pas permis à certains participants de terminer leur casse-tête, et même si on les a affectés à d'autres tâches (afin de les distraire de l'objectif initial et de le remplacer par un autre), lorsqu'on a évalué ces sujets, ceux-ci avaient pensé à la tâche inachevée deux fois plus souvent qu'à leurs autres tâches, même si on leur avait dit de ne pas y penser. L'effet Zeigarnik explique pourquoi tant de gens se retrouvent coincés dans un cercle vicieux lorsqu'ils abandonnent un objectif ou une situation; c'est comme si leur inconscient les poussait à retourner finir ce qu'ils avaient laissé inachevé.

Une fois de plus, cela ne signifie pas qu'il est impossible de laisser aller les pensées intrusives; cela souligne simplement le fait qu'il faut composer systématiquement avec les habitudes de l'esprit. Même si nous allons explorer la façon de gérer les pensées intrusives dans des chapitres ultérieurs, les travaux récents d'E. J. Masicampo et Roy Baumeister jettent un nouvel éclairage sur l'effet Zeigarnik et sur la manière de l'atténuer. Leur première expérience visait à vérifier si les pensées intrusives pouvaient être éliminées. Les chercheurs ont demandé à un groupe d'écrire à propos de deux tâches importantes qui devaient être effectuées au cours des journées suivantes, et de fournir une explication de ce qui se produirait si elles n'étaient pas menées à bien. Les participants ont également attribué une valeur numérique à l'importance de la tâche, sur une échelle de 1 à 7. Le deuxième groupe a reçu les mêmes consignes que le premier, mais s'est vu demander de trouver un plan pour mener à bien les deux tâches. Le troisième groupe (groupe témoin) devait simplement rédiger un document sur les tâches terminées. Tous les participants ont reçu ensuite une partie d'un roman populaire à lire et ont fait l'objet de tests à ce sujet.

Masicampo et Baumeister ont découvert que les participants qui avaient fait des plans n'étaient pas dérangés par des pensées intrusives; en fait, ils n'ont pas signalé plus de pensées intrusives que les participants du groupe témoin qui n'avaient établi de rapport que sur les tâches terminées. Et surtout, ceux qui avaient un plan ont obtenu de meilleurs résultats aux tests de lecture, faisant montre de plus de concentration et de moins de distraction que ceux qui n'avaient signalé que des tâches inachevées. Ce qui importe, c'est qu'aucun plan n'a été mis en œuvre et que les participants n'ont pas achevé les tâches. Apparemment, le seul fait de dresser un plan, sans réaliser de véritables progrès, suffit pour atténuer l'effet Zeigarnik.

D'autres études ont exploré le degré d'accessibilité que conservait l'objectif pour l'inconscient; là encore, la planification a réduit le nombre de pensées intrusives. Une autre expérience a démontré que lorsque les gens dressaient des plans visant l'atteinte de leur objectif qu'ils avaient vraiment l'intention de mettre en œuvre, ils étaient assaillis par moins de pensées intrusives, même lorsqu'ils travaillaient à une tâche sans lien avec celui-ci. Cependant, bien que la planification facilite la gestion des pensées intrusives et indésirables, deux autres expériences ont permis de découvrir que la planification ne servait pas à grand-chose pour atténuer l'anxiété et le stress émotionnel associés aux objectifs non atteints.

Il importe de préciser que même si la préparation de plans visant l'atteinte d'objectifs (même les plans qui devaient être mis en œuvre) a contribué à atténuer les pensées intrusives, cela n'a rien changé au contenu émotionnel. Mais la planification permet d'amorcer le processus motivationnel et comportemental.

Il s'avère que, dans le domaine de la gestion des émotions, les humains puisent dans les mêmes ressources limitées que celles qu'ils utilisent pour gérer l'autocontrôle et les pensées.

Le désengagement affectif

Le désengagement affectif, l'un des aspects du départ réussi, nécessite la gestion et le contrôle des émotions indésirables qui sont la conséquence courante de l'abandon d'un objectif. Nous avons déjà vu, dans le cas de Tim, comment ses sentiments négatifs à l'égard de l'abandon affectaient la façon dont il parlait de son expérience et la manière dont il se présentait à d'éventuels employeurs. Des sentiments de frustration, l'impression de ne pas être à la hauteur, et même la dépression accompagnent si souvent l'acte de partir qu'on a laissé entendre que le fait d'être déprimé n'était pas seulement une composante du désengagement à l'égard de l'objectif, mais une réaction normale.

Dans son article fondamental de 1975, Eric Klinger soutenait qu'un cycle d'émotions cohérent et prévisible accompagne l'abandon d'un objectif, tout comme la quête d'un objectif produit son propre cycle. Il a cerné quatre conséquences à l'établissement d'objectifs, expliquant que les conséquences touchent «les actes, le contenu des pensées et les rêves, la sensibilisation aux signaux liés aux objectifs et les qualités perceptives (ou, du moins, le souvenir et l'interprétation de ces qualités) des stimuli liés aux objectifs». Il affirme qu'il existe également un cycle cohérent de désengagement, au lieu de réactions aléatoires ou très individualisées à l'abandon d'un objectif. Le cycle de désengagement se déroule comme suit : un regain des efforts (un renouvellement de l'activité accompagné d'incrédulité par rapport à l'inaccessibilité de l'objectif) ; de l'agressivité (protestation contre la perte de l'objectif ou attribution du blâme pour la perte de celui-ci) ; puis la dépression, suivie du rétablissement et de la poursuite de nouveaux objectifs. Ces étapes ne sont pas entièrement séparées, et elles ne suivent pas nécessairement cet ordre. Mais elles sont cohérentes. Il souligne également que ces cycles de désengagement peuvent varier considérablement en durée et en intensité, allant d'une légère déception dont on se remet rapidement («Parce que ma réunion de 17 h s'est prolongée, je vais rater le match de soccer de Billy»), à une déception qui peut durer des mois («L'amour de ma vie m'a quitté et je suis désespéré», ou

« J'ai perdu mon emploi et je m'inquiète de mon avenir »).
Klinger écrit que « dans la plupart des cas, la dépression est un
processus non pathologique normal et adaptatif qui, malgré
qu'il soit ennuyeux, ne doit pas causer beaucoup d'inquiétude
quant à la viabilité psychologique de la personne déprimée ».
Il poursuit en disant que la dépression peut être vue comme
« un genre d'information importante permettant de dresser de
nouveaux plans d'accomplissement personnel ».

Nous ne voulons pas ici marginaliser ou sous-estimer l'effet débilitant de la dépression clinique ; nous voulons plutôt
souligner le fait que la tristesse est en fait une réaction normale à l'abandon d'un objectif, et que « faire bonne figure »
(montrer que cet abandon est la meilleure chose qui vous soit
arrivée) est malsain et contreproductif. Le départ conscient et
habile nécessite que nous nous donnions le droit de ressentir
la perte d'un objectif (de là l'affirmation de Klinger selon laquelle la dépression est une composante nécessaire), et que
nous nous employions à gérer ces sentiments, plutôt qu'à les
supprimer.

Le point le plus important à retenir est que supprimer nos
émotions ne fonctionne pas. Nous avons déjà vu comment
l'autocontrôle, dans un domaine, y compris la suppression des
émotions, diminue la capacité de performer dans un autre.
Cela nous ramène aux conclusions récentes sur ce qui se passe
dans le cerveau lorsque nous le faisons. Dylan D. Wagner et
Todd F. Heatherton ont testé le modèle de ressources limitées
de l'autocontrôle en demandant à des participants de se soumettre à une neuroimagerie fonctionnelle, pendant des films
comportant des valences émotionnelles différentes (positives,
négatives et neutres), suivie d'une tâche difficile exigeant le
contrôle de l'attention (ne pas tenir compte de termes qui venaient les distraire en apparaissant à l'écran pendant un film).

La moitié des participants se sont fait dire d'ignorer ces termes; les autres pouvaient les lire. Puis, tous les participants ont regardé une autre série de scènes teintées d'émotion. Les chercheurs ont découvert que l'épuisement de l'ego augmentait les réactions dans le corps amygdalien, particulièrement en réaction aux émotions négatives. Mais d'autres ont soutenu que de la recherche et de la neuroimagerie plus poussées pourraient démontrer que ce ne sont pas uniquement les émotions négatives qui sont touchées par l'épuisement et qui font activer l'amygdale.

C'est précisément ce que laissent entendre une série d'expériences menées par Kathleen D. Vohs, Roy F. Baumeister et d'autres. Comme des études antérieures ont démontré que les efforts d'autocontrôle diminuaient la capacité d'exercer une retenue, les chercheurs ont supposé que les émotions et les sentiments restaient les mêmes. Mais les nouvelles recherches remettent cette idée en cause; comme Kathleen D. Vohs et ses collègues l'ont écrit: « L'épuisement de l'ego ne change peut-être pas autant ce qu'on ressent que l'intensité avec laquelle on le ressent. » Cet énoncé correspond parfaitement aux résultats de la neuroimagerie, qui ont démontré un accroissement de l'activité de l'amygdale après un exercice d'autocontrôle.

Cela signifie que les impulsions et la retenue, ou la maîtrise de soi, pourraient être «interreliées par un lien de causalité». C'est peut-être que lorsque la retenue diminue en raison de l'épuisement, les émotions et les désirs peuvent être ressentis avec plus d'intensité. Ironiquement, tenter d'exercer un autocontrôle (stratégie visant à gérer et à réguler les émotions) peut, sur le coup, simplement les exacerber. Dans un chapitre ultérieur, nous aborderons les stratégies de rechange en matière de régulation des émotions.

Le désengagement motivationnel

Cet aspect du désengagement touche à la fois la régulation cognitive et la régulation émotionnelle. On pourrait décrire le désengagement motivationnel comme le fait de « se remettre en selle » ou de « se reprendre en main », car on est alors disposé à laisser tomber un objectif et on commence à songer à en poursuivre un autre. Cette étape exige de rejeter les objectifs inatteignables ou qui ne répondent pas à nos besoins intérieurs, c'est-à-dire de rejeter consciemment les objectifs extrinsèques et de se concentrer sur ceux qui sont atteignables ou liés à des impératifs intérieurs.

Le désengagement comportemental

Le désengagement comportemental a trait aux choix effectués dans le monde réel ; la personne abandonne alors ses anciens objectifs et adopte de nouveaux comportements axés sur la réalisation d'un nouvel objectif. Le désengagement comportemental exige, entre autres, de la souplesse et de nouvelles priorités. Parce que la vie nous place devant des défis imprévus qui n'ont rien à voir avec le dynamisme ou le talent, parfois, nous abandonnons même les objectifs les plus satisfaisants et motivés de la façon la plus intrinsèque pour des raisons au-delà de notre contrôle. Dans des moments comme ceux-là, savoir abandonner dans les règles de l'art est une aptitude précieuse.

C'était certainement le cas de Deidre, maintenant âgée de 28 ans, dont le parcours aurait pu être différent et un peu plus facile si elle n'avait pas été aussi persévérante. Elle a commencé à faire de la natation de compétition à l'âge de sept ans ; c'est le sport qui a défini son enfance et le début de son adolescence, tant littéralement que métaphoriquement. Quand elle n'allait pas à l'école, elle nageait (elle a dû abandonner presque tout le reste pour la natation); c'est ce sport qui définissait qui elle était. Elle aimait ce qu'elle éprouvait lorsqu'elle nageait. Même aujourd'hui, après toutes ces années, cela la rend encore nostalgique; elle se souvient d'une «impression incomparable d'épuisement, d'exaltation et de me sentir vivante» dans la piscine. Elle rêvait d'obtenir une bourse universitaire et de se rendre aux Jeux Olympiques, et contrairement aux rêves de bien des jeunes gens, les siens étaient du domaine du possible.

Puis, pendant l'été qui a précédé son entrée à l'école secondaire, elle a ressenti une douleur à l'épaule alors qu'elle s'entraînait pour des compétitions à l'échelle nationale. Le diagnostic? Une tendinite chronique dans les deux épaules, et les médecins lui ont recommandé d'abandonner la natation, du moins temporairement, sinon en permanence. Mais son entraîneur voulait qu'elle continue à nager malgré la douleur, et c'est ce qu'elle a fait; les dictons «les lâcheurs ne gagnent jamais, et les gagnants n'abandonnent jamais» et «c'est dans les moments difficiles que l'on voit si les gens ont de l'étoffe» l'emportaient sur les avis médicaux. Son état a empiré. Elle a changé d'équipe, et son nouvel entraîneur l'a incitée à prendre du repos, ce qu'elle a fait. Ses symptômes physiques étaient bien visibles: elle ne pouvait pas lever la main à l'école, se brosser les cheveux était une torture, et elle avait du mal à s'habiller, mais la souffrance psychologique invisible d'abandonner était encore plus grande.

Qui était-elle si elle ne nageait pas? «Si je n'étais pas une nageuse, explique-t-elle, je ne savais pas qui j'étais. C'est dans cela que résidait mon estime de moi, et bien d'autres choses encore.» Alors, elle a repris la natation au bout de trois mois et, comme elle le dit: «J'ai souffert un certain temps. Je ne pouvais pas faire plus de 500 mètres, ce qui dépasse à peine une brève période d'échauffement, avant de sentir une poussée inflammatoire. Je ne pouvais pas faire ce que j'adorais, dans la natation : cette incroyable impression d'avoir fait une bonne séance d'exercice, en glissant sur l'eau, en me poussant à aller plus vite. »

Deidre a abandonné la natation. Elle se sentait accablée, vidée, perdue par rapport à ce qu'elle devait faire. Elle a travaillé fort à changer ses priorités et à se refaire une identité (elle a commencé à faire du théâtre et d'autres activités), et même si elle n'était pas heureuse, elle ne se sentait plus aussi désespérée de ne plus nager. Après tout, elle était jeune.

Mais elle sentait toujours l'appel de l'eau, et elle n'avait pas cessé d'y être réceptive. C'est précisément ce qui arrive lorsqu'un objectif gratifiant et épanouissant nous échappe. Elle a passé une partie de son secondaire à l'étranger et, sur les encouragements d'une amie, elle s'est jointe à l'équipe de natation de son établissement scolaire. Comme on pouvait le prévoir, elle était tellement plus rapide que les autres qu'elle gagnait toutes les compétitions, même lorsqu'elle faisait ses plus mauvais mouvements. Mais la douleur est revenue. Elle a donc abandonné la natation une fois de plus, pas en raison de la douleur, mais parce que « la flamme » n'y était plus. Gagner ne lui suffisait plus.

Cependant, elle n'en avait pas fini avec la natation. Comme on pouvait s'y attendre, l'entraîneur de natation du petit établissement qu'elle fréquentait a voulu l'avoir dans son équipe, au point de la dispenser de certaines séances d'entraînement. Deidre était tellement rapide que, même sans entraînement, elle battait des records, et elle s'est bien classée dans l'association de son établissement. « C'était bon de se sentir appréciée à ce point », confie-t-elle. Mais à sa première année de collège, la partie était finie : l'inflammation s'était amplifiée et Deidre a cessé de nager, bien qu'elle soit restée près de l'équipe à titre de capitaine. Après le collège, elle n'était pas encore prête, et elle a travaillé à la piscine municipale, où elle enseignait la natation et entraînait l'équipe. Mais elle a dû quitter ces fonctions aussi, parce que le peu de mouvements de natation que cela exigeait irritait ses épaules. Six ans après le début de ses problèmes, elle a dû abandonner la natation pour de bon.

Elle éprouve encore des douleurs : « J'ai mal lorsque je me couche sur mon bras, explique-t-elle. Et je le sens lorsqu'il y a des changements dans la météo, comme c'est le cas pour les vétérans de la guerre. J'ai un rappel presque constant du fait que c'est très bien de lâcher prise, qu'assez c'est assez, que parfois, il vaut mieux abandonner et que persévérer peut être dommageable. Je ne suis pas portée naturellement à abandonner et, de toute évidence, j'ai eu besoin d'un réveil brutal pour comprendre. C'est une leçon que je n'oublie pas. »

Les réflexions de Deidre sur ses efforts pour abandonner un objectif important auquel elle s'identifiait et qui lui procurait du plaisir nous permettent de comprendre pourquoi le lâcher-prise peut être si difficile et si précieux. Elle reconnaît qu'elle subissait autant de pressions internes qu'externes visant à la faire poursuivre la compétition : « Nager au collège a probablement été mauvais pour moi physiquement, même si j'adorais faire partie de l'équipe. Oui, j'ai subi les pressions de mes amies et de mon entraîneur, mais finalement, je me suis facilement laissé persuader. La natation est un sport de compétition (contre la montre et contre ses adversaires) qui s'accompagne de beaucoup de pression visant à nous faire aller plus loin. Je ne voulais pas qu'on me prenne pour une mauviette. Finalement, c'est moi qui ai le plus mal pris mon départ. »

Elle souligne judicieusement qu'il y a un « avant » et un « après » liés au départ : « Abandonner quelque chose qui faisait si intrinsèquement partie de ma vie et de mon identité a été formateur en soi. Mais, dans l'ensemble, cet abandon m'a rendue plus intéressante et plus polyvalente que si j'avais continué à faire de la natation. Il y a tant d'expériences que je n'aurais pas vécues si je n'avais pas abandonné ce sport. »

Aujourd'hui, Deidre travaille comme thérapeute auprès des victimes de violence familiale, dont la plupart ont de la difficulté à abandonner leur situation, et elle se sert des leçons apprises : « Je comprends ce à quoi elles font face, grâce à ma propre expérience, précise-t-elle. D'une certaine façon, je peux tirer parti de ce que j'ai appris. Je sais combien il est difficile de partir, même quand on souffre. Je peux me retrouver dans ces personnes. »

Il n'est jamais facile de quitter quelque chose qui nous a rendus heureux par le passé. Après tout, être heureux est le plus grand objectif que nous partagions tous.

La quête du bonheur

Si vous avez suivi la campagne présidentielle Clinton-Gore, vous vous rappelez sans doute la chanson qui disait : « Don't stop thinking about tomorrow » (n'arrête pas de penser à demain). Eh bien, il était inutile de s'en faire avec cela, étant donné que les humains ne peuvent pas s'arrêter de penser à demain ou à l'avenir. Dans son livre intitulé *Et si le bonheur vous tombait dessus*, le psychologue Daniel Gilbert affirme qu'environ 12 % de nos pensées quotidiennes ont trait à l'avenir : « Autrement dit, sur 8 heures de réflexion, nous en consacrons une à imaginer des choses qui ne sont pas encore arrivées. »

Pourquoi passons-nous tant de temps à songer à l'avenir ? D'abord parce que c'est agréable, comme le souligne Gilbert. On peut s'imaginer que demain sera différent d'aujourd'hui et qu'il comblera nos désirs de manière qu'aujourd'hui ne peut le faire. Mais (car il y a un *mais*), les humains ne sont pas très habiles pour évaluer les probabilités de réalisation de leurs rêves et, surtout, les chances que cela les rende plus heureux advenant que ces rêves se réalisent.

Rien que pour le plaisir, avant de poursuivre votre lecture, complétez la phrase suivante, en pensée ou sur papier : « Je serais plus heureux si… ». Puis, imaginez un objectif ou un plan qui vous ferait réaliser votre rêve : acheter un billet de loterie gagnant, obtenir une promotion, devenir écrivain ou courtier en Bourse, trouver le partenaire qui vous convienne, ou tout ce qui vous ferait flotter sur un nuage. Bien sûr, il y a autant de réponses à cette question qu'il y a de coquillages dans l'île de Sanibel, en Floride. Avez-vous la certitude que votre réponse, quels que soient les mots que vous ayez inscrits pour compléter la phrase, vous apporterait vraiment le bonheur ? Après avoir hoché la tête, mais avant de vous être rassuré en vous disant que vous serez l'exception à la règle, que vous ne surestimez pas vos chances d'atteindre le bonheur et que vous savez vraiment ce qui fera votre bonheur, poursuivez votre lecture.

Vous vous rappelez « l'effet au-dessus de la moyenne », selon lequel tout le monde se croit supérieur à la moyenne et donc plus apte à atteindre un objectif que les autres ? Il existe un certain nombre de corollaires à cet effet. L'un d'eux est décrit par Daniel Gilbert : « Les Américains de tous âges s'attendent à ce que leur avenir constitue une amélioration par rapport à leur présent. » De plus, comme le faisaient remarquer Emily Pronin, Daniel Lin et Lee Ross dans leur article intitulé « The Bias Blind Spot » (l'angle mort de la partialité), lorsque les gens réfléchissent sur eux-mêmes et sur leur vision du monde, ils ont tendance à penser qu'ils sont plus objectifs et voient les choses avec plus de réalisme que les autres. Il semble que nous ayons un angle mort quant à notre propre partialité dans nos réflexions, mais que nous fassions preuve de plus de générosité lorsqu'il s'agit d'attribuer cette partialité aux autres !

« L'effet au-dessus de la moyenne » n'est pas, comme il le semble, une façon d'enjoliver le narcissisme américain. Mais peut-être, comme le laisse entendre Gilbert, cela traduit-il notre tendance ou même notre besoin de nous voir plus différents des autres que ce que nous sommes. Comme il l'explique : « Nous ne nous considérons pas toujours comme *supérieurs*, mais presque toujours comme *exceptionnels*. »

Bien sûr, une partie de cette attitude relève de la condition humaine ; nous connaissons intimement nos pensées et nos émotions, mais nous ne pouvons saisir ce que les autres (même l'être cher) pensent et ressentent que par leurs actes et leurs paroles, qui se manifestent à l'extérieur. De plus, comme l'écrit Gilbert, nous aimons nous croire exceptionnels, car nous apprécions notre spécificité et nous surestimons à quel point nous sommes exceptionnels. Du même coup, nous attribuons ce même caractère exceptionnel aux autres. Cette appréciation de la différence individuelle (par opposition au fait de voir davantage les autres semblables à nous) débute très tôt dans la vie : même les enfants de la maternelle en font montre. Malheureusement, tout cela signifie que nous croyons peut-être trop savoir comment nous réagirons demain, mais aussi qu'il est peu probable que nous apprenions de l'expérience des autres pour évaluer nos impressions, parce que, pensons-nous, ils sont trop « différents » pour que cela nous soit utile.

Et il y a un autre problème. Curieusement, même si nous pensons toujours à demain, nous (et notre cerveau) sommes captifs du présent. (J'ai choisi délibérément le terme « captif », étant donné que les humains ne sont pas naturellement enclins à être ancrés ou à vivre dans le présent, au sens bouddhique.) C'est ce qui accroche lorsque nous tentons de prévoir notre bonheur futur : des idées préconçues font obstacle à ce que les experts appellent les prévisions affectives, c'est-à-dire savoir comment nous nous sentirons demain, ou à l'avenir.

Timothy Wilson et Daniel Gilbert ont établi quatre aspects de la prévision de notre bonheur : la valence de nos sentiments futurs (s'ils seront positifs ou négatifs) ; les sentiments particuliers que nous nous attendons à éprouver ; l'intensité de ces sentiments ; et la durée de ces sentiments. Nous sommes plus compétents dans certains aspects des prévisions que dans d'autres. En général, nous sommes assez compétents pour estimer si un événement futur nous fera sentir très bien, bien, pas mal ou mal, alors nous tombons juste quant au premier aspect, la valence. Mais lorsqu'il s'agit de prévoir les émotions précises que nous ressentirons lors d'un événement futur (ce peut être n'importe quoi, depuis emménager dans un nouvel appartement jusqu'à débuter un nouvel emploi, en passant par obtenir son diplôme ou se marier), les gens ont tendance à simplifier exagérément les sentiments qu'ils ressentiront, et semblent oublier que la plupart des situations suscitent un mélange de sentiments. (On peut être très content de son nouvel emploi, emballé par les possibilités d'avancement et très satisfait du salaire, mais craindre de ne pas réussir, s'inquiéter de la transition et éprouver du stress à l'idée de changer ses habitudes.)

Lorsque nous songeons au bonheur qu'un heureux événement futur nous apportera (comme se marier ou avoir un bébé), nous simplifions aussi outre mesure l'idée que nous nous en faisons, particulièrement lorsqu'il s'agit des détails qui susciteront des émotions. Vous vous imaginez rayonnante dans votre robe blanche, le jour dont vous avez rêvé, et voyez votre futur époux qui vous attend au pied de l'autel. Ce que vous ne prévoyez pas, c'est le toast grossier que portera le garçon d'honneur, les remarques narquoises sur tout de votre future belle-sœur, etc. Vous voyez le portrait ?

L'autre problème est que les gens ont aussi tendance à trop simplifier et à surestimer la réaction qu'ils prévoient avoir devant une situation future hypothétique. Ce que nous prévoyons faire et ressentir diffère souvent beaucoup de ce qui se produira vraiment lorsque la situation surviendra. Nos prévisions sont influencées et soutenues par « l'effet au-dessus de la moyenne ». Lorsque nous envisageons l'avenir, nous nous attendons à ce que notre moi le plus admirable (et le plus au-dessus de la moyenne) se manifeste, comme l'a démontré une étude fascinante sur le harcèlement sexuel.

Les chercheuses Julia Woodzicka et Marianne LaFrance ont demandé à 197 femmes âgées de 18 à 21 ans comment elles réagiraient si un intervieweur de 32 ans leur posait les questions suivantes pendant une entrevue d'emploi pour un poste d'adjointe à la recherche : (1) Avez-vous un petit ami ? (2) Les gens vous trouvent-ils désirable ? (3) Croyez-vous qu'il est important que les femmes portent un soutien-gorge au travail ? (Les lectrices peuvent se demander comment elles réagiraient à cet intervieweur. Les hommes peuvent aussi réfléchir à la question.)

Il n'est pas étonnant que 62 % des femmes se soient imaginé qu'elles affronteraient l'intervieweur, soit en lui demandant pourquoi il posait ces questions, soit en lui disant que ses questions étaient hors de propos. Parmi les répondantes, 28 % ont dit que soit elles partiraient, soit elles affronteraient l'intervieweur. Et 68 % des répondantes ont affirmé qu'elles refuseraient de répondre à au moins une des questions. La plupart des femmes ont dit qu'elles seraient fâchées ou furieuses si elles se trouvaient dans cette situation ; seulement 2 % d'entre elles pensaient qu'elles seraient effrayées.

Les chercheuses ont ensuite créé en laboratoire un décor destiné à des entrevues d'embauche, et les participantes ont cru qu'elles se faisaient vraiment interviewer pour un poste éventuel. Les trois questions utilisées dans le cadre de l'expérience théorique ont été posées à la moitié des participantes. Le groupe témoin s'est fait poser des questions étranges et aléatoires, mais non harcelantes : (1) Avez-vous une meilleure amie ? (2) Les gens vous trouvent-ils morbide ? (3) Croyez-vous qu'il soit important que les gens croient en Dieu ?

La différence entre la façon dont les femmes croyaient qu'elles réagiraient dans un scénario de harcèlement et la façon dont elles ont vraiment réagi est remarquable. Toutes les femmes ont répondu à toutes les questions. Aucune n'a quitté les lieux. Aucune d'elles n'a affronté l'intervieweur ou lui a même dit que « cela ne le regardait pas ». En fait, 52 % des femmes n'ont pas tenu compte de la nature importune des questions ; elles se sont contentées de répondre sans faire de commentaires. Même si 36 % des femmes ont demandé pourquoi ces questions étaient posées, 80 % de ces dernières ne l'ont fait qu'à la fin de l'entrevue, et non au moment où les questions leur ont été posées. Et surtout, même si les femmes qui imaginaient la situation ont dit qu'elles seraient fâchées, seulement 16 % d'entre elles l'ont été. Par contre, 40 % ont été effrayées.

Cette expérience met en lumière le fait qu'il est relativement facile de prédire comment nous réagirons émotionnellement à un événement simple (« J'ai eu un A en chimie », ou « J'ai échoué à mon examen d'anglais »), mais que c'est beaucoup plus difficile lorsqu'il s'agit d'une situation plus complexe, suscitant des sentiments nuancés. La réaction des étudiantes a probablement été influencée par leur désir d'obtenir le poste (après tout, elles croyaient qu'il s'agissait d'une situation réelle), par leur besoin de plaire, et peut-être par leur propre témérité ou insécurité, ou par un ensemble d'autres facteurs qui, dans le cours d'une vie, créent un état émotionnel très différent de celui que nous avons prédit pour nous-mêmes. D'autres études viennent confirmer ces constatations.

Après tout, le problème que pose l'avenir est que nous ne l'avons pas encore atteint. Cela explique pourquoi les scénarios imaginés, par exemple lorsque nous songeons à abandonner quelque chose ou que nous vivons des moments stressants où nous devons prendre des décisions, ne se déroulent pas comme prévu et pourquoi nous éprouvons de la déception. Cela explique aussi notre tendance générale à nous remettre en question.

Selon Wilson et Gilbert, en plus de surestimer les répercussions d'événements futurs sur leur vie, les gens ignorent combien de temps leurs émotions dureront. Ce phénomène s'appelle « biais d'impact ». Wilson et Gilbert soutiennent que « les gens saisissent leur monde d'une manière qui accélère le rétablissement après des événements chargés d'émotion, et que ce processus est en grande partie automatique et inconscient. Inexorablement, les humains expliquent et comprennent les événements qui étaient, au départ, étonnants et imprévisibles, et ce processus diminue l'intensité de la réaction émotive face à l'événement ». Cela comporte de bons et de mauvais côtés. Abordons d'abord les mauvais côtés.

Ce qu'il y a de négatif, c'est que les gens surestiment la période pendant laquelle un résultat ou un événement longtemps désiré les rendra heureux. L'objectif pourrait être de devenir associé dans une entreprise ou d'obtenir une promotion, ou de nombreux autres événements. Le stress et l'anxiété ressentis à l'approche de l'objectif nous rendent absolument certains qu'une fois l'objectif atteint, nous serons heureux pendant très longtemps. Malheureusement, le moment extraordinaire, celui dont nous avons rêvé, finit par s'inscrire dans le déroulement ordinaire des choses, et il ne nous procure plus cette bouffée de bonheur tant convoitée.

D'un autre côté, la bonne nouvelle, c'est que les gens surestiment aussi la durée de la période pendant laquelle un événement redouté les rendra malheureux. Les bonnes choses ne nous rendent pas heureux aussi longtemps que nous le voudrions, mais les malheurs ne nous attristeront pas aussi longtemps que prévu. Parmi ceux qui lisent cette page, plusieurs se rappelleront un moment de leur vie où ils faisaient leur deuil d'une chose ou d'une autre, dans quelque domaine que ce soit. Vous vous rappellerez peut-être vous être dit : « Je ne m'en remettrai jamais », ou « Je ne connaîtrai plus jamais le bonheur ». Vous avez pourtant goûté encore au bonheur par la suite, n'est-ce pas ? C'est une fonction de ce que Wilson et Gilbert appellent le « système immunitaire psychologique », qui améliore les conséquences de l'information négative, là encore, d'une manière en grande partie inconsciente. Nos défenses psychologiques nous aident à nous sentir mieux en donnant un sens à un événement négatif et en restructurant nos pensées à ce sujet (autrement dit, en le rationalisant). Ce système nous défend plus efficacement si nous ignorons que c'est ce que nous faisons.

Voici un exemple de son fonctionnement. C'est semblable à ce que Wilson et Gilbert utilisaient. Disons que vous avez été brusquement plaqué par votre partenaire. Au début, tout ce que vous vous rappelez à son sujet est adorable et extrêmement douloureux. Puis, des détails et des souvenirs beaucoup plus négatifs commencent à combler les vides : la façon dont il buvait toujours directement à la bouteille de jus, ou l'amas de produits de beauté qu'elle laissait traîner près du lavabo ; la tendance qu'il avait à contrôler la conversation ou sa façon de perdre patience sans raison apparente, ou l'incapacité qu'elle avait d'être à l'heure, ou son habitude de vous interrompre constamment. Vous voyez le tableau.

Ce qu'il y a de particulier avec ce genre d'autoprotection, c'est que nous n'avons pas conscience de l'exercer. La personne qui vous a rejeté n'a pas changé, bien sûr ; vous avez simplement adapté l'image mentale que vous vous en faites. De même, la terrible humiliation de se faire congédier par le patron sans préavis est rapidement remplacée par l'affirmation que c'est un minable, que le travail était très ennuyeux et que l'entreprise était dysfonctionnelle, de toute façon.

Mais quel est l'avantage, au point de vue évolutif, d'avoir une notion aussi imprécise de ce qui nous rend heureux ? Ce n'est pas sans raison que Gilbert a intitulé son propre livre *Stumbling on Happiness* (trébucher sur le bonheur).

La pensée positive

Paradoxalement, même si on a démontré que la pensée positive et une perspective optimiste ont leurs avantages (les gens qui pensent positivement ont tendance à être motivés et offrent une meilleure performance que ceux qui abordent les tâches axées sur un objectif avec un point de vue négatif), certaines formes de pensée positive agissent en fait au détriment de la personne. Avant de vous débarrasser de tous vos livres de psychologie populaire, en plus de toutes ces affirmations que vous avez scrupuleusement récitées pendant toutes ces années et de votre collection de citations inspirantes, il faut établir une importante distinction.

Dans le cadre d'une importante série d'expériences, les psychologues Lauren B. Alloy et Lyn Y. Abramson ont démontré que l'opinion qu'avaient des étudiants déprimés du degré de contrôle qu'ils exerçaient sur certains résultats était plus exacte que celle de leurs pairs non déprimés, qui n'étaient pas seulement optimistes, mais qui surestimaient aussi le degré de pouvoir ou de contrôle qu'ils exerçaient. Les participants ont reçu la consigne d'appuyer (ou de ne pas appuyer) sur un bouton, puis d'observer si une lumière verte s'allumait. On leur a ensuite demandé d'estimer le degré de contrôle (exprimé en pourcentage) qu'ils avaient sur le fonctionnement de la lumière verte. En fait, la lumière était actionnée par un expérimentateur. Mais cela n'a pas empêché certains participants de s'attribuer un certain pouvoir à la suite des résultats.

Alloy et Abramson ont découvert que les étudiants déprimés étaient plus susceptibles d'estimer correctement l'influence de leurs actes sur les résultats; et les participants qui n'étaient pas déprimés avaient davantage tendance à surestimer leur propre influence. Depuis, ces conclusions tirées en 1979 (et ce qui en est venu à s'appeler le «réalisme dépressif») ont fait l'objet de vives polémiques dans le milieu de la psychologie, car elles ne correspondent pas aux connaissances actuelles sur les dépressifs, qui sont considérés comme déformant la réalité, étant donné qu'ils voient le monde et les événements à travers une lentille négative. Sans prendre parti dans ce débat, ce qui est pertinent dans notre analyse est que, en règle générale, les gens en santé ont tendance à être exagérément optimistes (ce que l'on appelle parfois «parti pris optimiste») lorsqu'il s'agit des objectifs et des réalisations. Ce qu'il faut en retenir, c'est que, même si la pensée positive est utile dans certains cas, elle n'est pas toujours une alliée digne de confiance.

Le côté zen de l'attente

À la grandeur des États-Unis, chaque jour de chaque semaine, des millions de personnes font la queue pour s'acheter un billet de loterie. Hommes et femmes, jeunes et vieux, de toutes races et croyances, bien nantis et défavorisés s'achètent des billets seuls ou en groupe. Le slogan de la loterie de l'État de New York est : « On ne sait jamais », et il semble que bien des gens soient d'accord avec cet énoncé (oui, c'est l'heuristique de la disponibilité en pleine action). Alors, ils jouent leurs chiffres chanceux ou des combinaisons faites au hasard ou encore des combinaisons secrètes ou composées de dates d'anniversaire, en espérant que ce soit leur jour de chance. L'ironie, bien sûr, est que les gens qui gagnent à la loterie sont rarement plus heureux que le jour où ils ont acheté leur billet. Il s'agit encore du problème lié à « demain » et à la capacité de prévoir l'avenir ; les gens ne prévoient pas l'arrivée des parasites, des parents ou des soi-disant amis perdus de vue depuis longtemps, des conseillers qui tenteront de profiter de leur ignorance en matière financière, la nécessité de déménager ou d'obtenir un numéro de téléphone non inscrit pour vivre une vie normale, sans se faire ennuyer. Pire encore, quand rien de tous ces ennuis ne se produit, les plaisirs ordinaires que vivent ces gagnants s'en trouvent aussi diminués. Comme l'écrit Timothy D. Wilson, qui a énoncé, étude après étude, la triste vérité concernant la plupart des gagnants à la loterie : « Si les gens savaient que le fait de gagner à la loterie ne les rendrait pas plus heureux et pourrait même leur apporter une large part de malheur, ils y penseraient peut-être à deux fois avant de dépenser leurs dollars durement gagnés pour s'acheter des billets. » (Les gens qui s'en tirent le mieux, avec les billets de loterie, sont ceux qui avaient déjà de l'argent et de l'expérience en finance, et qui n'avaient pas besoin de la loterie pour réaliser leurs rêves.)

Alors, si gagner à la loterie est un rêve illusoire, quelle est la différence entre un rêve illusoire et l'attente d'un avenir radieux? (Le rêve illusoire se dit *pipe dream*, en anglais. Cette expression est entrée dans le langage des Américains au 19e siècle, alors qu'il était très en vogue de fumer de l'opium et d'avoir des hallucinations.) Les rêves éveillés sont-ils tous égaux? Y a-t-il une distinction entre un rêve diurne potentiellement inspirant et un pur fantasme?

Il n'est pas étonnant que cette question soit pertinente, tant pour se fixer des objectifs que pour décider de les abandonner et du moment pour le faire. La personne qui rêve de gloire et d'écrire LE grand roman contemporain, mais qui n'écrit jamais une ligne en est un bon exemple. Mais qu'en est-il de la femme de 29 ans, mère de trois enfants, qui reste à la maison, qui n'a pas écrit deux mots depuis la fin de ses études et qui s'éveille un matin, la tête remplie d'une série de personnages qu'elle n'arrive pas à oublier? S'agit-il d'un rêve illusoire?

Elle avait elle-même des doutes: «J'avais un million de choses à faire, mais je suis restée au lit, en pensant à ce rêve. J'ai fini par me lever à contrecœur, j'ai vaqué aux nécessités immédiates, puis j'ai mis en veilleuse tout ce que je pouvais, et je me suis assise à l'ordinateur pour écrire; il y avait tellement longtemps que j'avais fait ça, que je me demandais même si cela en valait la peine.» Comme elle le confie, elle n'écrivait pour personne d'autre qu'elle-même; elle voulait savoir de quoi son histoire aurait l'air. Mais il est arrivé autre chose; elle s'est rendu compte qu'écrire la rendait heureuse: «Une fois que j'ai eu commencé, ce jour-là, je suis devenue complètement accro à l'écriture, ce qui était tout à fait nouveau pour moi.» Elle s'est alors demandé comment elle pourrait concilier l'écriture et l'éducation de ses enfants.

Elle a terminé son manuscrit et l'a envoyé à une quinzaine d'éditeurs. Neuf d'entre eux l'ont refusé, et cinq ne lui ont même pas répondu. Mais un agent s'est montré très enthousiaste. S'agissait-il d'un rêve illusoire ou d'une possibilité ? Est-ce le résultat qui le détermine ?

Bien sûr, des psychologues ont tenté de répondre à cette question. Après tout, rêver fait partie de l'établissement d'objectifs ; si vous ne pouvez pas l'imaginer ou en rêver, vous ne pouvez pas poursuivre cet objectif. Mais quel genre d'attente par rapport à demain assure la réussite (rappelez-vous que Dan Gilbert a dit que nous passons une heure sur huit à penser à demain) ? Les psychologues Gabriele Oettingen et Doris Mayer établissent une distinction entre les croyances à propos de l'avenir (les attentes) et les images qui décrivent des événements futurs (les fantasmes). Les attentes reposent sur la performance passée pour évaluer l'avenir ; par contre, les fantasmes ont peu de liens avec les événements passés et font habituellement entrevoir un avenir radieux qui se déroule en douceur, sans effort. De plus, le fantasme fait goûter aux joies de l'avenir ici et maintenant ; on ne pense pas aux nombreuses heures de travail qu'il faudra pour terminer ce roman, ni au fait que le projet risque d'échouer parce qu'il n'y a pas assez d'heures dans une journée ou qu'on n'a pas assez de talent. Le mécanisme de pensée nous amène plutôt au haut de la liste des succès de librairie ou, mieux encore, sur le tapis rouge lorsque notre roman devient le film de l'année.

Conformément aux autres conclusions tirées concernant la pensée positive, une pincée de pessimisme mêlée à un soupçon de réalisme est ce qu'il faut pour distinguer les rêves utiles des rêves illusoires. Ce qu'Oettingen appelle le « contraste mental » est essentiel non seulement pour rêver de l'atteinte d'un objectif, mais aussi pour déterminer si c'est vraiment réalisable. Le contraste mental implique de visualiser l'avenir désiré, de réfléchir sur les aspects négatifs possibles liés à sa concrétisation, et il se distingue de trois autres stratégies mentales relatives à la fixation d'objectifs. Le contraste mental seul est une stratégie visant à résoudre des problèmes. Il permet d'évaluer les obstacles qui se dressent sur le chemin de l'atteinte de l'objectif, tout en gardant l'objectif présent à l'esprit (c'est presque comme si on regardait la télévision sur un écran divisé). Le contraste permet de planifier et d'agir par rapport aux obstacles à l'objectif, tout en maintenant une forte motivation suscitée par la vision de l'objectif convoité.

Parmi les autres stratégies possibles, mais qui se révèlent ultimement inefficaces, on compte ce qu'Oettingen appelle la «complaisance», qui consiste à se faire une image mentale d'un avenir idyllique ou d'une fin désirée dans les moindres détails, et d'y revenir fréquemment pour y ajouter des détails ou pour l'étoffer. Puis, il y a l'«appesantissement», selon lequel la personne demeure dans la situation courante, en réfléchissant grandement sur ses aspects négatifs. Même si l'appesantissement diffère beaucoup de la complaisance, aucun des deux ne pousse la personne à agir. Finalement, il y a ce qu'Oettingen appelle le «contraste inversé», selon lequel la personne se concentre d'abord sur la réalité courante, puis sur l'avenir désiré, sans tenir compte du lien entre les deux. Contrairement au contraste mental, ces autres mécanismes de visualisation laissent la personne coincée et, pour différentes raisons, incapable d'avancer, d'une part, ou de se désengager, d'autre part.

Dans le cadre d'une expérience, Oettingen et ses collègues ont demandé aux participants de citer leur problème interpersonnel le plus important. Parmi ceux qui ont été mentionnés, il y avait «faire la connaissance de quelqu'un qui me plaît», «améliorer ma relation avec mon conjoint» et «mieux comprendre ma mère». Les participants devaient noter, sur une échelle de 1 à 7, le succès qu'ils prévoyaient obtenir dans la résolution du problème. Puis, on leur a demandé d'évaluer l'importance que la résolution du problème avait pour eux, toujours sur une échelle de 1 à 7. Tous les participants devaient ensuite énumérer quatre conséquences positives liées à la résolution satisfaisante du problème, et quatre aspects négatifs de la réalité qui faisaient obstacle à la résolution du problème. Les participants ont ensuite été divisés en trois groupes, et les tâches qu'on leur a assignées avaient trait au contraste mental, à la complaisance et à l'appesantissement. Les participants du groupe de contraste mental ont été invités à développer leur pensée sur deux aspects positifs et deux aspects négatifs, le groupe de la complaisance, sur quatre aspects positifs, et le groupe de l'appesantissement, sur quatre aspects négatifs. Parmi ces groupes, seuls les participants du groupe de contraste mental ont dressé des plans et assumé la responsabilité de leurs actes lorsqu'ils s'attendaient beaucoup à réussir; lorsqu'ils s'attendaient peu à réussir, ils n'ont pas agi.

Ces conclusions ont été confirmées par une deuxième expérience faisant appel aux mêmes thèmes et processus interpersonnels, mais dont le but était de déterminer lequel des groupes prendrait des mesures visant l'atteinte des objectifs. On a demandé aux participants de préciser comment ils se sentaient (énergiques, actifs ou vides), puis de revenir deux semaines plus tard et de préciser le jour où ils avaient mis en œuvre les deux mesures les plus difficiles à appliquer. Dans ce cas également, les participants qui faisaient appel au contraste mental et avaient des attentes élevées quant à leur réussite ont pris des mesures plus rapidement.

Dans un chapitre ultérieur, nous aborderons le contraste mental plus en détail, mais il importe de reconnaître ici qu'il s'agit d'un travail laborieux. Comme le disait le poète T. S. Eliot,

« le genre humain ne peut supporter trop de réalité », ce qui est, hélas, vrai. Notre penchant pour les rêves illusoires (qui peuvent aller d'arborer des abdominaux d'acier à passer du poste de directeur de succursale à celui de PDG en un clin d'œil pour devenir riche et célèbre) s'amplifie parce qu'un rêve illusoire ne nécessite pas que nous tenions compte de la réalité. Il est beaucoup plus facile de s'imaginer comme on paraîtrait bien avec ces abdominaux d'acier sans penser à tous les redressements assis qu'il faudra faire, aux aliments dont il faudra se priver et du temps qu'il faudra passer au gymnase, sans parler de la possibilité très réelle d'échec. Alors que s'imaginer ces abdominaux de rêve rend heureux, envisager la liste de choses à faire pour les obtenir est tout autre. Pour dire les choses franchement, les gens préfèrent nettement les pensées agréables.

Ce qui nous ramène à la mère au foyer qui s'est éveillée d'un rêve avec une idée en tête. Il est probable qu'avec trois petits enfants à la maison, elle ait eu à faire du contraste mental et à tenir compte des obstacles qui l'empêchaient de s'asseoir devant son ordinateur et, encore plus, de terminer son roman. Au cas où vous vous le demanderiez, cette femme s'appelle Stephenie Meyer, et le livre que son rêve lui a inspiré s'intitule *Twilight*.

Faire les premiers pas

De l'avis de tous, Jamie, âgée de 29 ans, a réussi. Elle écrit pour un journal à faible tirage, mais réputé, de la côte Ouest, depuis plus de deux ans, et elle est journaliste depuis qu'elle a obtenu son diplôme d'une prestigieuse université, il y a six ans. Devenir écrivain était son objectif depuis l'école secondaire, mais ce n'est qu'à la fin de ses études universitaires qu'elle s'est intéressée au journalisme, et seulement à la suggestion de son mentor à l'université. Elle a accepté un poste de reporter, en pensant que cela lui servirait d'entraînement en matière d'écriture. « C'est l'opinion de mon conseiller, précise Jamie. Il croyait que le journalisme démystifierait l'écriture, m'enseignerait à m'y consacrer jour après jour, à acquérir de la discipline et à peaufiner mes compétences. » Il n'avait pas tort ; tout cela s'est produit, et plus encore.

Mais cela s'est fait à un prix auquel Jamie ne s'attendait pas ; le travail quotidien dans un journal imprimé ne la rend pas heureuse. Ce n'est pas le genre d'écriture dont elle rêve (elle voudrait essayer quelque chose de plus créatif) et elle sait que ce n'est pas le genre de vie qu'elle veut vivre. « Je ne me rappelle pas la dernière fois où je n'ai pas eu à travailler (ou à me préoccuper de mon travail) le week-end. Je n'ai pas envie de me lever, le matin. Je me sens mentalement, physiquement et spirituellement vide quand je quitte le bureau, à la fin de la journée. La nuque m'élance. J'ai mal aux épaules. Les articles que j'écris ne m'emballent même pas. Cela ne me fait même plus plaisir de voir mon nom imprimé dans le journal. »

Mais elle n'a pas encore quitté son emploi. En partie pour une raison de fidélité envers ses supérieurs et ses collègues, et à l'égard du journal lui-même. Elle hésite parce qu'elle a déjà ressenti ce genre de préoccupation aux deux premiers journaux où elle a travaillé, mais à l'époque, elle croyait qu'elle n'était pas taillée pour ce métier. Maintenant, elle sait qu'elle veut continuer à écrire, mais sous un angle différent, et dans un autre contexte. « J'avais peur que cela signifie que je suis une ratée qui laisse toujours tout en plan, dit-elle. Mais alors, il y a d'autres personnes, et moi-même, pour me rappeler que j'évolue dans le milieu du journalisme depuis six ans. » Jamie a passé des mois à réfléchir à ce qu'elle devrait faire. « Je me suis rongé les sangs avec cette question. Je l'ai tournée sous tous les angles. Je me torture les méninges à tenter de déterminer la décision qui serait la plus lâche. Serais-je lâche de quitter cet emploi, d'abandonner une carrière dans laquelle je réussis assez bien, juste parce que c'est difficile et épuisant ? Ou serais-je lâche de maintenir le *statu quo* et de poursuivre un travail qui me rend profondément malheureuse ? »

En ce moment, elle reporte sa décision de rester ou de partir et elle prend un congé autorisé pour voyager et écrire. Elle croit qu'un travail de pigiste lui permettrait d'écrire sur divers sujets, lui donnerait une sensation de liberté et de maîtrise de son temps, ainsi que la possibilité de réfléchir quand elle en a besoin. «Je veux de la souplesse, voyez-vous. Je ne suis pas certaine de vouloir faire rien qu'une chose, dans la vie.» Même si, rationnellement, elle sait que c'est le bon moment dans sa vie pour faire un saut (elle est mariée, mais elle n'a pas de prêt hypothécaire ni d'autres dettes à rembourser et elle n'est pas prête à avoir un enfant), elle n'est pas sûre d'elle. «Je suis experte dans la rumination, dit-elle. Je remets tout en question. Quand j'essaie de considérer cela d'un point de vue positif, je dis que je suis une personne très ouverte d'esprit, empathique, qui peut examiner un problème sous tous ses angles. Mais cela signifie que je me torture avec la moindre décision.»

Fait intéressant, le nouvel objectif de Jamie de devenir pigiste est l'un des premiers objectifs professionnels qu'elle s'est fixés après l'obtention de son diplôme. «Je ne crois pas avoir été très axée sur les objectifs, confie-t-elle. Jusqu'à maintenant, j'ai évolué dans la vie en suivant une direction générale, en observant les portes qui s'ouvraient devant moi. Je sais maintenant davantage dans quelle direction je veux aller, et cela me rend plus heureuse. J'espère faire un pas vers le genre de vie que je veux vivre.»

Même si Jamie n'a pas quitté son poste, elle s'emploie à élargir son réseau de relations dans le milieu du journalisme pour les articles et les essais qu'elle prévoit rédiger pendant son congé autorisé et qui, espère-t-elle, seront publiés. Bref, elle commence à maîtriser l'art de partir.

Dans le prochain chapitre, nous verrons ce que le talent de partir implique.

VOUS ET VOS OBJECTIFS

Cette liste d'énoncés est destinée à vous faire réfléchir à la façon dont vous vous fixez des objectifs, à votre manière de les aborder et à vos réactions devant un obstacle.

1. J'ai plus de motivation à travailler dur lorsqu'il y a une gratification financière, ou autre, à la fin.

2. Il est important pour moi de me sentir stimulé et créatif et de rechercher activement ces occasions.

3. Les conflits me paralysent souvent, et je finis par ne rien faire.

4. Lorsque j'hésite entre deux possibilités, je réfléchis à ce qui compte le plus, puis je prends ma décision.

5. Si on me donne l'occasion de procrastiner ou de perdre mon temps, je vais la saisir.

6. J'ai beaucoup d'autodiscipline et je contrôle bien mes impulsions.

7. Je passe beaucoup de temps à me préoccuper des tâches qui ne sont pas terminées.

8. Je planifie bien. Je fais ce que je peux, mais si je ne peux pas terminer, je ne m'en fais pas avec ça.

9. Je prends des initiatives, je passe à l'action. Je pense comme ceci : « Si je fais telle chose, alors telle autre chose n'arrivera pas. »

10. Le côté positif me motive. Je pense habituellement ainsi : « Si je fais telle chose, alors telle autre chose arrivera. »

11. Je sens beaucoup de pression m'incitant à être à la hauteur de ce que les autres ont accompli.

12. Je me concentre habituellement sur ce qui m'apportera du bonheur.

13. Je n'aime pas fréquenter des gens tristes, ni être déprimant moi-même.

14. La tristesse fait partie de ma vie. J'y fais face en en parlant.

15. Je suis la seule personne en mesure de régler ce qui m'affecte.

16. Il est utile de découvrir comment les autres se débrouillent en période de crise.

17. Si quelqu'un me critique ou critique mon travail, je ne peux m'empêcher d'y penser.

18. J'essaie d'accepter la critique sans broncher. Je tiens compte de la source et de sa véracité.

19. Si une tâche me frustre, je la poursuis tout de même.

20. Si quelque chose me rend dingue, je prends le temps de me demander si je devrais poursuivre ou non.

21. Je pense qu'il est important d'envisager les choses sous un jour positif, quelles que soient les circonstances.

22. Parfois, je dois admettre que les choses ne fonctionnent pas comme je l'aurais souhaité.

Plus grand est le nombre d'énoncés impairs avec lesquels vous êtes d'accord, plus il est probable que plusieurs de vos objectifs soient extrinsèques.

CHAPITRE QUATRE

Avoir le talent de partir

Il existe une tradition à la Faculté de droit de Harvard et dans d'autres établissements de haut savoir, selon laquelle le doyen, ou une autre personne en position d'autorité, réunit tous les étudiants de première année dans une salle et leur dit : « Regardez à votre droite et à votre gauche, parce que l'un d'entre vous ne sera plus ici l'an prochain. » À vrai dire, nous pourrions vous demander sérieusement, sans vouloir vous intimider, de faire la même chose, la prochaine fois que vous vous trouverez dans un groupe. L'un d'entre vous ne sera pas « là », l'an prochain, parce que l'un d'entre vous maîtrise mieux l'art de partir que les autres.

Quelles sont les qualités ou les caractéristiques qui font que nous sommes si rigides, résistants ou sensibles au changement, incapables de lâcher prise même lorsque le fait de tenir bon nous rend profondément malheureux ? Pourquoi certains d'entre nous ne voient-ils qu'un abîme de possibilités négatives lorsqu'il s'agit de poser un acte de foi et pourquoi restent-ils cloués sur place ? Pourquoi certains d'entre nous accueillent-ils les défis de la vie en étant recroquevillés, sur la défensive, toujours en quête de façons d'éviter les pertes potentielles ? Pourquoi semble-t-il manquer à certains d'entre nous un bouton « arrêt » quand il faut gérer des sentiments négatifs ? Pourquoi certains d'entre nous persévèrent-ils, quoi qu'il advienne ?

Qu'est-ce qui donne à des personnes la grâce et les compétences d'un maître de yoga lorsqu'il faut passer d'une chose à une autre dans la vie, que ce soit une relation, un emploi ou une aspiration ? De quoi un humain a-t-il besoin pour être capable d'imaginer un nouveau plan de vol complet, comportant les manœuvres pour réussir l'atterrissage ? Pourquoi est-il plus facile pour certaines personnes de trouver l'équilibre entre le réalisme et l'optimisme, et comment acquièrent-elles cette compétence ? Connaissent-elles un secret qui échappe aux autres, ou sont-elles dotées d'un genre de thermostat interne ? Comment font-elles pour laisser une chose et en trouver une autre qui les rendra vraiment heureuses ? Comment retombent-elles sur leurs pieds après avoir essuyé une perte ? Bref, pourquoi certains d'entre nous ont-ils le talent de partir, alors que les autres ne l'ont pas ?

C'est la question qui se pose, et dans les pages qui suivent, nous nous pencherons sur ces qualités, sur les gens qui les possèdent et sur ce que vous pouvez faire pour peaufiner ces qualités ou, au besoin, pour commencer à les acquérir. Le talent de partir diffère de ces styles improductifs, alimentés par les émotions, que nous avons vus plus tôt. Ce que nous avons à dire à ce sujet est fondé sur la science, mais nous allons débuter par un petit avis de non-responsabilité. Aucune mesure particulière ni formule « magique » ne peut établir le bon moment de partir. Les situations comportent trop de variables différentes. Se désengager à l'égard d'un objectif ou d'un parcours de vie dans le monde réel est souvent compliqué et très différent du contexte d'un laboratoire, où les hypothèses sont établies et mises à l'épreuve. Décider de changer de parcours peut être plus facile à certaines périodes de la vie parce qu'à ces moments, cela aura moins de conséquences sur la vie réelle ; on peut dire sans se tromper que plus nous avons d'obligations financières et émotionnelles envers les autres, plus il pourrait être difficile de trouver le bon moment de quitter une relation, un emploi ou un parcours de carrière. Par ailleurs, le moment pourrait être idéal pour vous, mais pas pour les gens qui font partie de votre vie.

Partir est plus facile à certaines périodes de la vie (le début de l'âge adulte, par exemple) qu'à d'autres, tant parce qu'on subit alors moins de désapprobation culturelle que parce que cela entraîne moins de complications dans la vie réelle. Les risques que comporte le démarrage d'une entreprise ou d'une autre activité entrepreneuriale sont mieux tolérés en début de carrière, tout comme l'établissement de nouveaux objectifs si l'entreprise fait faillite. Nous avons le droit de changer d'idée lorsque nous sommes jeunes, surtout si nous sommes relativement exempts de responsabilités. La génération des *post-boomers* (ceux qui sont nés entre 1977 et 1992) semble avoir adopté une attitude de fluidité, pour le moment du moins, même en période économique difficile. Les gens de cette génération se marient plus tard (l'âge moyen est maintenant de 28 ans) et ne conservent que deux ans le même emploi (contrairement aux *baby-boomers*, qui conservent leur emploi au moins cinq ans). Partir à un stade plus avancé de la vie devient plus complexe, non seulement en raison des obligations personnelles contractées, mais aussi à cause des objectifs de longue date, et peut-être en raison de l'impression que les possibilités s'amenuisent.

Cela dit, une fois que vous avez compris le talent que vous avez pour le départ (ou l'absence de ce talent), les habitudes mentales qui vous maintiennent en place et vos aptitudes à évaluer et à prioriser vos propres objectifs, la question du moment opportun deviendra claire pour vous. Vous saurez avec une quasi-certitude lorsque le moment sera venu. Les études démontrent que, même si la persévérance est utile, savoir quand se replier est extrêmement précieux. Dans ce chapitre, nous cherchons entre autres à vous inciter à évaluer vos objectifs et votre persévérance, mais aussi à mesurer votre aptitude intérieure au départ.

Saisir le moment

Les années postuniversitaires, la troisième décennie de la vie, sont habituellement considérées comme le moment de jeter les bases de ce que sera la vie au cours de la trentaine et de la quarantaine. Cette caractéristique culturelle peut rendre difficile la transition entre un état stable et prévisible, et un état qui l'est résolument moins. C'est le cas de James, âgé de 27 ans, qui a obtenu son diplôme universitaire en 2009 et qui s'efforce depuis de répondre aux exigences d'un emploi à temps plein dans le secteur financier et de l'entraînement nécessaire pour entretenir sa passion, l'aviron. Contrairement aux autres sports, comme le tennis, le ski ou le football, l'aviron est par nature un sport «amateur» qui ne dispose pas des mêmes avantages que les autres sports (appuis et financement). Mais c'était quelque chose que James voulait faire – voir s'il pouvait compétitionner aux plus hauts niveaux nationaux et internationaux, y compris les Jeux Olympiques. L'aviron était sa passion depuis longtemps (depuis sa 9e année, en fait), mais il l'avait reléguée au second plan par nécessité, et maintenant il l'incorporait à son horaire.

Il trouvait de plus en plus stressant d'effectuer le nombre d'heures d'entraînement nécessaires, soit de 16 à 20 heures par semaine, en plus de sa semaine de travail de 40 heures. Mais il aimait l'ambiance de collégialité de l'entreprise, même s'il devenait clair à ses yeux que la finance (carrière qu'avaient embrassée un certain nombre des membres de sa famille) n'était pas un secteur où il continuerait d'évoluer. Puis, une occasion se présenta de s'entraîner au niveau élite de l'aviron, en profitant d'avantages tels que le logement, les assurances, l'habillement et les frais de subsistance.

Même si faire de l'aviron de compétition était un objectif qui lui tenait à cœur, James ne considérait pas ça précisément comme une carrière. De plus, même s'il parvenait aux plus hauts niveaux de la compétition, cela ne lui garantissait pas un avenir intéressant, à part, peut-être, un poste d'entraîneur. Il quittait un emploi permanent rémunérateur, dans un contexte économique précaire, pour poursuivre un rêve qui, fort probablement, n'augmenterait pas sa capacité à gagner un revenu stable. Sa décision n'a pas plu à tout le monde, mais comme il le disait: «Partir est une décision très personnelle. J'étais la seule personne qui pouvait vraiment comprendre ma motivation de partir.» Autre complication: sa relation, qui durait depuis trois ans avec sa petite amie. Cette dernière, on peut le comprendre, était peinée qu'il fasse passer l'entraînement avant leur relation, étant donné qu'il déménageait à des centaines de kilomètres de sa résidence.

La décision d'aller de l'avant, de quitter un parcours pour en entreprendre un autre, a exigé de James de gérer un éventail complexe de sentiments. Il se sentait responsable du bouleversement de sa petite amie, s'efforçait d'être attentif à ses sentiments et de l'écouter, et était conscient du fait qu'il était difficile pour elle de l'appuyer dans ses choix. Mais, lorsqu'on lui demandait ce qui arriverait s'il n'atteignait pas son objectif (s'il découvrait qu'il n'avait tout simplement pas le talent ou les capacités pour y arriver), il répondait avec confiance: «Je ne suis pas certain que cela ait de l'importance, parce que je ne suis pas concentré sur la finalité; je me concentre sur ce que je fais et sur le mieux que je puisse faire. C'est difficile de changer de mentalité, de se laisser totalement absorber dans une seule tâche. Il faut passer de très bon à exceptionnel, et cela exige une grande concentration.» Il ne considérait pas ce parcours comme un détour le mettant à la traîne de ses pairs qui suivaient un cheminement de carrière plus traditionnel. «Les leçons que je tire de la pratique de l'aviron sont facilement transférables, et j'oserais dire que peu de gens sont prêts à travailler aussi dur que les athlètes de niveau élite.» De plus, il était convaincu que lorsqu'il trouverait un emploi aussi agréable et enrichissant que l'aviron, il saurait quoi faire et il aurait la persévérance nécessaire pour y accéder. Il ne s'en faisait pas avec le temps qu'il faudrait pour y parvenir.

Évaluer votre talent

Diverses théories psychologiques ont précisé les traits de personnalité ou les tempéraments qui font qu'une personne est meilleure qu'une autre pour se fixer des objectifs, les évaluer et se désengager à leur égard, au besoin. Nous allons adopter un certain nombre de perspectives afin d'obtenir le tableau le plus complet possible de l'art de partir. Bien qu'il existe certaines concordances entre ces théories, elles offrent toutes un point de vue légèrement différent.

Au fil de votre lecture, veuillez réfléchir à la catégorie dans laquelle votre talent en matière de départ se classerait. Et, où que vous vous classiez, ce chapitre et les suivants vous offriront des stratégies qui vous permettront d'acquérir des compétences dans l'art de partir.

Comme nous l'avons vu, Andrew J. Elliot et Todd M. Thrash ont proposé une perspective selon laquelle on examine les gens en fonction de leurs motifs et de leurs objectifs fondamentaux, qui leur donnent un caractère enclin à l'approche ou à l'évitement. La motivation fondamentale axée sur l'approche (c'est-à-dire s'assurer d'une fin positive) et sur l'évitement (c'est-à-dire éviter les conséquences négatives ou douloureuses) est intégrée à l'espèce humaine ainsi qu'à de nombreux autres groupes d'animaux, y compris les organismes unicellulaires. Mais ils vont encore plus loin dans leur théorie, et concluent que la motivation axée sur l'approche et celle axée sur l'évitement sont des éléments clés de la personnalité; la socialisation précoce aura un grand rôle à jouer lorsque l'un de ces deux tempéraments l'emportera dans la façon d'évoluer dans la vie et de fixer des objectifs.

Si vous avez déjà passé du temps sur un terrain de jeu ou dans une cour d'école, vous avez probablement vu à quoi ressemblent les comportements d'approche et d'évitement dans la vraie vie. Il y a la petite fille qui monte jusqu'au sommet de la glissade, confiante et souriante, et qui se laisse glisser jusqu'en bas en établissant un contact visuel avec sa mère et en la saluant de la main. Et il y a le petit garçon qui avance avec précaution parmi les autres enfants et les balançoires, comme si le terrain de jeu était un milieu hostile. Sa mère est assise à proximité; elle parle au téléphone avec son cellulaire, mais le petit garçon ne la regarde pas et ne lui fait aucun geste. Il évite la glissade, craignant de tomber, et il fuit le portique d'escalade, par crainte de rester coincé et d'avoir l'air idiot. Il se contente de s'asseoir sur la terre ferme, dans le bac à sable, tout seul, et évite le contact avec les autres enfants. Une enfant aborde donc le terrain de jeu avec une motivation positive; l'autre y voit un paysage tout à fait différent. Ces approches sont-elles innées ou ces enfants ont-ils été modelés par leur environnement? Qu'arrive-t-il à ces enfants lorsqu'ils atteignent l'âge adulte? Leur tempérament montrera-t-il une certaine constance?

D'après Andrew J. Elliot et Harry T. Reis, oui, on constatera une constance dans le comportement de ces personnes. L'étude qu'ils ont réalisée en 2003 établissait expressément un lien entre les modèles familiaux de relations, selon l'explication de la théorie de l'attachement, et l'établissement d'objectifs à l'âge adulte. Comprendre la théorie de l'attachement (et la façon dont nous nous sommes attachés à nos parents) est le point de départ pour comprendre notre capacité à persévérer et à abandonner dans la vie en général, et dans les relations en particulier. La théorie de l'attachement aide aussi à expliquer la façon dont les zones de confort (les situations qui nous sont familières, du point de vue émotif, et apportent donc un certain sentiment de confort, mais qui, en fait, nous rendent malheureux) fonctionnent dans notre vie.

La théorie de l'attachement est issue d'une série d'expériences réalisées par Mary Ainsworth. Ces expériences ont été reproduites des centaines de fois depuis, et elles sont axées sur la nature de la relation mère-enfant. Ce modèle, appelé « situation étrange », examine la réaction d'un bébé lorsque, après son arrivée au laboratoire avec sa mère, celle-ci quitte la pièce alors qu'un étranger y entre. Mary Ainsworth s'est concentrée sur la réaction de l'enfant lorsque sa mère revient. Comme elle s'y attendait, la plupart des enfants se sont agités et ont pleuré lorsque leur mère les a quittés, mais ils ont été immédiatement rassurés lorsqu'elle est revenue. Ils ont rétabli le lien avec leur mère en tentant de la toucher, en établissant un contact visuel, en gazouillant et en étant joyeux. Mary Ainsworth a classé ces enfants dans ceux qui vivaient un « attachement sécurisant » et a déduit que leur mère était attentive à leurs besoins et y réagissait avec constance.

Mais ce ne sont pas tous les enfants qui ont réagi ainsi à l'étrange situation. Certains bébés ont montré peu d'émotion lorsque leur mère est partie, et son retour ne les a pas réconfortés. D'autres enfants n'ont montré aucune émotion lorsque leur mère est partie, et ils ont évité le contact visuel lorsqu'elle est revenue. D'après Mary Ainsworth, ces bébés vivaient un « attachement insécurisant », et elle divise ce genre d'attachement en trois catégories : l'attachement évitant, l'attachement anxieux-ambivalent et l'attachement désorganisé. L'attachement évitant résulte de l'indisponibilité de la mère pour le bébé ou de son rejet des approches du bébé ; l'enfant s'adapte en évitant la proximité émotionnelle et physique avec sa mère. Le comportement maternel peu fiable ou imprévisible donne lieu à l'attachement anxieux-ambivalent ; l'enfant ne sait jamais si sa mère sera à son écoute ou réticente, alors il s'adapte au manque de fiabilité de sa mère. La dernière catégorie d'attachement insécurisant et la plus destructrice est appelée « attachement désorganisé », parce qu'il crée chez ces enfants un conflit entre le besoin de voir leurs manques comblés et leur crainte ou leur appréhension par rapport à leur mère. Cette dernière catégorie est habituellement le résultat d'un comportement maternel empreint de violence physique ou psychologique.

Les modèles d'attachement dans l'enfance permettent de prédire avec fiabilité comment nous aborderons les relations, une fois adultes, y compris les relations amoureuses, comment nous gérerons le stress et nos émotions. Les enfants qui ont vécu un attachement sécurisant deviennent des adultes capables de choisir des partenaires amoureux qui sont à leur écoute et aimants, et qui peuvent mieux contrôler leurs émotions que ceux qui ont vécu un attachement insécurisant. Pourquoi ces modèles d'attachement sont-ils aussi enracinés ? Les enfants humains sont constitués pour s'adapter aux circonstances dans lesquelles ils se trouvent, ce qui augmente leurs chances de survie. Comme ces attachements précoces donnent lieu aux images mentales et aux modèles neurologiques du fonctionnement des relations dans le monde, ils créent aussi la base de la motivation et de l'action.

La dépendance d'un nourrisson aux signaux qu'il reçoit de sa mère et la façon dont il apprend à y réagir ont été démontrées par une expérience fascinante, appelée «falaise visuelle». Cette expérience a été répétée maintes fois, avec quelques variantes. La mère du bébé étant visible à l'extrémité du dispositif, le bébé qui est en mesure de ramper est placé sur un comptoir composé à moitié de matériaux solides et à moitié de Plexiglas. Une fois que le bébé arrive près du Plexiglas, le comptoir semble aussi escarpé qu'une falaise (après tout, le bébé ne connaît pas les vertus du Plexiglas). Le bébé s'arrête net et scrute le visage de sa mère, en quête d'une réponse : c'est sûr ou dangereux? J'y vais ou je m'arrête? À ce stade, l'enfant est devenu compétent à lire l'expression de sa mère, grâce au système limbique du cerveau et à l'évolution; alors, un sourire de sa mère l'incitera à ramper, quelque abrupte que soit la falaise. Mais si sa mère exprime un sentiment négatif, la réaction de l'enfant sera tout à fait différente.

Dans le cadre d'une expérience de falaise visuelle réalisée par James F. Sorce et ses collègues, certaines mères ont reçu la consigne d'arborer un visage souriant, d'autres mères, un visage effrayé. Aucun des bébés n'a franchi la falaise lorsqu'il a lu la peur sur le visage de sa mère, et la plupart d'entre eux ont même reculé jusqu'au point de départ. Puis, les mères ont affiché une expression intéressée ou un sentiment de colère. La plupart des bébés ont traversé «la falaise» lorsque leur mère a arboré un air intéressé, mais seulement deux des dix-huit bébés se sont avancés lorsque leur mère a démontré de la colère. Lorsque les mères avaient l'air triste, seulement le tiers des bébés ont continué d'avancer. N'oubliez pas qu'une expression de crainte a fait arrêter tous les enfants.

En tant que nourrissons et enfants, nous apprenons tous à contrôler nos émotions et à maîtriser nos comportements grâce à nos liens avec nos principaux fournisseurs de soins. Tout débute à la pouponnière. C'est pourquoi d'autres études ont soutenu que la capacité d'un nourrisson à explorer le monde et à élargir ses horizons, tant au point de vue littéral que figuré, est liée au fait que son attachement soit sécurisant (ou insécurisant) et que cette disposition demeure constante tout au long de la vie adulte.

Elliot et Ries ont avancé l'hypothèse selon laquelle les adultes qui ont vécu un attachement sécurisant verraient des objectifs en matière d'accomplissement comme un défi positif, qui les ferait se sentir compétents. De plus, les chercheurs ont soutenu que ces adultes seraient en mesure de réagir avec une relative sérénité à la possibilité d'échouer dans l'exécution de leur tâche. Par contre, les adultes qui ont vécu un attachement insécurisant verraient ces objectifs comme une menace potentielle, étant donné la possibilité d'un échec, et ils allaient «chercher à éviter les possibilités d'incompétence pour se protéger», selon les chercheurs. Au cours de leur première expérience, les chercheurs ont mesuré l'attachement dans des relations amoureuses; 50 % des participants ont dit vivre un attachement sécurisant, 30 %, un attachement évitant, et 20 %, un attachement anxieux-ambivalent. Puis, les participants ont répondu à un questionnaire sur les objectifs en matière d'accomplissement. Présentant des énoncés avec lesquels les répondants devaient se dire en accord ou en désaccord, le questionnaire permettait d'évaluer le comportement d'approche ou d'évitement des participants. Par exemple : «Il était important pour moi de comprendre le contenu du cours le mieux possible (maîtrise-approche). » « Il est important pour moi de bien réussir par rapport aux autres dans la classe (performance-approche). » « Je veux simplement éviter d'avoir des résultats médiocres dans ce cours (performance-évitement). » Les participants ont également dressé une liste de huit objectifs personnels.

Ce que les chercheurs ont découvert dans cette expérience et dans d'autres qui ont suivi, c'est que les gens vivant un attachement sécurisant avaient besoin de grands accomplissements, qu'ils craignaient peu l'échec et qu'ils avaient de solides objectifs d'approche personnelle et de maîtrise-approche. Autrement dit, ils souhaitaient beaucoup approfondir les domaines des relations, des compétences et de l'accomplissement. Par contre, les participants qui vivaient un attachement insécurisant présentaient un faible besoin d'accomplissement et une grande crainte de l'échec ; leurs objectifs étaient majoritairement l'évitement, tant dans le domaine de la maîtrise que dans celui de la performance. Il faudrait toutefois souligner un point : même si les deux participants qui se sont décrits comme anxieux-ambivalents et ceux qui pratiquaient l'évitement partageaient une crainte de l'échec, les anxieux-ambivalents ont utilisé des objectifs d'évitement, mais pas le groupe de ceux qui pratiquaient l'évitement. La catégorie des anxieux-ambivalents est importante lorsqu'il s'agit du talent de partir : « L'attachement anxieux mine la motivation optimale en matière d'accomplissement parce qu'il pousse les gens à voir les tâches d'accomplissement en termes de perte, et à ressentir un grand besoin de réussir, ce qui met sur la défensive et fait viser l'évitement des résultats négatifs. »

Les gens qui ont un comportement anxieux-ambivalent ont un problème particulier. Même s'ils sont enclins à se concentrer sur les échecs, ils veulent aussi réussir. Cela semble

contradictoire, mais l'ambivalence est contradictoire par définition. Ces gens ont beaucoup de difficulté à abandonner quoi
que ce soit, particulièrement lorsqu'il s'agit d'une relation. Ils
sont préoccupés par leurs relations, ont des hauts et des bas
dans leurs sentiments, et ils sont incapables de partir, quoi
qu'il advienne. Les gens qui ont un attachement d'évitement,
comme le terme le dit, craignent l'intimité et, plus que toute
autre chose, ils sont incapables de s'engager.

Une analyse en profondeur réalisée par Philip R. Shaver et
Mario Mikulincer jette encore plus de lumière sur la façon
dont ces modèles d'attachement sont liés au processus d'engagement à l'égard d'objectifs et au stress de changer de parcours.
Le problème est clair : l'art de tirer sa révérence exige d'abord
que l'on contrôle ses pensées et ses émotions, ce qui mène à
un changement de motivation et de comportement et à l'établissement de nouveaux objectifs. Les gens qui ont un attachement sécurisant réussissent très bien à composer avec leurs
émotions lorsqu'ils sont peinés. Ils peuvent être fâchés sans
être hostiles, et ils adoptent rapidement des objectifs construc-
tifs visant à rétablir des relations qui ont été secouées. Ils sont
aussi ouverts, au point de vue cognitif, et ils n'ont pas besoin
de recourir à la déformation pour bien se sentir dans leur peau.

Les personnes qui ont un attachement anxieux usent de
stratégies qui tendent à exacerber, plutôt qu'à atténuer, les effets des événements stressants ; ils ruminent et, en se concentrant sur les émotions négatives, ils s'y embrouillent encore
plus. Il se passe la même chose, au niveau cognitif, lorsqu'ils
tentent, en vain, de supprimer des pensées intrusives. Les gens
qui ont un attachement d'évitement se tiennent consciemment à distance du stress ; ils réagissent aux menaces en gon-
flant l'image positive qu'ils ont d'eux-mêmes, mais ils se
coupent aussi de leurs émotions. En se blindant ainsi, ils

perdent l'accès à tous les sentiments et les liens positifs qui pourraient les aider à s'en sortir. Pour paraphraser Shaver et Mikulincer, la stratégie est d'un prix très élevé et les laisse sans signaux positifs qui pourraient les aider à se sentir mieux en période de crise. Inutile de dire que cette stratégie ne fait rien pour régler leur tourment.

La façon dont ces attachements qui remontent à l'enfance influent sur nos capacités à persévérer et à partir est tout à fait logique. Les personnes qui vivent un attachement sécurisant sont terre à terre et plus en mesure de gérer leurs émotions et de rechercher du soutien lorsqu'une entreprise commence à péricliter ou subit un échec. Par contre, les personnes qui vivent un attachement insécurisant sont surtout motivées par le côté négatif. Les personnes qui vivent un attachement anxieux ou ambivalent et qui veulent par-dessus tout ne pas échouer, que ce soit dans une relation ou une entreprise, ont le moins de talent pour partir.

C'est exactement ce qu'une étude de Heather C. Lench et Linda J. Levine a montré. Ces chercheuses ont remis à des participants trois séries de sept anagrammes à résoudre dans des délais précis, le premier des sept problèmes étant insoluble. Comme le test était chronométré, les participants obtenaient de meilleurs résultats s'ils ne consacraient pas tout leur temps à la résolution du premier problème ; de plus, comme il n'était pas possible de passer une anagramme ou d'y revenir, il fallait vraiment procéder à un désengagement pour pouvoir aller de l'avant.

Comme les chercheuses l'avaient supposé, les gens qui s'étaient décrits comme motivés par des objectifs d'approche ont arrêté de s'acharner sur le premier problème lorsqu'ils se sont rendu compte que la persévérance ne porterait pas de fruits. Mais ceux qui avaient des objectifs d'évitement ont consacré plus de temps à cet exercice frustrant et sans espoir, et ils sont restés coincés alors que le groupe ayant des objectifs d'approche est allé de l'avant; ils ont aussi démontré une détresse émotionnelle plus intense et plus durable.

Dans une deuxième étude, plutôt que de se fier au rapport établi par les participants, les chercheuses les ont préparés à se classer dans l'une des deux catégories. Les membres du groupe de l'approche se sont fait dire que le test était «une mesure de vos forces en intelligence verbale», et on leur a demandé «d'essayer de réussir»; les membres du groupe d'évitement se sont fait dire que le test était «une mesure de vos faiblesses en intelligence verbale» et «d'essayer d'éviter l'échec». Comme prévu, travailler à résoudre des anagrammes insolubles a fait vivre des émotions négatives à tous les participants, mais ceux à qui on avait suggéré une approche d'évitement avaient des émotions plus négatives; en fait, les participants les plus contrariés ont enregistré le plus haut taux de persévérance.

«Ironiquement, expliquent les auteurs, en se concentrant sur l'évitement de résultats négatifs, ils ont été incapables de reconnaître que l'échec était inévitable et de passer à l'anagramme suivante.» Lench et Levine supposent que les gens qui ont des objectifs d'approche ont une plus grande souplesse cognitive et qu'ils peuvent trouver davantage de stratégies de rechange pour atteindre un objectif que ceux qui se concentrent uniquement sur l'évitement de résultats négatifs: «Cela pourrait sembler contraire à la logique, mais les gens qui se sont concentrés sur l'échec potentiel dans l'atteinte des objectifs étaient le moins à même de reconnaître l'échec.»

Étant donné cette focalisation sur l'évitement, alliée à nos autres opinions préconçues, y compris l'aversion à la perte et le fait qu'un objectif devienne plus précieux lorsqu'il est inatteignable, il est parfaitement clair que, parfois, la persévérance n'est que le chemin de la moindre résistance. C'est précisément pourquoi il est nécessaire de maîtriser l'art de tirer sa révérence. Peu importe ce qu'on vous a dit, si votre impulsion première est de toujours tenter de tenir le coup, vous allez avoir besoin d'une solution de rechange à portée de la main.

La peur de l'échec

Prenez un moment pour réfléchir à votre propre éducation et aux relations que vous entretenez avec les autres : vivez-vous un attachement sécurisant ou insécurisant ? Et quel rôle la peur de l'échec, ou l'échec lui-même, ont-ils joué dans votre vie ? Deux des clichés culturels les plus répandus en Amérique sont que l'échec est souvent le tremplin nécessaire à la réussite, et que les leçons tirées de l'échec constituent souvent la clé des réalisations d'une personne. Selon la croyance populaire, la peur de l'échec serait un excellent facteur de motivation. C'est ce qui pousserait les étudiants à étudier quelques heures de plus, le travailleur à travailler plus fort afin de plaire au patron, et l'athlète à continuer de s'entraîner. Ces clichés sont malheureusement en grande partie erronés et, au mieux, simplifiés à l'extrême, comme nous allons vous l'expliquer. Nous avons déjà vu que la peur de l'échec, plutôt que de motiver, est étroitement liée aux choix d'objectifs d'évitement ainsi qu'aux modèles d'attachement insécurisant.

Au cours d'une étude fascinante, Elliot et Thrash ont exploré la peur de l'échec ; ils ont posé comme postulat que la peur de l'échec était transmise des parents aux enfants, et que le médiateur était le recours, par les parents, au retrait de l'amour dans la socialisation. Comme le soulignent les auteurs, ce n'est pas « l'échec en soi qui est craint et évité, mais la honte qui accompagne l'échec ». En tant qu'émotion, la honte érode l'ensemble de la construction du soi; la personne sent qu'elle ne mérite pas d'être aimée et qu'elle ne vaut rien. La peur de l'échec, écrivent les auteurs, amène une personne à «ressentir de l'anxiété avant et pendant qu'elle s'engage dans une tâche, et à se protéger de l'échec en fuyant la situation physiquement (en partant) ou mentalement (en se retirant), ou en s'efforçant de réussir (pour éviter l'échec)». Le genre de départ ou d'abandon que la société méprise compte pour deux des trois réactions possibles à la peur de l'échec. Seule la troisième réaction, la moins plausible, soutient le cliché culturel. Nous verrons plus loin que ce n'est pas l'échec, mais la maîtrise de l'art de partir qui ouvre la voie à de nouveaux objectifs gratifiants et à l'accomplissement.

Elliot et Thrash ont posé comme postulat que la peur de l'échec éprouvée par les parents pousserait ceux-ci à réagir aux erreurs, aux omissions et aux échecs de leurs enfants de façons qui enseigneraient à leur progéniture que l'échec doit être évité à tout prix. Les chercheurs se sont expressément concentrés sur une pratique de parentage, le retrait de l'amour. La menace de retirer son amour, particulièrement auprès des petits enfants, peut être très subtile, communiquée par un regard froid ou un visage de marbre, en tournant le dos à l'enfant, en retirant l'enfant de la pièce ou en le menaçant de le retirer. (Quand on y pense, la traditionnelle période de réflexion, utilisée par d'innombrables parents comme moyen de discipline, pourrait, si elle est abordée d'une certaine façon, sembler un genre de retrait de l'amour auprès d'un enfant.) Notons que les chercheurs ne croient pas que la plupart des parents adoptent consciemment le retrait de l'amour comme stratégie: «La plupart de ceux qui y ont recours ne font que réagir au comportement de leur enfant au moyen de leurs propres processus d'autoévaluation profondément enracinés.»

Les auteurs ont découvert que la peur de l'échec d'une mère et le retrait de son amour étaient directement liés à la peur de l'échec de leurs enfants d'âge collégial. La peur de l'échec éprouvée tant par les pères que par les mères constituait un indicateur prévisionnel de l'adoption d'objectifs d'évitement et, dans le cas des pères, elle permettait de prédire que leurs enfants n'adopteraient pas d'objectifs de maîtrise. Une motivation d'évitement peut-elle être transmise d'une génération à une autre ? Elliot et Thrash pensent que oui. Retirer son amour ou menacer de le faire pourrait ne pas être le seul comportement qui inculque les objectifs d'évitement et la crainte de l'échec. D'autres styles de parentage, comme les comportements autoritaires ou contrôlants, influent aussi directement sur la capacité à se désengager, comme nous le verrons dans la perspective offerte par les travaux en cours sur l'orientation-action et l'orientation-état.

Alors, oublions la crainte de l'échec comme élément de motivation à l'accomplissement. Si vous attribuez votre persévérance à votre peur de l'échec, il est temps de réévaluer la situation.

Le coût de l'évitement

Même si nous allons tous avoir, à un moment ou à un autre de notre vie, un mélange d'objectifs d'approche et d'évitement, la focalisation sur l'évitement affecte le sentiment de bien-être, littéralement. Par exemple, dans une étude de personnes en thérapie, Andrew J. Elliot et Marcy A. Church ont démontré que les patients qui avaient entrepris la thérapie avec des objectifs d'évitement n'ont pas constaté une augmentation de leur bien-être aussi importante que ceux qui avaient des objectifs d'approche, et ils trouvaient que tant le thérapeute que la thérapie elle-même étaient moins efficaces. N'oubliez pas que les objectifs réels peuvent être les mêmes, mais la façon dont ils sont formulés (au plan de l'approche et de l'évitement) fait toute la différence. Certains exemples tirés de cette étude permettent de constater clairement cette différence :

- « Me comprendre et comprendre mes sentiments », par rapport à « arrêter d'être confus à propos de mes sentiments ».
- « Avoir des relations plus étroites avec mes amis », par rapport à « éviter de me sentir seul et isolé ».
- « Être plus stable et heureux », par rapport à « éviter de devenir déprimé ».

Prenez un instant pour songer à la façon dont vous formulez vos objectifs lorsque vous en fixez, et à la façon dont vous y pensez lorsque vous décidez de les abandonner ou de les poursuivre. Avez-vous l'habitude de penser : « Si je fais X, Y n'arrivera pas », ou pensez-vous habituellement : « Si je fais X, Y arrivera » ?

Dans la vraie vie, ce qui peut sembler de la persévérance, vu de l'extérieur, peut être motivé par l'évitement. Les gens qui ont grandi au sein de familles instables, où les frictions et les querelles sont constantes, où l'un des parents est alcoolique ou qui subit tout autre dysfonctionnement, adoptent souvent inconsciemment des stratégies d'évitement pour rester en dehors de la bataille.

C'était manifestement le cas d'Henry, un avocat de 58 ans, qui, de son propre aveu, n'avait jamais abandonné quoi que ce soit. Vue de l'extérieur, sa vie (ses 25 ans de mariage, la progression continue de sa carrière, ses 29 années d'association dans un seul cabinet d'avocats) semblait témoigner d'une stabilité et d'une persévérance remarquables. Il avait grandi dans un milieu aisé, mais son enfance avait été perturbée : son père buvait, disparaissait sans préavis et revenait aussi soudainement, sans aborder le sujet avec sa famille. On tenait les choses sous silence, et Henry a inconsciemment adopté cette façon de faire dans sa vie, en évitant la confrontation à tout prix. Mais il est arrivé à un tournant et il s'est rendu compte qu'il était profondément malheureux. Il a mis fin à son mariage d'une façon maladroite et hargneuse ; il lui a fallu des années pour passer à travers son divorce, et ses relations avec ses enfants en ont été fortement ébranlées. Il dit maintenant qu'il aurait aimé disposer beaucoup plus tôt des outils nécessaires pour composer avec la situation, car cela aurait été mieux pour chacun.

Quelquefois, une stratégie d'évitement (adoptée par quelqu'un qui a des objectifs de performance) peut aussi avoir une incidence sur le bien-être. Partir, en situation réelle plutôt qu'en laboratoire, est parfois compliqué ; c'est une décision lourde de conséquences. C'était le cas de Sarah, âgée de 22 ans, qui, à la fin de ses études, a décroché son premier emploi dans un grand bureau de relations publiques de San Francisco. Elle avait raisonnablement confiance en ses capacités, étant donné qu'elle avait fait six stages au fil des ans et qu'elle trouvait que cet emploi lui convenait bien. Elle avait fait des douzaines de demandes d'emploi pendant l'été, s'était rendue à l'étape de l'entrevue dans bien des cas, et elle était bien contente que ce processus soit terminé. Elle avait abordé son emploi animée de grands espoirs et pleine d'énergie, parmi les nombreuses autres recrues de l'entreprise qui débutaient en même temps qu'elle. Ironie du sort, elle avait reçu une autre offre d'emploi seulement quelques semaines avant qu'elle n'occupe son nouveau poste. Ses supérieurs pratiquaient un genre de leadership caractérisé par une « fermeté affectueuse » ; elle et les autres nouveaux employés étaient ré-

gulièrement critiqués (réprimandés, en fait). Sa première éva-
luation du rendement, six mois plus tard, a été décourageante : dans les six ou sept pages d'évaluation écrite, pas un mot d'éloge. Au cours des six mois suivants, Sarah a redoublé d'efforts, mais son patron est demeuré très critique, voire hostile. Lorsque Sarah obtenait de bons résultats, et qu'elle décrochait d'importants contrats de publicité auprès des clients de l'entreprise, on lui reprochait d'avoir omis certains détails. Elle commença à appréhender d'aller au travail.

Mais il n'y avait qu'un an qu'elle avait terminé ses études, dans un contexte économique médiocre, et elle avait un loyer à payer. Elle a posé sa candidature pour des emplois toutes les fois où elle en a eu l'occasion, mais elle se trouvait maintenant « entre deux échelons » : elle n'était plus une débutante, mais elle manquait d'expérience pour atteindre l'échelon su-
périeur. Elle voulait désespérément quitter son emploi, mais elle se demandait anxieusement de quoi cela aurait l'air dans son CV, et comment elle paierait ses factures ; ses parents l'ont encouragée à conserver son travail. Elle a fait de son mieux pour ne pas se laisser atteindre émotionnellement et elle a adopté une stratégie d'évitement, en discutant le moins possible avec son patron. En même temps, elle a commencé à se concentrer sur la recherche d'un autre emploi. Mais le fait de rester à son poste a eu des répercussions sur sa santé. Au cours des six mois suivants, elle a éprouvé des problèmes de santé liés au stress. Elle est venue près d'obtenir quelques autres emplois, mais elle a trouvé difficile de maintenir ses efforts avec constance. Son évaluation du rendement suivante, environ 18 mois après ses débuts, était claire : ils allaient devoir la laisser partir si elle ne « s'améliorait » pas. Cette évaluation était parsemée de remarques personnelles qui n'avaient rien à voir avec ce qu'elle avait accompli. À partir de ce moment-là,

se trouver un nouvel emploi est devenu son seul objectif et, trois mois plus tard, elle a quitté son poste, après avoir reçu une offre intéressante.

Elle dit maintenant que si c'était à refaire, elle quitterait son premier emploi beaucoup plus tôt, sans filet de sécurité : «Si cela se reproduit, je vais prendre de plus grands risques et réfléchir à la question. Cela ne valait pas la peine d'être malheureuse aussi longtemps. Cela m'a vraiment rendue malade. J'aurais simplement dû partir et tenter ma chance. Je pense que je me serais trouvé un emploi, de toute façon. Ce n'aurait été qu'une question de temps.»

Sarah est jeune, et elle n'en est qu'au début de sa carrière, mais son histoire démontre bien que, dans la vraie vie, le désengagement par rapport à un objectif est plus difficile à gérer. C'est plus nuancé et complexe que le laissent entendre les diagrammes des études psychologiques, qui comportent des cases intitulées «désengagement par rapport aux objectifs», et une flèche pointant vers une autre case intitulée «nouveaux objectifs/résultats positifs». Sarah a eu la chance d'être une personne axée sur la performance et les objectifs, et elle pouvait rassembler son énergie pour continuer à faire des demandes d'emploi, même si elle était très découragée et bouleversée.

Si, comme le soutiennent Carsten Wrosch et d'autres, le désengagement par rapport aux objectifs fait partie d'un processus adaptatif d'autocontrôle et que cela contribue à diminuer le stress et à augmenter les possibilités de résultats positifs, il faut aussi reconnaître que, dans le monde réel, le contrôle des émotions exige des aptitudes et des efforts concertés.

Une autre perspective sur l'art de tirer sa révérence

Comment arrivez-vous à tenir bon lorsque la vie vous envoie un coup dur ? Ou lorsque vous subissez énormément de pression? Votre moteur cale-t-il ou est-ce que cela le survolte? Comment réagissez-vous quand vous vous rendez compte que vous avez raté une occasion fabuleuse? Dressez-vous un plan pour récupérer le coup ou vous affaissez-vous en ruminant? Comment gérez-vous les exigences ou les objectifs conflictuels? Que feriez-vous si votre patron vous disait que vous devrez travailler en fin de semaine, alors que vous avez promis à l'être cher que vous alliez vous éclipser tous les deux pour un week-end d'amoureux? Annuleriez-vous votre escapade? Lorsque vous devez abandonner un objectif, faites-vous appel à la meilleure image que vous avez de vous-même pour aller de l'avant? Ou vous sentez-vous déprimé au point de ne pouvoir agir?

C'est là le genre de questions que pose une autre théorie de la psychologie appelée «théorie des interactions des systèmes de personnalité» (PSI) et qui tente de répondre à ces questions depuis les trois dernières décennies en se concentrant sur deux manières d'y réagir: l'orientation-action et l'orientation-état. Cette théorie, qui est une autre façon de considérer l'engagement et le désengagement à l'égard d'objectifs, diffère de la théorie de l'approche-évitement, bien que la théorie PSI soit également reliée à la théorie de l'attachement et aux styles de parentage. La théorie PSI reconnaît expressément le stress engendré par la mise en œuvre d'un objectif et par le désengagement à cet égard, et se focalise donc sur la faculté d'adaptation. Ces orientations, axées sur l'action ou sur l'état, surviennent tôt dans la vie. On estime qu'environ la moitié des gens du monde occidental sont orientés vers l'action, et que les autres sont à prédominance «état». Ces orientations représentent un continuum dans le comportement; elles peuvent être particulières à une situation ou à un domaine, ou constituer un trait dominant. En situation de stress extrême, presque tout le monde devient orienté «état».

Définissons donc quelques termes. Orientés « action » est explicite : il s'agit de gens qui, en situation de stress, sont en mesure de composer avec leurs émotions négatives, qui peuvent rassembler des images positives d'eux-mêmes et les confirmer, qui sont déterminés, qui ne dépendent pas de signaux extérieurs et qui sont efficaces dans le domaine, tant en ce qui a trait à l'engagement qu'au désengagement à l'égard des objectifs. Par ailleurs, orientés « état » qualifie le fait que c'est l'état émotionnel qui déterminera chez certaines personnes la façon dont elles fonctionnent dans la vie, lorsque le contexte est stressant. En cas de stress ou de conflit (ce qu'on appelle « une situation exigeante ou menaçante »), les gens orientés « état » sont submergés de sentiments négatifs qu'ils n'arrivent pas à gérer. Lorsqu'ils doivent choisir une nouvelle voie dans une situation de stress, ils ont tendance à hésiter. Ils ruminent, sont sensibles aux signaux extérieurs, dépendent des structures et des échéances et ont tendance à procrastiner. Ils ont de la difficulté à se concentrer et à se désengager.

Alors que les gens orientés « action » se désengagent par rapport aux pensées d'échec lorsqu'ils poursuivent un objectif et qu'ils peuvent faire fi des distractions, les personnes orientées « état » sont préoccupées par la possibilité d'un échec. En situation de stress, les personnes orientées « action » foncent, et celles qui sont orientées « état » hésitent. Alors que les gens orientés « action » se concentrent sur les tâches, les gens orientés « état » sont plus instables. Ils sont moins concentrés, s'égarent ou laissent tout simplement tomber, mais en gardant leur niveau d'émotions et leurs pensées.

Comme l'ont constaté James M. Diefendorff et ses collègues, ces différences entre les orientations « action » et « état » pourraient expliquer « pourquoi deux personnes qui ont les mêmes objectifs, connaissances, habiletés et désirs d'être performantes n'atteignent pas le même niveau de performance».

De quoi ces orientations ont-elles l'air dans le monde réel? C'est peut-être plus facile à voir sur le terrain de jeu. Imaginez deux golfeurs de niveau à peu près équivalent qui se trouvent dans un tournoi et qui sont à égalité au dernier trou. Le trou se situe derrière une fosse de sable. L'un des golfeurs se concentre sur le trou, repassant mentalement son élan et ce qu'il doit faire pour réussir et gagner la partie. Il ne tient aucun compte de la pression qu'inflige le pointage *ex aequo* et la fosse de sable, et s'encourage en pensant aux douzaines de fois où il a réussi ce coup. Il ne voit ni n'entend la foule de spectateurs; il ne pense qu'à son coup. Le deuxième golfeur, qui menait au début de la partie, se concentre uniquement sur le fait d'éviter la fosse de sable; il ne cesse de songer au pointage à égalité, au fait qu'il n'a pas su profiter de son avance et qu'il a été imbécile, et que s'il envoie la balle dans la fosse de sable, il va sûrement perdre la partie. Ces cogitations le distraient et sa pensée passe du fait de viser la victoire au fait d'éviter de perdre. Il ne se concentre pas sur son coup parce qu'il est malheureusement tout à fait conscient des murmures qui parcourent la foule. Voilà à quoi ressemblent l'orientation «action» et l'orientation «état» sur un terrain de golf, mais le phénomène du jeu de la victoire (la personne qui fonctionne à son mieux en situation de stress) est bien connu dans presque tous les sports, aux tables de négociation, au palais de justice et dans de nombreuses entreprises.

La théorie PSI pose comme postulat que la réalisation de l'objectif se fait tant au point de vue conscient, intentionnel, qu'au niveau inconscient. De même, les affects sont contrôlés tant consciemment qu'inconsciemment. L'orientation «action» se distingue par la capacité de tirer parti du contrôle intuitif des affects, processus en grande partie automatique qui se déroule à l'extérieur de la conscience, rapidement et sans effort, contrairement au traitement conscient des pensées et des émotions.

Pour simplifier, disons que si une personne peut parvenir à gérer ses émotions en période de stress, elle aura également accès aux programmes intuitifs qui contiennent ses propres préférences émotionnelles, ses représentations d'elle-même et son expérience autobiographique. C'est ce que fait le premier golfeur dans notre exemple, lorsqu'il fait appel au meilleur de lui-même dans une situation de stress. Il utilise son autoportrait intérieur (ses aptitudes, ses antécédents de golfeur, sa confiance en lui) pour jouer ce coup. Autrement dit, les personnes orientées «action» sont plus en contact avec elles-mêmes et ont un meilleur accès à ce qui les motive à un niveau purement inconscient, ce qui se combine alors à des motivations plus conscientes.

Par contre, les personnes orientées «état» se comportent comme le deuxième golfeur. Il est embourbé dans ses pensées négatives, et se coupe ainsi l'accès aux bons côtés qu'il connaît de lui-même. Il est sensible aux signaux qu'il reçoit de l'environnement, ce qui est caractérisé, selon lui, par le fait qu'il n'a pas su tirer parti de son avance. Ce comportement est typique des personnes orientées «état»; en situation de stress, elles n'arrivent pas à visualiser l'image mentale du meilleur d'elles-mêmes, et elles perdent l'accès aux facteurs de motivation inconscients et intuitifs.

Lorsque l'orientation «action» et l'orientation «état» sont mesurées en laboratoire, les questions posées ressemblent à celles qui suivent, qui ont été tirées de l'échelle élaborée par Julius Kuhl en 1994. Pendant votre lecture, essayez de répondre vous-même aux questions.

1. Lorsque je sais que je dois terminer quelque chose le plus tôt possible, (a) je dois faire un effort pour m'y mettre, ou (b) je trouve facile de mener le travail à bien.

2. Lorsqu'on me dit que mon travail est tout à fait insatisfaisant, (a) cela ne me dérange pas longtemps, ou (b) cela me paralyse.

3. Lorsque j'ai un tas de choses à faire et qu'elles doivent toutes être faites en même temps, (a) il m'arrive souvent de ne pas savoir par où commencer, ou (b) je trouve facile de me dresser un plan et de m'y tenir.

La question 1 décrit une situation exigeante, et la réponse orientée «action» est (b). Les questions 2 et 3 représentent des situations de menace, et les réponses orientées «action» sont (a) et (b), respectivement.

Ces orientations semblent façonnées par la socialisation au cours de l'enfance, plutôt que par des facteurs génétiques. On apprend à se contrôler pendant la petite enfance et l'enfance. Un nourrisson en détresse se tourne vers sa mère pour trouver du réconfort et, grâce à un attachement sécurisant et attentif, la mère aide le bébé à se contrôler avec constance. Dans ce milieu sûr et positif, le bébé apprend à se calmer, à intérioriser les signaux qu'il a appris de sa mère, en utilisant les voies neuronales créées par les comportements maternels initiaux. Ainsi, les personnes qui vivent un attachement sécurisant deviennent autonomes sur le plan de l'autocontrôle, tout en ayant encore besoin de contacts. Dans le cas d'un attachement insécurisant, si les comportements d'écoute et de réconfort de la mère sont inconstants ou absents, les progrès de l'autocontrôle s'en trouvent entravés.

Le développement de l'autocontrôle se poursuit après la petite enfance, bien sûr; dans l'enfance, les styles de parentage facilitent ou entravent la capacité de l'enfant à gérer ses émotions. Les environnements qui procurent une structure sans contrôler et les styles de parentage attentifs qui établissent des limites fermes aux enfants, tout en les encourageant à explorer, produisent des gens qui ont des aptitudes pour l'autocontrôle et qui sont orientés «action». Par contre, le parentage autoritaire, exigeant et insistant sur la conformité aux règles établies par les parents, et selon lequel on fait se sentir mal l'enfant pour son inconstance ou son défaut de performer, mène à l'orientation «état». Il en est de même dans le cas d'un environnement qui ne tient pas compte d'un enfant. Et l'on a avancé la théorie selon laquelle le divorce des parents pourrait être un facteur déclencheur de l'orientation «état».

Une expérience réalisée par des chercheurs à Amsterdam, et dont les résultats ont été publiés dans un article intitulé «Getting a Grip on Your Feelings» (contrôlez vos émotions), illustre la façon dont les gens orientés «action» et orientés «état» réagissent dans les mêmes situations. Après avoir répondu à des questionnaires sur l'orientation «action» et l'orientation «état», la moitié des participants ont été invités à visualiser une personne exigeante qu'ils connaissaient et, plus particulièrement, à se rappeler non seulement les incidents liés à cette personne, mais aussi leurs sentiments à l'époque. Pour rendre la visualisation encore plus vivante, on leur a également demandé d'identifier cette personne par ses initiales et de raconter certaines de leurs expériences. On a demandé aux autres participants de procéder au même exercice, mais cette fois, en visualisant leurs expériences avec une personne chaleureuse dans leur vie. Tous les participants ont regardé une série d'écrans comportant des visages schématisés exprimant des émotions (bonheur, tristesse, neutralité) et l'on a mesuré la rapidité avec laquelle ils pouvaient repérer un visage différent (c'est-à-dire un seul visage heureux au milieu d'une foule de visages hargneux, ou un visage hargneux au milieu d'une foule de visages heureux). Finalement, tous les participants se sont fait demander de s'identifier ou non (en répondant « moi », ou « pas moi »), selon une série de termes relatifs à divers traits de personnalité, répartis également entre positifs (créatif, fiable, etc.) et négatifs (taciturne, impulsif, etc.).

Visualiser une relation exigeante a fait en sorte que les personnes orientées « action » ont été en mesure de repérer plus rapidement les visages heureux dans une foule en colère, ce qui, d'après les chercheurs, était dû au fait que ces personnes étaient capables de contrôler leurs émotions intuitivement, sans processus conscient. De plus, visualiser une relation exigeante en détail n'a pas eu d'incidence sur leur côté orientation « action » ni sur l'autoévaluation de leurs traits de caractère positifs. Par contre, les participants orientés « état » qui se sont rappelé une relation exigeante ont mis du temps à repérer les visages heureux dans une foule en colère, mais ils ont rapidement cerné les traits négatifs en eux-mêmes ; cette constatation témoigne de la propension des personnes orientées « état » à intérioriser les attentes négatives des autres. Cela semble aussi étayé par d'autres observations. Lorsqu'ils ont visualisé une relation chaleureuse, les gens orientés « état » ont signalé des émotions plus positives et repéré des traits plus positifs en eux-mêmes. Par contre, le fait de visualiser une relation chaleureuse n'a pas modifié l'humeur des personnes orientées « action ».

Si vous vous reconnaissez dans le portrait des gens ayant une orientation « état », ne désespérez pas. Même si ces gens ont plus de difficulté à fonctionner dans une situation de stress, ils se portent très bien dans un contexte amical. En fait, bien que ces gens soient désavantagés dans l'art de tirer sa révérence, leur orientation peut bien les servir dans d'autres circonstances.

Les personnes orientées « état » peuvent souvent réaliser de meilleures performances que celles qui sont orientées « action ». Leurs hésitations face au stress ne sont pas toujours une mauvaise chose, surtout si le fait d'agir était prématuré. Leur approche attentiste peut parfois être un atout. (Il faut noter que les personnes orientées « action » prennent aussi plus de temps pour réfléchir lorsqu'il y a une grande décision à prendre.) De plus, les gens orientés « état » peuvent demander et obtenir du soutien des autres, et elles entretiennent souvent des relations plus étroites que les gens orientés « action ». Leur manque d'aptitude à l'autocontrôle peut s'améliorer avec le soutien des autres.

Étant donné que les personnes orientées « état » comptent sur des signaux extérieurs (plutôt que sur une représentation intérieure d'elles-mêmes), elles suivent bien les directives et elles sont relativement tolérantes devant les frustrations ; elles travaillent plus fort et plus longtemps à des tâches qui exigent de la concentration, mais qui ne sont pas particulièrement originales ou intéressantes. Elles s'en tirent mieux que les personnes orientées « action » dans ce genre de tâches, et dans toute tâche qui nécessite de l'autodiscipline. Hélas, précisément parce qu'elles comptent sur des signaux extérieurs, elles sont vulnérables à l'effet d'auto-infiltration, ce qui signifie qu'elles confondent un objectif extrinsèque avec un objectif qu'elles ont elles-mêmes choisi, même s'il ne répond pas à leurs besoins personnels ou à leurs préférences (l'image intérieure qu'elles ont d'elles-mêmes).

Nous subissons tous l'influence de facteurs environnementaux, ces signaux externes qui interagissent avec les processus automatiques du cerveau. Nous adoptons tous des objectifs ou des stratégies que nous choisissons consciemment, croyons-nous, mais en fait, ils nous sont envoyés de l'extérieur, à notre insu. En raison de leur sensibilité aux signaux, les personnes orientées «état» ont été la cible d'expériences menées par Sander L. Koole et David A. Fockenberg, qui voulaient découvrir si elles seraient davantage affectées par les signaux négatifs que celles qui sont orientées «action». Après avoir inventorié leurs caractéristiques pour déterminer leur orientation et les avoir fait additionner dans le cadre d'exercices chronométrés, les chercheurs ont demandé aux participants de classer des mots comme étant négatifs ou positifs. Avant que les mots n'apparaissent sur un écran d'ordinateur, un mot d'amorçage (positif ou négatif) y clignotait. Les gens classent habituellement les mots plus rapidement et avec plus d'exactitude lorsque le mot cible et le mot d'amorçage s'harmonisent. Comme les chercheurs l'avaient supposé, la performance des participants orientés «état» a été davantage influencée par l'amorçage négatif (en raison de leur dépendance générale aux signaux extérieurs).

Mais c'est la troisième expérience qui met en lumière la façon dont l'orientation «état» peut être soutenue dans la vraie vie. Une moitié des participants s'est fait demander de visualiser une période exigeante de leur vie, alors que l'autre moitié a été invitée à visualiser une période relaxante. Les participants ont subi un autre test d'amorçage affectif, celui-là comportant un nombre égal de mots cibles et de mots d'amorçage. Tel qu'il avait été prévu, les mots d'amorçage négatifs ont poussé les participants orientés «action» à renverser les effets de l'amorçage négatif, en faisant appel à leur aptitude à surmonter et à gérer les signaux négatifs que leur envoie l'environnement. Mais (et c'est là la partie importante), après avoir visualisé un épisode relaxant et dépourvu de stress dans leur vie, les participants orientés « état » étaient en fait moins affectés par les mots d'amorçage négatifs que leurs pairs orientés « action ». Le seul fait de penser à un moment heureux dans leur vie a atténué leur réaction aux signaux négatifs. Cela démontre à quel point les personnes orientées « état » sont sensibles au contexte et à la façon dont le contexte influe sur leurs sentiments et leurs actes, mais cela illustre aussi comment elles peuvent changer leur point de mire en période de stress. Changer consciemment le contexte (penser à un moment heureux ou relaxant, en période de stress, ou chercher du soutien au besoin pour composer avec les émotions négatives) peut suffire à une personne orientée « état » pour combler ses éventuels déficits.

Lorsqu'il s'agit d'avoir une emprise sur ses pensées et ses sentiments (la première étape pour tirer sa révérence en beauté), les personnes orientées « état » sont désavantagées par rapport à celles qui sont axées sur l'action. Alors, si vous vous reconnaissez dans le profil des personnes orientées « action », félicitations! Vous avez une longueur d'avance! Sinon, poursuivez votre lecture; nous allons vous apprendre à mieux gérer ces fichues émotions et pensées, à établir vos propres plans et échéances, et à écouter plus attentivement votre voix intérieure.

CHAPITRE CINQ

La gestion des pensées et des émotions

Le cheminement de carrière de Lizabeth a été long, semé de détours et de méandres, et hors de l'ordinaire. Elle est maintenant âgée de 62 ans et elle a été, tour à tour, technicienne en soins médicaux d'urgence, spécialiste en réanimation cardio-pulmonaire, joueuse de Frisbee professionnelle, propriétaire d'un centre de santé holistique, professeur et, maintenant, cultivatrice, écrivain et apicultrice. Elle a réussi dans tous ces domaines, alors sa propension à aller de l'avant n'a rien à voir avec l'échec. Elle a toujours su quand il était temps de partir et de passer à autre chose, qualité qu'elle attribue à ses parents, surtout son père, qui, dit-elle, « m'a appris qu'il est important de penser par moi-même et d'avoir l'esprit d'entreprise. Cela m'a donné la capacité de déterminer quand mon travail me plaisait et quand il cessait d'avoir de l'importance pour moi. J'ai toujours senti que j'avais la liberté de passer à autre chose, et que je ne subissais pas de pression me poussant à poursuivre quelque chose qui ne me plaisait plus ou qui ne valait plus mon temps et mes efforts ». Aînée de quatre enfants, elle décrit son enfance comme une période où elle a été entourée de chaleur et de soutien. Elle se sentait en sécurité et aimée par ses parents et ses grands-parents, chacun d'eux lui ayant insufflé différentes forces. Son père était pratique, terre à terre, autodidacte ; sa mère lui a inculqué la confiance et l'intuition ; et sa grand-mère était un boute-en-train. Elle n'est pas passée sans problème de l'adolescence à l'âge adulte, mais elle avait confiance en elle et en son instinct.

D'après son histoire, les objectifs de Lizabeth ont toujours été intrinsèques (c'est-à-dire adoptés depuis l'intérieur, plutôt que provenant d'une source extérieure), et ils étaient définis par un objectif plus vaste, un genre de philosophie de la vie : « J'étais convaincue d'être destinée à apprendre pendant toute ma vie. Aborder de nouvelles situations, y rester aussi longtemps que nécessaire, puis passer à autre chose, c'est ce qu'il fallait que je fasse pour concrétiser cette idée. » Pour elle, partir ou abandonner quelque chose est une compétence nécessaire dans la vie : « Chaque fois que j'ai abandonné quelque chose, une autre porte s'ouvrait. Toutes les situations successives que j'ai vécues constituaient un pas de plus dans mon développement personnel. J'aime vraiment ce que je suis devenue dans la vie, et j'attribue une partie de cette évolution au fait de savoir quand quitter une situation qui ne m'est plus utile. Je pense qu'il faut du courage pour partir ; faire le saut n'est pas toujours facile. J'ai aimé me pousser à adopter une nouvelle façon d'être. »

Parfois, lorsqu'elle abandonnait un projet, le suivant ne lui sautait pas toujours aux yeux. « Même si je ne suis pas totalement sans crainte, je fais de mon mieux pour limiter mes peurs et mes doutes en planifiant le projet suivant. J'espère que cela ne me donne pas un air arrogant ou renfermé. J'apprécie le physique et l'esprit que j'ai, et notre évolution au fil des ans. » Cela ne signifie pas qu'elle ne rumine jamais. « J'ai souvent une intuition concernant une décision que je devrais prendre et la manière dont je devrais agir. Si la décision comporte bien des éléments, j'aime prendre le temps d'y songer. »

Lizabeth admet qu'avoir un style de vie changeant a été plus facile parce qu'elle ne s'est pas mariée avant l'âge de 40 ans. Elle a perdu un enfant, puis une autre grossesse qui s'est mal terminée l'a poussée à oublier la maternité. Mais, dit-elle, si elle avait eu davantage de responsabilités, «j'espère que j'aurais eu le courage de faire le saut quand c'était le moment de le faire». Elle considère toutefois que la décision d'épouser celui qui est devenu son mari est la plus importante de sa vie : «Comme je change souvent, m'engager dans quelque chose pour le reste de mes jours a été édifiant et merveilleux.» Elle et son mari exploitent une ferme biodynamique depuis 10 ans.

Il ne faudrait toutefois pas confondre sa capacité de recanaliser ses énergies avec un manque de persévérance parce que, comme elle le dit : «Abandonner quelque chose parce qu'on manque d'énergie pour l'amener à un stade productif est une faiblesse de caractère.» Elle poursuit en affirmant : «La solution de rechange au départ est la ferme résolution de monter ce cheval jusqu'où il peut être le plus productif. Poursuivre sa route jusqu'à ce que (a) on soit arrivé à destination ; (b) il ne convienne plus de se rendre là ; ou (c) on se dirige vers un meilleur endroit. Même lorsqu'on persévère, deux destinations sur trois impliquent d'abandonner ce qui était l'idée originale. Ce qui est absent de ma liste est : (d) parce que c'est trop difficile ou (e) parce qu'il y avait trop d'obstacles.»

Les antécédents d'attachement sécurisant de Lizabeth, ainsi que sa capacité de gérer ses émotions et de se fier à sa propre intuition, réunissent plusieurs des caractéristiques associées au talent inné de savoir partir. Elle a eu la chance de recevoir une éducation qui lui a permis de croire non seulement en ses propres capacités, mais aussi en son autonomie, en sa capacité de se fixer des objectifs et, au besoin, de se désengager par rapport à ces objectifs. Mais ces objectifs étaient intrinsèques, ils traduisaient ses besoins courants et à long terme, et lorsqu'ils étaient périmés, elle était capable de les abandonner. Elle a également été en mesure de se réconforter elle-même et de gérer ses émotions pendant les périodes d'anxiété qu'entraîne une transition, ce qui lui a parfois paru une chute libre. Mais on peut apprendre à partir et à améliorer nos compétences à cet égard, comme nous le verrons plus loin.

L'intelligence émotionnelle et la connaissance de soi

Une autre façon d'envisager les compétences, particulièrement l'autocontrôle, qui sont essentielles pour savoir partir et se fixer des objectifs avec art se situe dans le contexte de ce que John D. Mayer et Peter Salovey ont appelé l'« intelligence émotionnelle ». L'une des premières versions de leur théorie a servi, du moins en partie, de fondement au livre du même nom, extrêmement populaire et d'une grande influence culturelle, écrit par Daniel Goleman. Ils ont cependant désavoué publiquement l'approche de ce livre et ses généralisations. À des fins de simplicité, étant donné que le livre porte sur l'abandon et les compétences particulières que cela exige, nous allons nous en tenir à leur définition de l'intelligence émotionnelle : « La capacité de percevoir des émotions, d'y accéder et d'en générer, de façon à assister la pensée, à comprendre les émotions et la connaissance émotionnelle, et à gérer les émotions de manière réfléchie afin de favoriser la pensée intellectuelle. » Mayer et Salovey résument leur description : « Cette définition combine l'idée que les émotions rendent la pensée plus intelligente et qu'une personne pense de façon intelligente à ses émotions. »

Non seulement l'intelligence émotionnelle aide à composer avec les émotions, mais elle permet de les gérer consciemment afin d'améliorer notre capacité de penser et de prévoir ce qui nous rendra heureux, chose dans laquelle les humains n'excellent pas, comme nous l'avons déjà vu. Cultiver notre intelligence émotionnelle peut nous aider à composer avec la foule d'émotions et de sentiments que suscite l'évaluation de nos objectifs et de nos aspirations, mais aussi avec les répercussions qu'entraîne l'abandon de quelque chose que nous croyions vouloir.

Commençons par nous pencher sur la façon dont les enfants apprennent à gérer leurs émotions et, surtout, les affects négatifs. Comme tout cela se passe dans la petite enfance, nous offrirons un exemple fourni par les travaux de Daniel J. Siegel, M.D., et Mary Hartzell, M. Ed., dans leur livre intitulé *Parenting from the Inside Out*. Si vous êtes un parent, le scénario vous sera familier; dans le cas contraire, vous comprendrez parce que vous avez déjà été un enfant. Dans une section intitulée « L'accélérateur et les freins », Siegel et Hartzell utilisent la métaphore de la voiture pour expliquer le processus selon lequel le cortex préfrontal du cerveau est façonné par l'expérience. Dans cette métaphore, le « oui » d'un parent constitue l'accélérateur, un « non » représente les freins et la capacité de l'enfant à acquérir le contrôle de ses émotions est l'embrayage. Imaginez un enfant plein d'énergie et assez âgé pour exprimer ce qu'il veut et prendre des initiatives.

L'affect positif suscité par le « oui » parental procure de l'enthousiasme, valide l'excitation de l'enfant et l'image qu'il a de lui, et lui donne la permission d'explorer. Par contre, le mot « non » représente le mécanisme de freinage, un véritable dépresseur, car l'enfant se sentira immédiatement triste et contrarié. Alors que le « oui » suscite des émotions positives, le « non » donne lieu à des émotions négatives. Idéalement, le parent dit « non » parce que ce que l'enfant veut est dangereux, malsain ou inapproprié; dans le meilleur des mondes, les parents attentifs tentent d'éloigner leur enfant des activités anormales (grimper sur les étagères, lancer des blocs à sa petite sœur), lui expliquent pourquoi, puis (reconnaissant que l'enfant a besoin de dépenser de l'énergie et de faire quelque chose) l'aiguillent vers une activité appropriée (comme jouer au ballon, à l'extérieur). Dans ce scénario, l'enfant apprend à utiliser son embrayage émotionnel.

Ce n'est malheureusement pas le seul scénario qui existe. Il y a le parent qui dit « non » simplement pour le plaisir de contrôler et qui humilie l'enfant s'il réagit, que ce soit par les larmes ou une crise, ce qui lui enseigne que ces sentiments ne méritent pas le respect ou que toute réaction est honteuse. (Imaginez, du point de vue d'un enfant, l'effet que cela aurait si son parent lui disait : « Tu vas pleurer pour quelque chose. ») Siegel et Hartzell décrivent ce qui se produit lorsqu'un enfant fait face à la colère d'un de ses parents parce qu'il a pleuré de frustration : « C'est une situation toxique, comme d'essayer de conduire une voiture en appuyant à la fois sur l'accélérateur et sur les freins. » De même, les enfants dont les parents ne fixent pas de limites, qui ignorent donc leur enfant ou lui disent toujours « oui », omettent aussi de lui enseigner le contrôle émotionnel.

Ainsi, donc, le « terrain de jeu » de l'intelligence émotionnelle n'est pas le même pour tout le monde. Certains d'entre nous ont des antécédents familiaux qui leur ont donné plus d'intelligence émotionnelle. D'autres quitteront l'enfance et entreront dans le monde des adultes avec un bien petit bagage dans ce domaine. Mais comprendre les aptitudes qui constituent l'intelligence émotionnelle peut aider chacun d'entre nous à repérer ses forces et ses faiblesses.

La première marche dans la gradation de l'intelligence émotionnelle se situe au moment où un nourrisson peut reconnaître des émotions positives et négatives :

- la capacité de reconnaître les émotions en soi ;
- la capacité de reconnaître les émotions chez les autres ;
- la capacité d'exprimer des émotions avec exactitude et d'exprimer ses besoins ;
- la capacité de distinguer l'honnêteté de la malhonnêteté, l'expression exacte de l'expression inexacte des émotions.

Cette partie de la théorie est relativement simple. Le degré de développement de ces aptitudes se reflétera clairement dans toutes nos relations, à la maison, au travail, et dans le monde en général. Chacun des objectifs que nous fixons dans un contexte social sera influencé par la quantité de ces aptitudes dont nous disposons et du degré de perfectionnement que nous leur avons apporté. La deuxième marche, dans l'intelligence émotionnelle, est la facilité avec laquelle nous utilisons nos émotions pour alimenter nos pensées et nos actions :

- utiliser ses émotions pour prioriser ses pensées ;
- utiliser ses émotions comme aide au jugement, à l'évaluation et à la mémoire ;
- comprendre et gérer les changements d'humeur (optimisme et pessimisme) pour favoriser les points de vue multiples ;
- utiliser des états émotifs pour susciter des approches nouvelles aux problèmes.

Le degré de développement de ce groupe particulier d'aptitudes aura une incidence directe sur notre capacité à anticiper nos émotions dans des situations futures. Être en mesure d'utiliser nos émotions pour alimenter notre réflexion sur les événements futurs est extrêmement utile lorsque nous décidons de poursuivre un objectif ou de l'abandonner. N'oubliez pas que, selon les travaux de Daniel Gilbert et d'autres, prédire n'est pas, pour un certain nombre de raisons, le point fort des humains. Plus nous avons d'intelligence émotionnelle, plus nos choix refléteront ce que nous voulons vraiment. Comprendre nos humeurs (et constater que l'émotion fait partie de la pensée, et n'en est pas l'antithèse) permet aussi de neutraliser l'excès d'optimisme et les autres idées préconçues que nous avons abordées plus tôt. De même, comprendre les émotions négatives (reconnaître, par exemple, qu'elles sont engendrées par des signaux extérieurs) nous permet de prendre du recul et de considérer nos choix d'un autre œil. Comprendre le lien entre ce que nous ressentons et ce que nous pensons est utile dans tous les aspects de l'établissement d'objectifs, et dans les abandons réussis.

La troisième marche de l'intelligence émotionnelle est plus nuancée et fait allusion au rôle complexe que jouent les émotions dans notre processus de prise de décision, tant au niveau conscient qu'au niveau inconscient, que nous décidions de fixer un objectif, de continuer de le viser ou de l'abandonner. Ces processus de compréhension et d'analyse de nos émotions mènent à la « connaissance émotionnelle » relative aux événements, aux situations et aux gens dans nos vies. De la plus simple à la plus complexe, voici donc ces capacités :

- la capacité d'identifier des émotions et de reconnaître le lien entre les mots et les sentiments ;

- la capacité d'interpréter les émotions ;
- la capacité de comprendre les émotions complexes ou mitigées ;
- la capacité de reconnaître les transitions probables entre les émotions.

Cette partie de la théorie reconnaît que la connaissance émotionnelle dépend largement de notre capacité à connaître avec précision ce que nous ressentons quand nous le ressentons. Parfois, nous pouvons identifier une émotion assez facilement parce que la situation est plutôt simple et que l'on peut voir aisément ses conséquences sur le plan émotionnel. Par exemple, notre ami déménage ou notre chat meurt et nous sommes tristes ; nous craignons de dépasser l'échéance de notre projet parce que nous avons pris beaucoup de retard ; nous sommes fâchés parce que le marché auquel nous travaillions depuis des mois est tombé à l'eau, sans que ce soit notre faute.

Parfois, cependant, il est difficile de cerner avec précision ce que nous ressentons. Se faire congédier peut d'abord susciter de la colère, mais celle-ci peut être suivie par la honte, l'embarras ou la tristesse. Nous quereller avec notre conjoint peut nous faire ressentir de la colère et de la frustration, mais nous pouvons éprouver en même temps de la culpabilité ou de la tristesse. Parfois, des vagues d'émotions diverses peuvent nous submerger ; il est alors difficile de reconnaître exactement ce que nous ressentons et pourquoi cette confusion émotionnelle nous fait hésiter sur la façon dont nous allons réagir.

La théorie de l'intelligence émotionnelle laisse entendre que le fait d'identifier et de reconnaître ce que nous ressentons est une compétence et que cela ne fait pas nécessairement partie de la trousse d'outils de chacun. Une étude de Lisa

Feldman Barrett et de ses collègues posait comme hypothèse que les personnes capables de faire de fines nuances entre leurs émotions seraient davantage en mesure de gérer leurs émotions négatives que les gens qui ont tendance à songer à leurs expériences émotionnelles d'une façon beaucoup plus rudimentaire. Comme l'écrivaient les chercheurs, certaines personnes songent à leurs émotions «dans une unique dimension désagréable»; mais d'autres font des distinctions plus fines entre leurs sentiments. Cette capacité à reconnaître une émotion et à la nommer correctement (distinguer l'embarras et la honte, par exemple, et savoir ce qu'est de ressentir l'un ou l'autre) est au cœur de l'intelligence émotionnelle, et distingue des autres ceux qui en ont une compréhension nuancée et détaillée. Les chercheurs ont supposé que les gens qui ont une vision plus nuancée de leurs émotions négatives seraient en fait capables de gérer leurs émotions négatives avec plus de facilité et de trouver des stratégies particulières pour composer avec des émotions particulières.

Les participants à l'étude de Barrett et de ses collègues ont tenu un journal quotidien de leurs expériences émotionnelles les plus intenses, tant positives que négatives, ainsi que des efforts qu'ils ont faits pour gérer leurs émotions négatives, pendant deux semaines. L'hypothèse s'est vérifiée : les personnes qui connaissaient mieux leurs émotions ont été en mesure de gérer leurs émotions négatives avec compétence et efficacité. Cet aspect de l'intelligence émotionnelle constitue un énorme avantage lorsqu'il s'agit de l'engagement à l'égard d'un objectif, comme nous l'avons déjà vu plusieurs fois dans ces pages. La gestion des émotions négatives (plutôt que leur suppression) est l'un des piliers de l'abandon réussi.

La dernière marche de l'intelligence émotionnelle, la capacité de gérer ses émotions et de s'en servir pour alimenter sa croissance émotionnelle et intellectuelle, est également une pierre angulaire du départ réussi :

- la capacité de rester ouvert, tant aux émotions désagréables qu'à celles qui sont agréables ;
- la capacité de s'engager à l'égard d'une émotion ou de s'en détacher, dans la mesure où c'est utile ou non ;
- la capacité de surveiller ses émotions, par rapport à soi et aux autres ;
- la capacité de modérer tant les émotions positives que celles qui sont négatives, sans les réprimer ni exagérer l'information qu'elles véhiculent.

C'est ici que transparaît vraiment la partie « intelligence » de la théorie. Cette dernière marche exige d'utiliser nos émotions et notre compréhension émotionnelle pour alimenter notre vision de nous-mêmes, nos décisions, et pour nous aider à nous trouver. L'ouverture aux émotions est la clé du processus et de la maîtrise de l'art de partir, même si ce n'est pas nécessairement agréable ni sans douleur. Ce degré d'intelligence émotionnelle implique de réfléchir à la réflexion, et de réfléchir aux émotions, et fait nécessairement partie de l'aptitude à partir, telle qu'elle est décrite dans le présent chapitre. Étant donné que le désengagement par rapport à un objectif est un désengagement à l'égard des pensées et des sentiments, l'intelligence apportée au processus constitue un énorme atout. Le nom scientifique de ce phénomène est « métacognition », mais cela revient à dire que l'on est en mesure de savoir ce que l'on ressent et ce que l'on pense à tout moment, au cours du processus. Plus loin dans ce livre, nous verrons comment augmenter l'intelligence émotionnelle.

La guimauve et vous

L'apprentissage de la gestion des émotions est étroitement lié à la capacité de contrôler ses impulsions ou, autrement dit, de reporter la gratification immédiate au profit d'un autre objectif. D'où la «guimauve» du titre de cette section.

Dans le cadre d'une expérience célèbre des années 1960, Walter Mischel et ses collègues ont mis à l'épreuve un large groupe de bambins de quatre ans, enfants de professeurs, de diplômés et d'employés de l'Université Stanford. Les enfants étaient placés dans une pièce où un chercheur leur disait de rester assis à un pupitre; une assiette contenant une seule guimauve était déposée devant eux. Ils étaient libres de manger la guimauve, mais on leur disait qu'ils pouvaient obtenir une deuxième guimauve s'ils attendaient que le chercheur s'en aille et revienne. Ils devaient faire sonner une cloche s'ils décidaient de manger la guimauve sur-le-champ. Le chercheur s'absentait pendant 15 minutes, soit une éternité quand on a 4 ans et qu'un aliment délicieux est placé devant soi.

Il existe des vidéos de certaines de ces expériences; c'est à la fois hilarant et pénible de voir ces petits affronter ce dilemme. Un certain nombre d'entre eux ont simplement décidé d'aller de l'avant, renonçant à l'éventuelle récompense et avalant la guimauve avant même que le chercheur n'atteigne la porte. D'autres se sont agités, ils ont longuement caressé la guimauve, en ont léché les côtés, le visage en grimace, puis ont fini par succomber. Mais environ 30% des enfants ont atendu, en jouant avec leurs cheveux et leurs vêtements, en posant leur tête sur le pupitre ou en se couvrant le visage de leurs mains, tentant désespérément de se distraire jusqu'à ce que le chercheur revienne et qu'ils puissent obtenir la deuxième guimauve.

Ce qui a fait entrer cette expérience au temple de la renommée de la psychologie, c'est que Mischel et ses collègues ont retracé ces enfants beaucoup plus tard, alors qu'ils avaient atteint la fin de l'adolescence. En consultant les rapports rédigés par leurs parents, leurs résultats au Standard Aptitude Test (SAT), leur bulletin, leur profil psychologique et d'autres éléments probants, les chercheurs ont découvert que le petit groupe d'enfants qui avaient résisté à la tentation et reporté la gratification possédaient des aptitudes bien différentes de celles de leurs compagnons qui s'étaient précipités sur la guimauve. Les enfants qui avaient été capables de reporter une gratification lorsqu'ils étaient d'âge préscolaire étaient plus susceptibles, une fois adolescents, de faire preuve d'autocontrôle lorsqu'ils étaient frustrés, ils étaient plus intelligents et concentrés, moins distraits que les autres et moins enclins à céder à une impulsion. C'étaient des planificateurs qui pensaient à l'avance, qui se concentraient, réagissaient selon leur raison, contrairement aux enfants qui n'avaient pas pu reporter la dégustation de la guimauve. Les chercheurs ont conclu que «le lien entre le comportement à l'âge préscolaire et les compétences à l'adolescence peut illustrer, en partie, la mise en œuvre de compétences en construction sur le plan cognitif. Selon ce point de vue, les qualités sous-jacentes à la réussite du report auto-imposé à l'âge préscolaire peuvent être des ingrédients cruciaux à la construction étendue d'un comportement social intelligent qui englobe la connaissance intellectuelle, l'adaptation et les compétences en résolution de problèmes».

Alors, posez la question suivante à votre enfant de quatre ans: «Aurais-tu pris la guimauve ou aurais-tu attendu?» Mieux encore, demandez-vous ce que vous feriez probablement devant un test «guimauve» (vous pouvez remplacer la guimauve par tout ce que vous voulez); êtes-vous du type de personne qui attendra pour en récolter les fruits ou vous précipiterez-vous sur la guimauve?

Dresser l'inventaire

Prenez quelques instants pour répondre aux questions qui suivent. Le seul fait de réfléchir à vos réponses vous aidera, d'après nous, à mieux vous situer en ce qui a trait à vos aptitudes pour abandonner quelque chose.

- Est-ce que je me concentre habituellement sur le long terme ou est-ce que je me précipite sur la solution à court terme, quand je ressens de la frustration ?
- Comment est-ce que je réagis quand les choses tournent mal ? Est-ce que je trouve facile ou difficile de composer avec mes émotions ?
- Prendre des initiatives est-il facile ou difficile pour moi ?
- À quel point est-ce que je réussis à savoir si mes pensées sont influencées par mes sentiments ?
- Ai-je tendance à réagir davantage aux événements négatifs ou à ceux qui sont positifs, dans ma vie ?
- À quelle fréquence est-ce que je me remets en question ?
- Est-ce que je recherche du soutien en période de stress ou ai-je tendance à faire cavalier seul ?
- Est-ce que j'interprète correctement les situations et les émotions des autres ? Est-ce que j'arrive à reconnaître ce que je ressens, quand je le ressens ?

Cultiver vos aptitudes au départ

Savoir partir, ce n'est pas uniquement être capable de se retirer de situations et de projets qui ne répondent plus à nos besoins. Même si cela peut sembler paradoxal, être capable d'abandonner, même après avoir été congédié ou licencié, ou même après avoir été laissé dans une relation amoureuse, est tout aussi important, comme en témoignent les histoires qui suivent.

Jack avait déjà été congédié une fois, des années plus tôt, quand il était âgé d'une trentaine d'années, après son mariage, mais avant la naissance de ses enfants. Il se rappelait combien il avait été fâché, parce que ses supérieurs lui avaient dit de viser une promotion en relations d'entreprise afin de montrer son allégeance envers la société et de se préparer à être un éventuel joueur. Il aimait son créneau au sein de l'entreprise et le train-train quotidien, mais on lui avait dit froidement qu'il ne resterait pas longtemps, à moins de démontrer à ses supérieurs qu'il avait vraiment de l'ambition. Il a donc fait ce qu'on lui avait recommandé de faire, et moins d'un an après, il se faisait congédier. Des années plus tard, son visage se rembrunit encore lorsqu'il raconte cette histoire.

Mais Jack avait occupé son poste pendant six ans, et ses compétences étant recherchées, il s'était trouvé un autre emploi. Aîné de cinq enfants, dont trois frères, il avait grandi dans une famille compétitive en matière d'athlétisme, où la persévérance était un mantra. Il a occupé son nouvel emploi pendant 17 ans, ce qui, étant donné la culture américaine d'aujourd'hui, semble d'une autre époque. Il y a eu des signes, ici et là, que les choses pouvaient changer pour Jack : l'entreprise ne croissait plus au même rythme qu'à ses débuts, il y avait de nouveaux concurrents et une nouvelle équipe de direction, mais Jack se sentait plutôt en sécurité. Il se savait compétent dans ce qu'il faisait, et il n'était pas dans sa nature de bousculer les choses, alors il n'a pas bougé. Puis, quelqu'un de beaucoup plus jeune et qui gagnait beaucoup moins que Jack a été affecté à son service par la direction. Six mois plus tard, sans cérémonie, Jack a été reconduit à l'extérieur de son bureau, puis à l'extérieur de l'immeuble, en passant par le hall qu'il avait traversé tous les matins et tous les soirs, pendant 17 ans.

Il ne faisait aucun doute dans l'esprit de Jack qu'il avait été congédié parce qu'il était plus âgé et que son salaire était plus élevé. Il a songé sérieusement à intenter une poursuite en justice, mais il a hésité quand il a appris qu'il lui faudrait peut-être attendre jusqu'à deux ans avant que sa cause ne soit entendue. Il était fâché et plein de ressentiment, et il ne cessait de penser à la façon dont il avait été traité; une poursuite judiciaire lui semblait donc appropriée et légitime. Mais après avoir consulté sa famille et ses amis, il s'est rendu compte qu'une poursuite l'empêcherait d'avancer, et que son congédiement occuperait encore la place centrale dans sa vie. Était-ce vraiment ce qu'il voulait vivre? Il n'avait jamais abandonné quelque chose d'important dans sa vie, mais maintenant, il était clair qu'il devait «abandonner» ce qui lui était arrivé.

En un sens, Jack a été chanceux. «Je n'ai pas tendance à ressasser les événements, dit-il, alors une fois que j'ai eu décidé de laisser ça derrière moi, j'ai commencé à dresser d'autres plans. Je ne savais pas exactement où je m'en allais, mais le simple fait de sortir et de parler aux gens des possibilités qui s'offraient à moi m'a permis de me remettre sur les rails. Je ne pensais pas qu'il s'agissait d'un abandon, à l'époque, mais c'en était vraiment un. La seule façon de reprendre ma vie en main était de laisser derrière moi ce que j'avais vécu pendant toutes ces années, pas parce qu'on m'avait jeté dehors, mais parce que j'ai décidé de laisser tout cela derrière. Cela semble un jeu de l'esprit, mais ce n'était vraiment pas le cas.» Il fait une pause, puis il ajoute: «Peut-être ai-je une image démesurée de mon importance, reposant sur une éducation de premier ordre et sur un ego bâti par plusieurs postes de haut niveau. Mais lorsqu'on me congédie, je ressens que c'est l'entreprise qui est perdante, et que je lui manquerai plus qu'elle ne me manquera, que je vais retomber sur mes pieds et que j'aboutirai probablement à un meilleur endroit. »

Ce dont il parle est, bien sûr, le désengagement affectif et cognitif. Sa décision de ne pas intenter de poursuite judiciaire et sa conscience du fait que cela le laisserait probablement bloqué contraste avec les nombreuses causes de divorce qui laissent effectivement les gens dans l'attente pendant des années, parce qu'ils croient qu'ils doivent persévérer pour « gagner ».

Delia aussi devait prendre une décision, et ce fut difficile pour elle. Mère de quatre enfants, elle avait eu la chance de faire du télétravail pendant 20 ans, littéralement depuis sa cuisine, pour une entreprise de vente par correspondance spécialisée dans les articles biologiques pour bébés. L'idée de cette entreprise venait d'une amie. Au début, Delia travaillait bénévolement, mais elle se sentait investie d'une mission, et il ne fallut pas longtemps avant qu'on ne la paie à l'heure. Plus l'entreprise prenait de l'expansion, plus Delia s'y impliquait. Mais avec le temps, l'écart entre ce qu'elle apportait à l'entreprise et ce qu'elle en tirait commença à l'agacer. Le problème était qu'elle avait de la difficulté à s'affirmer et à imposer ses exigences : « Je ne savais pas comment établir l'équilibre, dit-elle. J'adorais le travail, les gens, les objectifs, essentiellement tout, mais je me sentais exploitée. Je ne savais pas comment demander ce qui me revenait, ou comment dire non. J'ai essayé d'aborder la plupart des situations en étant loyale et persévérante, j'ai maintenu mon engagement, au lieu de prendre du recul et de fixer des limites. Je ne savais vraiment pas quoi faire. » Il n'est donc pas étonnant que sa relation avec son amie, qui était aussi sa supérieure, devienne plus tendue.

Finalement, Delia est tombée malade à la suite de conflits non résolus. De nombreuses études ont démontré que « se faire de la bile » n'est pas qu'une figure de style. Elle a fini par abandonner son travail, mais seulement sur l'insistance de son médecin. Elle est encore en train de faire le bilan de cette expérience, mais elle reconnaît maintenant qu'être capable de partir doit dorénavant faire partie de ses compétences.

Être capable de partir, même si nous ne sommes pas responsables de la situation ou des circonstances, est une façon de reprendre le contrôle de sa propre vie.

Feindre de ruminer

L'histoire de Rita permet de jeter un autre éclairage sur les raisons qui rendent parfois le départ difficile. « J'avais entrepris de travailler avec une vieille amie en vue de mettre sur pied un organisme sans but lucratif, explique-t-elle. Au début, c'était vraiment emballant : faire des remue-méninges, concevoir un énoncé de mission, élaborer des plans pour l'organisme, jeter les bases, faire la publicité et diffuser le message. Je débordais d'énergie parce que j'utilisais finalement toutes les compétences que j'avais acquises et perfectionnées au cours d'une vingtaine d'années de travail en entreprise, et que je pouvais m'en servir pour un objectif plus grand que l'augmentation du chiffre d'affaires. Mais après trois ans, je me suis rendu compte que j'étais devenue une quémandeuse sans but lucratif ; je quémandais de l'argent auprès d'entreprises qui disaient soutenir notre cause, mais qui ne voulaient pas vraiment nous donner quoi que ce soit. Cela n'a vraiment pas aidé que tout cela coïncide avec une récession et une baisse des dons d'entreprises. »

Rita décrit la détérioration de sa vie professionnelle : « Mon amie était ma patronne, et elle était contrariée et frustrée elle aussi, mais elle était certaine que si j'y mettais un peu plus d'efforts, cela pourrait fonctionner. Elle m'a fait subir beaucoup de pression et elle n'écoutait pas les comptes rendus que je lui faisais de ces rencontres : je faisais mon boniment et je souriais, et ils souriaient et faisaient des promesses, mais aucun chèque n'arrivait. Elle m'a mis tout cela sur le dos. »

Rita voulait partir, mais elle hésitait. « La persévérance a toujours été ma marque de commerce. Je me sentais obligée de rester, pour l'organisme et pour ma patronne. J'étais à bout de souffle, mais chaque fois que je songeais à m'en aller, j'étais rongée par l'inquiétude. L'histoire de toutes les personnes qui n'ont pas réussi à se trouver un emploi après avoir démissionné m'est revenue en tête : des histoires d'horreur de gens qui ont cherché du travail pendant des années. J'ai calculé ce que seraient les finances de ma famille, sans mon revenu, et je me suis agrippée. Je ne pouvais pas m'empêcher de penser aux pires des scénarios, même la nuit. J'étais vraiment dans une impasse. »

Il y a une différence entre réfléchir sur ce qui s'est produit dans notre vie, que ce soit un ennui, un obstacle ou un véritable échec, et le ressasser sans arrêt. La rumination est passive ; elle crée une boucle fermée d'images, de sentiments et de pensées axés uniquement sur les aspects négatifs, ce qui nous empêche de recadrer notre vision, de trouver des solutions et d'agir. C'est une pièce fermée dans notre esprit, dépourvue de fenêtres et de portes. À un moment ou à un autre, la plupart d'entre nous se sont trouvés, du moins provisoirement, enfermés ainsi dans l'obscurité de leur âme ; pour certains d'entre nous, il s'agit d'un problème chronique.

Des études ont démontré que les femmes sont plus enclines à ruminer que les hommes, même si les raisons n'en sont pas tout à fait claires. Susan Nolen-Hoeksema et ses collègues ont avancé que la tendance des femmes à ruminer pourrait traduire le fait qu'elles mènent une vie plus stressante que les hommes (la pression du parentage, de plus lourdes tâches, etc.), ou bien cela pourrait découler du processus de socialisation que suivent les femmes. D'après certaines études, les mères ont tendance à enseigner à leurs enfants de sexe masculin à contenir et à réprimer leurs émotions dès la tendre enfance, en partie parce qu'ils se montrent souvent plus difficiles que les petites filles. Les normes culturelles selon lesquelles les hommes ne doivent pas montrer leurs émotions négatives, surtout ne pas pleurer, parce que c'est un signe de faiblesse, ont aussi un rôle à y jouer. De plus, les mères parlent à leurs filles des émotions en général, et de la tristesse en particulier, beaucoup plus souvent qu'elles ne le font avec leurs fils.

Susan Nolen-Hoeksema et Benita Jackson, dans une série d'études visant à déterminer pourquoi les femmes ont plus tendance à ruminer que les hommes, ont découvert que cela reposait sur de nombreux facteurs. Premièrement, en comparaison avec les hommes, les femmes ont tendance à croire que les émotions négatives (la peur, la tristesse et la colère) sont plus difficiles à gérer, et cette croyance fait en sorte qu'elles ont plus de difficulté à composer avec ces émotions. De plus, cette opinion a pu être alimentée par la croyance culturelle répandue selon laquelle les femmes sont naturellement plus émotives que les hommes. Deuxièmement, les femmes sont socialisées de façon à se sentir responsables de la teneur émotionnelle de leurs relations, et cela, avancent les chercheurs, « peut rendre les femmes attentives à leurs propres émotions, en tant que baromètre de leurs relations, ce qui contribue à leur rumination ». Enfin, la croyance culturelle selon laquelle les femmes ont moins de contrôle que les hommes sur les événements importants dans leur vie peut contribuer à l'augmentation de leur rumination. Quelles qu'en soient les causes sous-jacentes, les femmes devraient être particulièrement attentives à la place qu'occupe la rumination dans leur vie et à son incidence sur leur capacité à partir avec habileté.

Ce qu'il faut faire, c'est ouvrir les fenêtres et les portes de la rumination, et obtenir du soutien peut tout changer quand on est coincé dans un schème de comportement. Réunissez des amis dont vous appréciez le jugement, et parlez-leur de votre situation; écoutez leur point de vue sur votre situation et essayez de rediriger vos pensées. Bien sûr, un bon thérapeute peut aussi vous aider à descendre du manège de la rumination. Concentrez-vous sur le dénouement de la boucle de la rumination en ayant de nouvelles pensées, et pas seulement des distractions. Rappelez-vous que vous dire de ne pas vous en faire est essentiellement une stratégie pour inviter vos préoccupations à rester un peu. Concentrez-vous consciemment sur les signaux positifs, et poussez-vous à l'action, même s'il ne s'agit que de dresser une liste de ce que vous prévoyez faire pour vous sortir de cette boucle. Comme les études en laboratoire l'ont clairement démontré, visualiser un événement heureux et dépourvu de stress qui vous est vraiment arrivé peut aussi vous aider à affronter la rumination.

Prenez conscience de vos agissements à l'égard des pensées négatives, et faites une liste de vos préoccupations. Triez-les : lesquelles pourraient se réaliser? L'une des stratégies pour composer avec les pensées répétitives et intrusives est d'y faire face, ce qui pourrait les émousser. Imaginez ce que vous feriez dans le pire des scénarios auquel vous n'arrêtez pas de songer : et si vous ne parveniez pas à arranger les choses et que votre relation prenait fin? Et si vous deviez admettre que le projet que vous avez entrepris échouera probablement? Ou que vous n'êtes pas la bonne personne pour le mener à bien?

Répondre à cette dernière question («Suis-je la bonne personne pour mener cela à bien?») est ce qui a finalement donné à Rita ce qu'elle appelle la «permission de partir»: «Je me suis rendu compte que je me tenais responsable de tout ce qui arrivait ou n'arrivait pas au travail, mais lorsque j'ai examiné attentivement les changements survenus dans mon emploi (je ne faisais plus que de la collecte de fonds), j'ai constaté à quel point cela ne me convenait pas. Je n'étais pas à l'aise dans ce rôle, et cela devait paraître. Une fois que j'ai eu compris cela, j'ai arrêté de mijoter dans mon jus, j'ai fait le bilan de ma vie et de ce que je voulais faire. Et ce que je devais faire était clair. Je suis partie.»

La chasse à l'ours blanc: surmonter nos points faibles

Daniel Wegner, celui qui a découvert la façon dont les ours blancs s'immiscent dans nos pensées, a offert quelques suggestions permettant d'y faire face, dans un article intitulé «Setting Free the Bears» (libérer les ours). La plupart des suggestions sont éminemment pratiques et valent la peine d'être adoptées, bien qu'aucune d'entre elles, comme il l'admet sans détour, ne repose sur des preuves scientifiques. Premièrement, comme il le dit, reconnaître que le stress et la surcharge de travail diminuent la capacité d'autocontrôle, alors tout ce qu'on peut faire pour alléger la charge mentale est utile. Prenez conscience des tâches avec lesquelles votre mémoire doit composer et laissez tomber la pression afin de réagir rapidement. Vous pouvez recourir à la technique qui a fait ses preuves auprès des gens orientés «état», en visualisant, vous aussi, un épisode relaxant ou heureux de votre vie. Wegner mentionne que le fait de consacrer une période définie aux préoccupations (case horaire appelée «report des pensées») fonctionne pour certaines personnes.

Même si cela peut sembler paradoxal, «inviter» l'ours blanc pourrait se révéler la meilleure stratégie. Rendre cette pensée intentionnelle peut permettre de la dissiper. Vous pouvez l'exprimer tout haut, ou simplement y songer.

Essayez la méditation ou d'autres exercices d'intégration de la pleine conscience. Étant à l'origine une technique bouddhiste, l'orientation intentionnelle de l'esprit vers le moment présent (l'expérience du «ici et maintenant») a pour effet d'apaiser les pensées insistantes ou les préoccupations qui occupent l'avant-plan. Les programmes menant à la pleine conscience comportent différents éléments, notamment les techniques de respiration, le yoga ou d'autres exercices, mais ils servent tous une même fin.

La courbe d'apprentissage

De son propre aveu, il a fallu 13 ans à Jill pour abandonner la pratique du droit. Comme bien des jeunes gens, elle était incertaine de la carrière qu'elle voulait embrasser lorsqu'elle a terminé ses études collégiales. Même si elle était diplômée en sciences, elle savait qu'elle ne voulait pas entrer à l'école de médecine ni obtenir un doctorat; l'enseignement l'attirait, mais étant donné qu'elle devait rembourser un prêt étudiant, elle trouvait cette voie difficile au point de vue économique. Elle a abouti en droit, plutôt par défaut, en sachant très bien que, comme elle le dit maintenant : «Je n'allais probablement pas me passionner pour le droit ni pour le travail d'avocat.»

Mais elle y excellait. Elle a obtenu de très bonnes notes à la faculté de droit, et elle a commencé à travailler dans un cabinet d'avocats où elle s'est spécialisée en litiges. Elle aimait ses collègues et ils le lui rendaient bien. Le problème est qu'elle détestait la nature non consensuelle de son travail. «Je sais que cela peut sembler fou, mais c'était le pire choix de carrière que j'aurais pu faire parce que je déteste les disputes. Je le savais dès le départ. Mais j'avais consacré tellement de temps à mes études en droit que c'était difficile de songer à abandonner, et puis je ne voyais pas quoi faire d'autre. Alors, j'ai poursuivi. »

Cinq ans plus tard, elle est passée dans un plus grand cabinet, qui lui offrait une meilleure rémunération. Elle a sérieusement songé à abandonner le droit pendant son premier congé de maternité, mais elle n'a obtenu le soutien de personne parmi les membres de sa famille et ses amis. Elle gagnait un salaire élevé, dans des fonctions prestigieuses, et tout le monde s'entendait pour dire qu'elle devrait se considérer comme privilégiée. Elle a donc mis cette idée de côté. Mais dans son travail quotidien, les choses ne se sont pas améliorées et, chaque fois qu'elle commençait à penser à partir pour se trouver quelque chose qui la passionnerait, elle faisait face à une ferme résistance. Même son mari pensait qu'abandonner cette carrière était illogique ; si elle tenait le coup jusqu'au moment où elle pourrait devenir associée, elle pourrait alors réduire les déplacements d'affaires, travailler moins d'heures et passer plus de temps à la maison. Et si elle travaillait encore 10 années de plus, elle pourrait avoir assez d'économies pour prendre sa retraite, si elle le désirait.

« Il faut comprendre que, même si je détestais le temps que je passais à l'extérieur de la maison, mon but n'était pas de devenir une maman à temps plein, comme c'est le cas de bien des femmes, explique Jill tranquillement. En fait, mes enfants étaient heureux et épanouis, et mon mari était présent lorsque je ne l'étais pas. Grâce à mon salaire, nous avions une vie très confortable. Ce qui était difficile, c'est que quitter tout cela avait rapport avec mes besoins à moi, et cela me faisait sentir égoïste. Plus le temps passait, plus je me sentais obligée envers chacun : mon mari, mes enfants, mes parents. J'ai donc continué. Mais je détestais ce travail. Alors, je me suis concentrée sur le fait de devenir associée, comme objectif intermédiaire, en espérant que cela changerait comment je me sentais. »

Au cours de cette période, Jill a été traitée pour une dépression, et elle devait parfois prendre des médicaments. « Malheureusement, confie-t-elle, il ne s'agissait pas d'un déséquilibre chimique. Je détestais tout simplement mon travail et la façon dont je me sentais, même si je réussissais. » Elle est devenue associée et, même si elle gagnait alors beaucoup plus d'argent, rien n'a vraiment changé. Puis, la direction a fait une offre aux associés : ils pouvaient travailler à temps partiel, s'ils le désiraient. Jill a sauté sur l'occasion, pour finalement faire face à une opposition farouche. « Ils ont retiré leur offre, explique-t-elle. C'était comme si j'avais dépassé une limite. Ils m'ont dit essentiellement que le travail que je faisais devait être fait de la façon dont je le faisais. »

C'est à ce moment que Jill s'est rendu compte qu'elle n'avait que deux choix : rester ou partir. Elle a décidé de donner sa démission, avec un an de préavis, afin de pouvoir remplir toutes ses obligations envers ses clients et ses collègues, et elle s'est immédiatement sentie mieux. Les dirigeants du cabinet lui en ont été reconnaissants et l'ont bien traitée en retour.

« J'ai alors senti qu'il fallait que j'apprenne à me connaître, au cours de ce long processus de départ, dit-elle maintenant. J'ai finalement dû décider de ce que je voulais, au lieu d'être ballottée sur un parcours défini par ce que je ne voulais pas. » Même si elle n'avait pas de plan B, elle s'est donné un an pour reprendre pied. Elle a décidé d'explorer les possibilités de carrière dans l'éducation, idée qui l'intéressait depuis longtemps, mais qu'elle avait mise de côté parce qu'elle aurait été difficilement réalisable, à l'époque. Mais maintenant, avec les économies qu'elle avait accumulées depuis des années, une carrière en éducation lui semblait possible, et elle commença à faire des recherches assidues. Elle a fait du bénévolat dans une école, puis a observé des classes, et elle a été remplaçante. Convaincue d'avoir trouvé sa voie, elle est retournée aux études en vue d'obtenir une maîtrise en éducation.

Jill est maintenant heureuse dans son travail ; elle enseigne les sciences, elle adore faire partie d'une équipe, elle mentore des jeunes, et elle se sent membre d'une plus grande collectivité, servant des intérêts supérieurs. Elle est contente de pouvoir passer du temps avec sa famille, au lieu d'être sur la route, ou d'être coincée dans une cause jugée dans une autre ville. « Beaucoup de gens voient les choix que j'ai faits uniquement en termes financiers, et j'ai été critiquée, précise-t-elle. Mais il y a aussi certains de mes anciens collègues qui me disent qu'ils m'envient. C'est vrai que ma vie n'est plus aussi stable financièrement ni aussi facile qu'elle l'a déjà été, mais c'est une bénédiction d'aimer ce qu'on fait tous les jours. »

La fixation consciente d'objectifs

Même si nous avons insisté sur le désengagement cognitif et affectif dans ce chapitre, l'art de partir comporte la réorientation des pensées, des sentiments et de l'énergie vers de nouveaux objectifs, ainsi que l'élaboration de stratégies pour y parvenir. Dans le prochain chapitre, nous évaluerons les objectifs que nous avons et ceux que nous allons nous fixer.

VOS APTITUDES AU DÉPART

Cet exercice a pour but de vous sensibiliser à la façon dont vous gérez vos émotions. Lisez les énoncés qui suivent et classez-les dans les catégories « moi » ou « pas moi ».

1. Je me considère comme réaliste et je crois que mon optimisme me donne une longueur d'avance.

2. Je me considère comme réaliste et le fait de penser aux côtés négatifs ne m'accable pas.

3. Dès que je finis quelque chose, je commence à me préoccuper de tout ce que j'ai d'autre à faire.

4. Si j'ai fait tout ce que je pouvais à propos d'une situation, je chasse cela de mon esprit.

5. Au travail, je m'efforce de faire le moins d'erreurs possible.

6. J'essaie de faire de mon mieux, dans toutes les situations.

7. Lorsque je vis une déception, c'est difficile de me concentrer sur les aspects positifs.

8. Je fais face au stress en pensant à des moments plus heureux.

9. Lorsque je me dispute avec quelqu'un, je m'emporte rapidement.

10. Même quand je me dispute avec quelqu'un, j'essaie de ne pas devenir hostile ou méprisant.

11. Je fais face aux situations stressantes en prenant du recul consciemment, de façon à ne pas y réagir.

12. Je fais face aux situations stressantes en essayant de faire preuve d'ouverture face au point de vue de l'autre personne.

13. « Un baiser pour se réconcilier », ça ne marche pas avec moi.

14. J'essaie de trouver des solutions constructives aux disputes ou aux désaccords.

15. Je m'en fais beaucoup à propos des possibilités d'échec et de ce que les gens en penseraient.

16. Tôt ou tard, tout le monde est appelé à échouer dans quelque chose.

17. Je trouve vraiment difficile de tourner la page après une déception.

18. Je me suis concentré sur le lâcher-prise concernant de vieilles blessures et de vieilles déceptions.

19. Je déteste éprouver de la nervosité, de l'anxiété ou de la peur. Je fais tout ce que je peux pour mettre fin à ce que je ressens.

20. Quand je suis troublé ou apeuré, j'écoute ma voix intérieure.

21. Ça me met hors de moi quand j'ai perdu une occasion ou un avantage. Je suis très compétitif et je n'arrête pas de penser à ce qui est arrivé.

22. Lorsque les choses tournent mal, je fais de mon mieux pour me rappeler ce dans quoi j'excelle et le fait qu'il y aura d'autres occasions.

23. Je ne crois pas à l'intuition ; je crois seulement à la pensée claire.

24. Je crois qu'il est important d'écouter mon instinct et mes impressions.

25. En période de stress, je me laisse envahir par les émotions.

26. Je suis capable de me calmer en faisant de l'exercice ou en parlant avec mes amis.

27. Je pense que montrer ses émotions est un signe de faiblesse.

28. Je me concentre sur ce que je ressens, avant d'agir.

Le nombre d'énoncés portant un chiffre pair auxquels vous vous êtes identifié dans cette liste démontre à quel point vous avez déjà cultivé l'art de partir.

CHAPITRE SIX

Faire le point

Même si vous croyiez tenir le volant, lorsque vous avez commencé à lire ce livre, vous vous êtes probablement rendu compte que vous n'avez pas autant de contrôle que vous le pensiez. C'est le temps d'ajuster les freins, le volant et l'accélérateur (vos comportements conscients) afin que vous puissiez évaluer vos objectifs et voir s'ils sont réalisables, compatibles ou conflictuels et, surtout, s'ils font votre bonheur. Mais d'abord, nous allons vous parler du gorille invisible qui, lui aussi, vous donne peut-être l'impression que vous n'aviez pas la maîtrise de la situation. Le gorille invisible occupe une place importante, à ce point du processus, parce qu'il prouve qu'au moins 50 % des gens, lorsqu'ils se concentrent sur un objectif, rétrécissent tellement leur champ de vision qu'ils ratent de l'information cruciale, pourtant bien visible.

Il est important de comprendre comment et pourquoi notre attention au détail est éloignée de l'image mentale que nous nous en faisons, alors que nous nous apprêtons à faire le point sur nos objectifs actuels et éventuels pour déterminer si nous devons en abandonner.

Avez-vous vu le gorille ?

À la fin des années 1990, deux chercheurs de Harvard, Daniel J. Simons et Christopher F. Chabris, ont décidé de donner suite à des observations étonnantes concernant l'attention, faites dans les années 1970 par Ulric Neisser. Ils ont filmé deux équipes d'étudiants qui se lançaient un ballon de basket orange. Les membres d'une des deux équipes étaient habillés de noir et ceux de l'autre, de blanc. Au milieu de la vidéo, pendant environ neuf secondes (le film durait environ une minute), une femme portant un costume de gorille marche parmi les joueurs, fait face à la caméra, se frappe la poitrine et sort. Simons et Chabris ont montré la vidéo aux étudiants dans un laboratoire. Ils les ont divisés en deux groupes et leur ont demandé de compter le nombre de passes enregistrées par chacune des équipes. Les chercheurs ont apporté certaines variantes à l'expérience, selon que les étudiants ne comptaient que les passes, ou une combinaison de passes et de rebonds. Puis, ils ont demandé aux participants s'ils avaient constaté quelque chose d'inhabituel dans la vidéo, ce qui a mené à la dernière question : « Avez-vous vu le gorille ? » Aussi étonnant que cela puisse paraître, environ la moitié des participants n'avaient pas vu le gorille ; en fait, ils ont été abasourdis d'apprendre qu'il y avait un gorille. (Vous pouvez regarder cette vidéo sur YouTube ou sur le site Web du livre de Simons et Chabris, à theinvisiblegorilla.com. Bien sûr, vous verrez le gorille parce que vous savez déjà qu'il est là.)

Nous avons déjà mentionné à quel point ce que nous « voyons » et jugeons est, en fait, régi par des processus automatiques ou par la capacité limitée de notre cerveau à assimiler la grande quantité de stimuli et d'information extérieure que nous offrent nos sens. Le terme technique utilisé pour désigner le fait que la moitié des gens ne voient pas le gorille est « cécité d'inattention ». En fait, la moitié des participants étaient tellement concentrés sur le décompte des passes et des rebonds qu'ils n'ont pas vu le gorille qui était devant leurs yeux; cela nous étonne uniquement parce que les humains ont tendance à surestimer la quantité de détails auxquels ils peuvent prêter attention à un certain moment. On repassera pour le multitâches! La cécité d'inattention est ce qui fait que les différentes versions des témoins oculaires sont si peu dignes de confiance (nous surestimons complètement notre capacité à retenir les détails) et pourquoi les souvenirs d'événements sont si souvent erronés.

L'un des chercheurs, Simons, et ses collègues, se sont demandé si le fait de ne pas voir le gorille avait un lien avec la passivité du visionnement d'une vidéo. Le fait de voir quelque chose en deux dimensions rend-il les gens aveugles comme s'ils n'étaient pas dans la vraie vie, en trois dimensions? Ils ont réalisé une expérience ahurissante, dans laquelle un expérimentateur joue le rôle d'un visiteur égaré sur le campus d'un collège, tenant une carte à la main et demandant son chemin à des piétons, au hasard. Pendant que l'expérimentateur et le piéton serviable sont en train de parler, deux hommes transportant une porte passent entre eux, ce qui place temporairement l'expérimentateur hors de la vue du piéton; derrière la porte, un autre expérimentateur prend la place du premier, tenant une carte identique dans sa main et poursuivant la conversation avec le piéton. En passant, l'âge du piéton serviable peut être de 20 à 65 ans.

Là encore, seulement la moitié des piétons se sont rendu compte de la substitution! Fait à noter, tous les gens qui ont constaté la substitution avaient environ le même âge que les expérimentateurs; aucune des personnes plus âgées ne s'en est rendu compte. Les chercheurs ont émis l'hypothèse que le fait de constater la substitution a un lien avec l'appartenance au même groupe social (quelqu'un d'un âge assez semblable pour être étudiant), ce qui mène à prêter plus attention aux traits individuels. Autrement dit, les personnes plus âgées classent tout simplement l'expérimentateur dans la catégorie « autre » (jeune), et ne regardent pas plus loin. Rappelez-vous que les humains sont programmés pour évaluer les situations (dangereuses ou non, amicales ou non), sans avoir conscience de ce processus.

Pour vérifier cette hypothèse, les chercheurs ont répété l'expérience, cette fois en habillant les expérimentateurs en travailleurs de la construction qui, bien sûr, allaient entrer dans la catégorie « autre » par rapport à la population d'un campus collégial, qui les considérerait alors comme extérieurs à son groupe social. Mais ces hommes étaient visuellement très faciles à distinguer, même s'ils étaient habillés de façon semblable; l'un avait un casque de protection portant une inscription, une ceinture à outils et une chemise bleu clair, alors que l'autre portait un casque sans logo, une chemise noire et n'avait pas de ceinture à outils. Cette fois, tous les piétons qui ont été accostés étaient jeunes. Et cette fois, seulement le tiers des piétons ont constaté la substitution, soit encore moins que la première fois !

Si vous secouez la tête en pensant qu'il devait s'agir d'un groupe de piétons très distraits, et en vous disant que vous constateriez sûrement la substitution (tout comme vous auriez vu le gorille), sachez que vous n'êtes pas seul. En fait, dans une expérience de suivi réalisée par Daniel T. Levin et des collègues, les scènes de détection de changements étaient soit décrites, soit montrées sous forme de photos aux participants à l'expérience. Pas moins de 83 % d'entre eux ont déclaré avec assurance qu'ils auraient décelé la substitution, soit une proportion beaucoup plus élevée que les 11 % qui ont effectivement constaté le changement au cours de l'expérience réelle. En ce qui concerne le piéton qui a demandé son chemin pendant l'expérience avec la porte, près de 98 % des gens ont dit qu'ils se seraient aperçus de la substitution.

Savoir ce que sont la cécité d'inattention et la cécité au changement est utile, particulièrement en ce qui a trait à la poursuite d'un objectif; lorsque nous nous concentrons sur un objectif, il se peut que nous ne voyions pas ce qui est devant nos yeux. En fait, le gorille invisible peut être précieux en tant que métaphore de ce qui peut arriver lorsqu'on se concentre totalement sur la poursuite d'un objectif. Remplacez le terme «gorille» par ce que vous voulez: les tensions dans votre mariage sur lesquelles vous fermez les yeux, les signes qui vous indiquent que vous n'êtes pas près d'atteindre vos objectifs en dépit de tous vos efforts, la façon dont votre concentration vous trompe, vous et les autres, ou même l'objectif plus accessible qui pourrait vous apporter plus de satisfaction dans la vie, et vous aurez un aperçu de ce qu'il peut vous en coûter de ne pas voir le gorille. De même, votre confiance exagérée en votre capacité à discerner les détails et à évaluer correctement une situation peut vous rendre aveugle aux autres aspects de la poursuite de vos objectifs. En sachant que le gorille peut être là, même si vous ne le voyez pas, ou que l'arbre peut cacher la forêt (ne pas remarquer que la personne à qui l'on parlait a été remplacée par une autre, par exemple) constitue un premier pas vers l'autocorrection.

Si vous avez la certitude de faire partie des 50 % de gens qui auraient vu le gorille, nous aimerions que vous conserviez tout de même le gorille présent à l'esprit. Peut-être pensez-vous aussi faire partie des 98 % de gens qui sont certains de remarquer tous les changements qui se produisent dans leur environnement immédiat. N'oubliez pas que la manière dont vous établissez vos objectifs et la façon dont vous les poursuivez subissent aussi l'influence de tous les processus automatiques et inconscients décrits aux chapitres précédents. Quand vous établissez que vos efforts ont porté des fruits, vous concentrez probablement davantage votre attention sur les succès que sur les échecs, et il est aussi probable que vous qualifiiez certains échecs de quasi-échecs. Après tout, c'est humain.

Étant donné qu'une bonne partie de ce qui passe pour de la sagesse populaire à propos des objectifs, de la fixation d'objectifs et de la motivation est malheureusement erronée, au pire, et simpliste au mieux, il est probable que vous ne songiez pas à vos objectifs de la manière que vous le devriez. Jetons-y un coup d'œil et regardons comment nous pourrions l'appliquer à la tâche qui nous attend.

Les « objectifs en folie » : vous, en tant que votre propre gestionnaire

Les « objectifs en folie » (Goals Gone Wild) est le titre d'un document de présentation de la Harvard School of Business, qui remet en question une partie de la sagesse cultivée au cours des dernières 25 années de recherche et de conseils sur la fixation d'objectifs en milieu de travail. Une partie de ce que l'on y trouve semble contraire à la logique et s'applique largement à la tâche d'évaluer vos propres objectifs et d'analyser la façon dont votre employeur utilise la motivation. Si vous songez à démarrer une entreprise ou à vous associer avec quelqu'un, ces observations vous seront utiles ; elles peuvent aussi s'appliquer aux relations personnelles. Il s'agit ici de vous faire réfléchir aux objectifs de manière consciente, et il n'y a pas de meilleur endroit pour étudier les objectifs que dans le monde des affaires.

Commençons par ce que les théoriciens ont proposé en premier, tel qu'on l'a exposé dans un important résumé d'Edwin A. Locke et Gary P. Latham :

« Les objectifs élevés et précis mènent à un niveau plus élevé d'exécution des tâches que ne le font les objectifs faciles à atteindre, ou vagues et abstraits, comme l'exhortation de "faire de son mieux". » Cet énoncé répète essentiellement le mantra selon lequel « plus la barre est haute, meilleur sera le saut », mais il est assorti de conditions importantes : la personne doit s'engager à l'égard de l'objectif, elle doit avoir la capacité ou les compétences pour l'atteindre, et elle ne doit pas avoir d'objectifs contradictoires. La question des objectifs contradictoires est particulièrement importante parce que, même s'il peut être possible, en milieu de travail, d'écarter des objectifs contradictoires, surtout si c'est un tiers qui en est à l'origine, dans le cadre général de la vie, c'est souvent difficile. La cohérence est importante. Le mantra suppose qu'un objectif difficile à atteindre suscitera non seulement plus de motivation, mais aussi un plus fort sentiment de réussite personnelle et de satisfaction qu'un objectif facilement atteignable.

Mais les vertus des objectifs élevés sont, en partie, contredites par d'importantes mises en garde qui s'appliquent aussi aux objectifs que vous vous fixez, ce qui exige également de l'attention.

Les objectifs d'apprentissage ne sont pas améliorés par le fait de relever la barre ainsi. C'est un fait que tous, et surtout les parents, devraient garder présent à l'esprit. Se concentrer sur un objectif d'apprentissage uniquement en termes de performance peut mener à la vision en tunnel : se préoccuper des notes, plutôt que de l'acquisition de connaissances. Par exemple, une étude a démontré que les candidats à un MBA qui se fixaient des objectifs plus vastes que le simple fait d'obtenir de bonnes notes (maîtriser une matière particulière, pratiquer le réseautage, etc.) ont fini par obtenir une meilleure moyenne que les étudiants concentrés uniquement sur la note. (Cela pourrait expliquer pourquoi l'insistance sur les points et les notes aux niveaux secondaire et collégial a entraîné une baisse de l'acquisition de compétences, mais aussi une épidémie de tricherie.)

Il importe de formuler l'objectif correctement. À la lumière de l'exposé sur la formulation et sur les objectifs d'approche et d'évitement des chapitres précédents, cette mise en garde se rapporte à la façon dont l'approche de la carotte et du bâton fonctionne dans la vraie vie. Il faut ici appliquer un brin de sagesse tant aux objectifs que vous vous fixez (en vous assurant de ne pas mettre la barre trop haute) qu'aux objectifs que vous établissez pour les autres, et tant dans vos relations personnelles qu'au travail. C'est une autre raison pour abandonner la notion selon laquelle l'échec est une expérience d'apprentissage qui mènera inévitablement au succès; la plupart des gens n'apprennent pas de leurs échecs. De plus, les objectifs présentés comme des défis à relever donnent lieu à de meilleures performances que ceux qui comportent la menace d'échouer.

De nombreuses études, notamment celle qui a été réalisée par Anat Drach-Zahavy et Miriam Erez, ont démontré à quel point la formulation peut avoir une influence directe sur la performance. Leur étude, dans laquelle les participants devaient prédire le cours d'actions d'après des données d'affaires, a montré la différence entre une tâche présentée comme un défi, privilégiant l'établissement d'une stratégie, et qui a donné de meilleurs résultats, et la même tâche présentée comme une menace, axée sur la performance immédiate et la possibilité d'échec. Au cours de l'expérience, les chercheurs ont présenté la tâche comme un défi, en disant aux participants de fournir leur nom et leur numéro de téléphone afin de pouvoir joindre ceux qui produisaient les meilleures performances; les chercheurs ont également dit aux participants que seulement 15 % des étudiants qui avaient déjà exécuté ces tâches avaient réussi. Par contre, selon la formulation menaçante, ils ont demandé aux participants de fournir leur nom et leur numéro de téléphone afin de pouvoir communiquer avec les cinq d'entre eux qui auraient les pires performances, et les chercheurs ont ajouté que 85 % des étudiants qui avaient exécuté cette tâche avaient échoué. Enfin, ils ont demandé aux participants soit de (1) faire de leur mieux (objectif facile et vague), soit (2) d'atteindre l'objectif d'émettre 80 prédictions exactes (objectif fondé sur la performance, présentant un défi), soit (3) de consacrer les 20 premières minutes du test d'une heure à établir les meilleures stratégies pour réussir la tâche (objectif plus vaste, présentant un défi). Les participants à qui l'on a présenté un défi ont non seulement réussi beaucoup mieux que ceux à qui l'on avait fait des menaces, mais ceux parmi eux qui se sont concentrés sur la stratégie plutôt que sur la performance ont le mieux réussi.

La manière de formuler les objectifs est capitale.

Souvenez-vous de la Pinto

Est-ce une bonne stratégie, pour vous, de mettre la barre haute? Selon Ordóñez et ses collègues qui ont écrit l'article savoureusement intitulé « Goals Gone Wild » (les objectifs en folie), ce ne l'est pas nécessairement.

Peut-être que la phrase «souvenez-vous de la Pinto» ne laisse pas la même empreinte que «souvenez-vous du Maine», en ce qui a trait à l'appel aux armes, mais c'est l'un des meilleurs exemples donnés par Ordóñez et ses coauteurs. (Leur document a précédé la crise financière de 2008-2009, alors ils n'étaient pas au courant de la débâcle des prêts hypothécaires aux emprunteurs à risque et des objectifs que les banques allaient fixer, mais ils ont parlé d'un des précurseurs de cette crise, la Continental Illinois Bank, qui s'était effondrée.)

De toute façon, voici les grandes lignes de l'histoire de la Pinto : à la fin des années 1960, Lee Iacocca, le légendaire et flamboyant auteur de livres à succès, président de Ford et gourou du marketing, était préoccupé par la concurrence étrangère. Il a annoncé que la société allait produire une nouvelle voiture qui coûterait moins de 2 000 $ et pèserait moins de 1 000 kilogrammes, et que, de plus, la Pinto serait mise en vente dans les plus brefs délais. L'entreprise s'est mise en cinquième vitesse (pardonnez le jeu de mots) afin de tenir sa promesse. Malheureusement, les pressions exercées par l'objectif à atteindre et l'échéancier imposé ont forcé les gestionnaires à prendre des raccourcis pour produire le véhicule à temps. Parmi les étapes qui ont été retranchées du processus, on compte les vérifications de sécurité, et ces raccourcis ont mené à un problème de taille : la Pinto avait tendance à prendre en feu en cas d'accident. Mais les dirigeants n'ont pas arrêté la production afin de revoir les plans ; ayant toujours présent à l'esprit l'objectif de Iacocca, ils se sont dit que, quoi qu'il en coûterait pour régler les poursuites judiciaires que susciteraient les vices de fabrication du véhicule, cela serait surpassé par le nombre de voitures qu'ils vendraient et, bien sûr, par la réalisation de l'objectif que Iacocca avait fixé.

La Pinto n'est que l'un des nombreux exemples qui ont mené les auteurs à faire une mise en garde contre les objectifs «élevés». L'extrême concentration sur un unique objectif difficile à atteindre incite les gens non seulement à prendre des raccourcis, comme l'ont fait les dirigeants de Ford, mais aussi à mentir et à tricher, tout cela pour atteindre l'objectif. Fait intéressant, l'un des exemples présentés par l'article est la désastreuse et tragique expédition qui a fait l'objet d'un livre signé par Jon Krakauer, *Tragédie à l'Everest* (*Into Thin Air*, en version originale). Dans ce cas, les guides, qui étaient des alpinistes d'expérience, ont tellement fait leurs les objectifs de leurs clients d'atteindre le sommet, qu'à l'instar des dirigeants de Ford, l'objectif a pris le pas sur la prudence et le jugement.

L'établissement d'une échéance influe sur le comportement humain, comme en font foi l'exemple de la Pinto et bien d'autres; de même, les objectifs qui sont simplement trop ambitieux et exigeants incitent à la prise de risques trop importants, tout comme le fait d'établir trop d'objectifs à la fois. Enfin, l'établissement d'objectifs rigoureux sape la motivation intrinsèque, dans un contexte d'affaires. Il s'agit là, affirment les auteurs, des conséquences très prévisibles de la fixation d'objectifs de haute performance. En toute franchise, nous devons ajouter que la réplique à «Objectifs en folie» (Goals Gone Wild) a été publiée par Edwin A. Locke et Gary P. Latham, qui ont critiqué le recours à l'anecdote des auteurs.

Que pouvons-nous en conclure, nous qui tentons de gérer nos propres objectifs? Voici quelques suggestions, aucune d'entre elles n'ayant été vérifiée par des méthodes scientifiques, mais toutes étant fondées sur ce que la recherche a proposé.

Fixer un objectif de performance n'est pas nécessairement une bonne chose. Songer à ce que vous voulez réaliser comme objectif d'apprentissage (un objectif qui exige la maîtrise de certaines compétences ou la formulation de stratégies menant à l'atteinte de votre objectif final) peut être plus utile que de simplement fixer un objectif de performance. Bien sûr, la sagesse culturelle à propos de la persévérance tend à insister sur la performance et, par conséquent, les gens ont tendance à songer à leurs objectifs en ces termes. Dans le domaine du travail, ce pourrait être de gagner 150 000 $ par année, de devenir vice-président de l'entreprise ou associé d'ici cinq ans, d'atteindre un chiffre d'affaires X. Mais en nous concentrant sur la façon d'y parvenir (tout en faisant preuve de souplesse dans nos stratégies), nous accroîtrons davantage nos chances de réussite qu'en nous concentrant uniquement sur la performance.

C'est également vrai des objectifs que nous nous fixons dans le domaine des relations (régler les problèmes, améliorer la communication, se rapprocher, se faire de nouveaux amis) : il pourrait être plus utile de songer à ce qu'il faut faire pour parvenir à cette fin, plutôt que de penser à la fin elle-même. Cela exige un changement de mentalité : plutôt que de songer à trouver le bon partenaire, songez à ce que vous pouvez faire pour être plus ouvert et mieux communiquer lorsque vous rencontrez quelqu'un qui pourrait devenir votre partenaire. Dans le prochain chapitre, nous verrons comment le contraste mental peut vous aider à accomplir davantage, dans tous les aspects de la poursuite d'un objectif.

La formulation pourrait être la clé d'un établissement d'objectif réussi. Comprendre la façon dont vous réagissez aux défis qui se présentent dans votre vie est une première étape nécessaire avant de commencer à évaluer vos propres objectifs et leur lien avec votre propre bonheur. Comme nous l'avons vu, votre propension à voir les choses en termes d'approche ou d'évitement influera tant sur les objectifs que vous vous fixez que sur votre manière de réagir au travail nécessaire pour y parvenir. En plus d'exprimer vos objectifs consciemment, vous devrez savoir comment les formuler ou, dans le cas d'objectifs extrinsèques, savoir comment les autres les formulent pour vous. Imaginez qu'on vous assigne une tâche et qu'on vous dit que 85 % des gens qui ont essayé de l'exécuter ont échoué ; allez-vous vous identifier aux 15 % qui l'ont réussie ? Le stress d'un défi vous insuffle-t-il de l'énergie ou vous freine-t-il ? (C'est une manière détournée de vous demander si vous avez une orientation « action » ou « état ».)

Si vous éprouvez des difficultés dans une relation (avec un conjoint, un ami, un parent ou un collègue), avez-vous tendance à formuler les difficultés en termes de défi (« Nous pourrions être tellement plus près l'un de l'autre si nous pouvions apprendre à ne pas nous disputer pour des peccadilles ! »), ou à les formuler comme des menaces (« Je ne vois pas comment nous pouvons continuer de rester ensemble si nous ne cessons pas de nous chamailler pour des choses sans importance ! ») ? Comment réagiriez-vous à ces deux genres de formulation ? Dans tout genre de relation (que ce soit au travail ou en amour), il importe de prêter attention à la façon dont l'autre personne formule non seulement ses propres objectifs, mais aussi les objectifs communs. Le genre d'évaluation consciente des objectifs que nous prônons repose sur la connaissance de la formulation en tant que processus.

L'entêtement n'est pas très utile. En plus de l'individualisme à tous crins, notre mythologie culturelle exalte le fait de ne pas perdre l'objectif de vue, mais, comme le démontrent les exemples du gorille invisible et de la Pinto, il ne s'agit pas nécessairement de la meilleure approche. En fait, par bien des façons, l'entêtement est l'opposé du contraste mental nécessaire pour apprendre à fonctionner de son mieux. Une approche trop focalisée, aussi, nous rend beaucoup plus vulnérables aux autres genres de distorsion cognitive (vulnérables au fait de compter les succès plutôt que les échecs, au renforcement intermittent, à l'aversion à la perte, et à un tout nouvel élément fondé sur un article de B. F. Skinner, le «pigeon superstitieux»).

Ce que Skinner a fait (et nous nous excusons à l'avance auprès de ceux qui aiment les animaux et les défendent, mais cela a eu lieu il y a plus de 60 ans), c'est de placer dans une cage un pigeon vraiment affamé. Un plat de nourriture lui était présenté à intervalles aléatoires. Skinner a découvert que les trois quarts des pigeons attribuaient l'apparition de la nourriture à leur comportement. Comment Skinner en est-il arrivé à cette conclusion? En raison du comportement répétitif des pigeons. Peu importe ce qu'ils faisaient (ce qui, bien sûr, n'avait aucun rapport avec la distribution de nourriture) lorsque la nourriture apparaissait, ce sont ces gestes, croyaientils, qui faisaient apparaître la nourriture. Ces comportements étaient manifestes et distincts: un oiseau tournait sur lui-même, un autre s'étirait le cou et un autre encore sautait d'une patte sur l'autre.

Skinner a établi une analogie entre le comportement du pigeon et les rituels superstitieux auxquels les gens s'adonnent, comme de porter son chemisier ou son chapeau chanceux. Skinner donne l'exemple du quilleur qui, après avoir lancé la boule, continue de faire des gestes du bras et de l'épaule pour maintenir la boule hors du dalot et faire un abat. Ce comportement sera certainement familier à ceux qui ont déjà mis les pieds dans une salle de quilles ou qui ont observé quelqu'un le faire.

Pensez au quilleur comme à une métaphore et demandez-vous si vous êtes comme lui lorsque vous poursuivez un objectif avec entêtement. Voyez-vous un lien de causalité chaque fois que vous croyez faire des progrès ? Votre concentration vous amène-t-elle à mettre votre cerveau sur le pilote automatique (le genre de pensée rapide qui pousse les gens à établir des liens qui n'existent pas) ou prêtez-vous attention à la stratégie ? L'approche résolument concentrée, malheureusement, risque de faire de vous le quilleur qui gesticule en observant sa boule rouler, quoi qu'en dise le mythe de « ne pas perdre l'objectif de vue ».

Peut-être, et surtout, l'approche focalisée vous incite-t-elle à observer un seul objectif hors contexte, sans examiner son lien avec les autres objectifs importants de votre vie.

Vos objectifs sont-ils synchrones ? Comme nous le verrons, une grande partie de notre bonheur dépend non pas de l'atteinte d'un unique objectif, mais de notre rapprochement des nombreux objectifs que nous pouvons avoir à tout moment. Pour la plupart d'entre nous, il s'agit d'un fourre-tout d'aspirations à court et à long termes, d'objectifs personnels et professionnels, et d'objectifs d'apprentissage et de performance qui peuvent avoir une orientation « approche » ou une orientation « évitement ». Le genre de pensée réductionniste qui est issue de la focalisation sur un objectif unique donne lieu à de nombreuses discussions à propos du fait de tout avoir.

Du point de vue de la théorie des objectifs, le fait de pouvoir tout avoir repose grandement sur le degré de conflit ou de compatibilité entre les objectifs importants. L'article publié par Anne-Marie Slaughter dans *Atlantic*, en 2012, en serait un bon exemple. Intitulé « Why Women Still Can't Have It All » (pourquoi les femmes ne peuvent pas encore tout avoir), cet article a suscité une avalanche de commentaires, pour ou contre, et a permis à son auteure de signer un contrat lucratif pour la rédaction d'un livre. Anne-Marie Slaughter, professeure à Princeton, était à l'époque directrice au Département d'État, ce qui exigeait qu'elle travaille à Washington, D.C., et qu'elle se déplace fréquemment; elle était également mère de deux enfants, qui habitaient à Princeton avec leur père, professeur, pendant le mandat de deux ans d'Anne-Marie. La crise qu'a traversée l'un de ses enfants l'a forcée à démissionner de ses fonctions au Département d'État, de là le fait de « ne pas tout avoir » qui était le thème de son article.

De notre point de vue, la véritable question est celle-ci : pourquoi n'avait-elle pas prévu, étant donné que ses enfants approchaient de l'adolescence, un conflit possible entre son objectif d'occuper des fonctions élevées au Département d'État et celui d'être mère ? Pourquoi était-il étonnant que des objectifs qui semblaient gérables, s'ils n'étaient pas vraiment compatibles par définition, entrent en conflit, et qu'elle ait à faire un choix ? Il semble que si nous sommes déterminés à tout avoir, chacun de nous doit examiner ses objectifs, les uns par rapport aux autres, et non comme des éléments isolés sur une liste de choses à faire. Adopter ainsi une perspective plus large pourrait être l'unique façon de nous rapprocher de notre objectif de tout avoir, quoi que ce tout puisse être.

Voir ses objectifs comme interreliés, plutôt qu'isolément, comme les pièces d'un casse-tête, nous aide à évaluer nos décisions : est-il possible d'atteindre plusieurs objectifs à la fois ? Devrions-nous tenir le coup ou nous éclipser avec intelligence ? Si ce que nous voulons est constitué d'objectifs presque compatibles, alors nous sommes en bonne posture, mais nous devrons tout de même nous rappeler qu'un conflit pourrait survenir. (C'est exactement ce qu'Anne-Marie Slaughter aurait dû pouvoir s'imaginer.) Nous devons également être préparés à la possibilité que, parfois, les objectifs que nous avons atteints cessent de nous rendre heureux.

C'était le cas de Robert, avocat en droit immobilier, dont les priorités étaient un bon salaire et un milieu de travail stimulant, et pendant des années, il a pu bénéficier des deux. Mais après des années de pratique, il ressentait de plus en plus d'insatisfaction et d'ennui; et puis, dans des fonctions qui exigent un grand souci du détail, le fait de s'ennuyer de plus en plus lui faisait craindre de commettre une erreur. Son anxiété en est venue à l'empêcher de dormir: il ressassait sans arrêt les détails de ses dossiers, au milieu de la nuit, ce qui l'a rendu encore plus malheureux dans son travail. Il s'est rendu compte que, plutôt que de négocier des transactions immobilières pour ses clients, il aurait voulu avoir le pouvoir de décision dans les transactions. Il s'est donc trouvé un partenaire, un designer, et il a acheté sa première propriété, qu'il avait l'intention de rénover et de revendre. Comme la plupart des réorientations dans la vie, ce changement a exigé qu'il se définisse d'autres objectifs et qu'il gère de nouvelles sources de stress, l'une d'elles étant le risque d'échec. Ses nouvelles activités nécessitaient patience et vision, ce dont il devait s'accommoder, tout comme de la perte du revenu régulier sur lequel il avait pu compter pendant des années. Sa confiance en lui était aussi mise à l'épreuve, mais il était heureux de la nouvelle orientation qu'il avait prise dans sa vie.

Parfois, un objectif doit être ajusté pour accommoder d'autres priorités. Se marier alors qu'elle était résidente en pédiatrie a forcé Diana à repenser à sa spécialité et à son cheminement de carrière. Fille unique, elle avait toujours voulu avoir des enfants: c'est son amour des enfants qui l'avait d'abord attirée vers la pédiatrie. Mais lorsqu'elle a épousé Martin, qui travaillait en finance internationale et qui voyageait beaucoup, elle s'est rendu compte qu'elle voulait se consacrer à une spécialité qui exigeait moins de son temps. Elle a essentiellement recommencé sa spécialisation à neuf, en s'orientant vers la radiologie. C'est un choix qu'elle n'a jamais regretté, dit-elle : « Dans mon cas, l'objectif important était d'équilibrer le travail et la vie familiale. Je savais cela dès le départ. La radiologie est-elle aussi satisfaisante que l'aurait été la pédiatrie ? Peut-être pas. Mais j'ai fait un choix délibéré, et j'aurais dû sacrifier beaucoup de choses, en tant que mère, si je n'avais pas fait la transition. »

Un trop grand nombre d'entre nous vit en conflit perpétuel pour ne pas avoir déterminé consciemment les objectifs qui sont des priorités.

Les objectifs et l'identité

Le garçonnet a l'air d'avoir six ou sept ans, et il est habillé en Batman. Lui et son père attendent que leur repas leur soit apporté à table. L'enfant fait un large sourire, tenant une figurine de Batman à la main, et gesticule en disant : « Je sais ce que je veux faire quand je serai grand. Je veux être Batman. » Son père sourit et dit : « Jake, tu ne peux pas être Batman parce que Batman n'est pas réel. C'est un personnage de bande dessinée. » Après une pause, le garçonnet dit : « Eh bien, je veux quand même être lui et attraper les méchants. » Son père répond : « Alors, tu pourrais être policier. Ou détective. » « Non, dit le petit garçon avec fermeté. Je ne veux pas être policier. Je veux être Batman. » Cela semble décontenancer le père, qui répond tout de même : « Tu pourrais être médecin, comme moi, Jake. J'ai décidé de devenir médecin quand j'avais à peu près ton âge, mais tu as beaucoup de temps pour décider de ce que tu veux faire. » « Non, réplique le petit garçon. Je veux être

Batman, pas un idiot de médecin.» Le père cherche la serveuse des yeux, comme si elle avait pu venir à sa rescousse. «Jake, dit l'homme, Batman n'est pas réel. Tu ne peux pas être Batman.» La jeune femme dépose les assiettes devant eux, juste au moment où le petit garçon dit: «C'est pas vrai. Je peux être Batman. Attends, tu vas voir.»

Enfants, nous rêvons de ce que nous ferons une fois grands: vétérinaire, cavalier, ballerine ou astronaute, chauffeur d'autobus ou pilote, maman ou papa, professeur ou policier, ou peut-être la petite sirène ou même Batman. Certains d'entre nous suivront la trajectoire que la société encourage: un objectif fixé tôt, un progrès sûr et stable, une ascension respectable ou fulgurante. (C'est le scénario de Steven Spielberg: il savait qu'il voulait être cinéaste dès son enfance; il s'est fixé des plans en conséquence, a remporté du succès très rapidement, puis il a poursuivi sur sa lancée.) Les mythes de la persévérance nous font imaginer une trajectoire ascendante, dans le cadre d'un scénario de réussite, entre le succès retentissant (au travail) et le bonheur éternel (dans les relations), et cela se poursuit tout au long de la vie. Mais ces histoires de découverte précoce d'une passion et d'atteinte de la réussite sans jamais avoir heurté d'obstacle constituent l'exception.

Plusieurs d'entre nous emprunteront une voie différente, essayant différentes choses, différents emplois, différentes relations, avant de découvrir ce qui les rendra heureux. D'autres trouveront un travail qu'ils aiment, mais se rendront compte que cela ne satisfait pas d'autres besoins et objectifs importants à ce moment-là. Comme notre identité est fluide à différentes étapes de notre vie, nos objectifs peuvent changer, les uns par rapport aux autres. C'était manifestement le cas de Daniel, qui est maintenant dans la fin de la cinquantaine, et qui avait été heureux d'enseigner dans une école privée lorsqu'il avait une vingtaine d'années, mais qui était devenu insatisfait du salaire et du rôle qui le définissaient. «Je ne me voyais pas, 20 ans plus tard, portant un veston de tweed élimé, donnant un cours sur Shakespeare à des élèves de 16 ans, dit-il. Il n'en était pas question. Alors, je me suis réorienté. D'abord, comme journaliste, puis, par l'intermédiaire d'un ami, j'ai décroché un emploi dans une agence de publicité. Je recherchais franchement un certain prestige (il était important pour moi de me sentir aussi expérimenté et doué que mes amis) et mon salaire avait une grande importance. Mais, une fois que mes enfants eurent grandi, j'ai commencé à voir les choses autrement. À vrai dire, l'enseignement nourrissait mon âme d'une façon que mes autres emplois n'arrivaient pas à atteindre. La publicité était amusante, compétitive et lucrative, mais je cherchais encore autre chose.» Une fois ses enfants devenus grands, Daniel a pu, non sans difficulté, réintégrer l'enseignement, domaine où il est encore aujourd'hui.

Les distractions, les objectifs contradictoires ou temporaires, ou même les pressions de la vie quotidienne peuvent compliquer les choses ou freiner notre capacité à atteindre l'objectif. C'était le cas de Carolyn, qui a maintenant 53 ans, et qui avait décidé de quitter ses études supérieures alors qu'elle avait 24 ans, décision qu'elle considère aujourd'hui comme ayant empoisonné son existence. «J'adorais mes cours, et il me manquait seulement 12 crédits pour avoir mon diplôme: j'en avais accumulé 24 sur 36. Mais j'étais aussi crevée et je ne savais pas ce que je voulais. Je suivais mes cours et j'avais un emploi, tentant désespérément de me trouver, et je traversais tous les bouleversements que vivent les gens dans la vingtaine qui ne savent pas ce qu'ils veulent. Finalement, j'ai quitté l'université.» Elle a fini par se marier, elle a suivi des cours de counseling, puis elle a occupé une série d'emplois qui lui ont plu, en prévention et en conseils auprès des jeunes. Après avoir parfait ses études, elle est retournée à la maison pour s'occuper de ses trois enfants. « Cela semblait la bonne chose à faire, à l'époque, tant du point de vue économique qu'affectif, mais j'étais malheureuse, explique-t-elle. Je me sentais inutile, et quand j'ai reçu un appel à propos d'un emploi possible, j'ai sauté sur l'occasion. J'ai quitté la maternité à temps plein sans un seul regret. » Elle a passé les 10 années suivantes à offrir du counseling, notamment en toxicomanie, dans un réseau scolaire public, jusqu'à ce que des compressions fassent disparaître son poste.

Et c'est la partie de l'histoire où sa décision d'il y a près de 30 ans entre en jeu. Carolyn n'a pas pu trouver de travail comme conseillère, poste qu'elle avait occupé pendant 20 ans, parce qu'elle ne détenait pas de maîtrise en travail social ou un autre diplôme d'études supérieures. Néanmoins, il est clair que son objectif primordial (travailler avec les gens et les conseiller) est demeuré remarquablement constant au fil des ans, même si elle l'avait perdu de vue au début et à d'autres moments dans sa vie. Comme plusieurs d'entre nous, elle a pris ses décisions alors qu'elle était accaparée par le traintrain quotidien, distraite par d'autres objectifs temporaires, sans être pleinement consciente de son plus vaste objectif.

À vrai dire, le parcours de Carolyn n'est pas si inhabituel. Mais ce qu'elle dit maintenant témoigne de ce qu'elle a appris : « Je pense que la chose la plus importante qu'on puisse faire pour soi-même est de trouver ce qui est important pour nous, avant de trouver ce qui est important pour les autres. Lorsque j'ai quitté l'université, je n'avais aucune idée de ce que je voulais vraiment, et je n'avais pas de vision à long terme. Je ne savais pas comment faire attention à moi ni comment écouter mon instinct, et cela a été difficile pour moi, au fil des ans. Je suis retournée aux études et je me suis laissé écarter de mon but parce que nous avions besoin d'argent ou que nous éprouvions d'autres problèmes. Maintenant, le cadet de mes enfants est sur le point de terminer ses études secondaires, et je sais ce que je veux faire et ce que je dois faire pour y parvenir. »

Tous, nous devons jongler avec nos priorités et nos objectifs au quotidien; raison de plus pour établir clairement nos aspirations. Comme l'affirme Daniel Gilbert, nous ne faisons pas que tomber sur le bonheur, nous tombons aussi sur des emplois, des relations et toutes sortes de situations. La vie est beaucoup plus embrouillée que dans les laboratoires où se déroulent les expériences et où les théories sont mises à l'épreuve. C'est pourquoi il est nécessaire d'évaluer consciemment nos objectifs, comme en fait foi l'histoire de Lynne et de son mariage.

« J'ai épousé un homme que mes parents m'avaient présenté quand j'avais 22 ans, explique-t-elle. Il avait six ans de plus que moi, ce qui était une différence d'âge importante (il avait un travail stable, et moi, je finissais mes études), et j'avais des doutes, mais je me suis laissé emporter dans le feu de l'action. Il m'a demandée en mariage devant une trentaine de personnes (que pouvais-je dire?), et même si je ne croyais pas que je me rendrais au pied de l'autel, je n'étais pas assez sûre de moi pour faire quoi que ce soit. Mais, une fois mariée, je me suis sentie complètement étouffée, piégée. Il était clair que lui et moi avions différents objectifs, différentes façons de considérer le monde et différentes priorités. J'ai tenu le coup deux ans, tentant de faire fonctionner la relation, puis je me suis enfuie, littéralement enfuie. C'est la première et la seule fois où j'ai quitté quelque chose d'important; je me suis remariée à l'âge de 28 ans, et je suis aujourd'hui mariée depuis

31 ans. J'aurais aimé faire les choses différemment (parler à mon ex-mari au lieu de prendre la fuite), mais j'en étais incapable à l'époque. Je me suis sentie seule et très mal par la suite, mais pas aussi seule que pendant les deux années où j'ai été mariée. »

Aujourd'hui, après toutes ces années, compte tenu de la carrière satisfaisante qu'elle a pu mener de front avec l'éducation de ses trois enfants, elle dit : « Ce que j'ai retenu de cette expérience, c'est que j'avais besoin d'une relation qui me laissait davantage d'autonomie que ma première relation ne m'en a donné. C'était devenu l'un de mes objectifs, et cela m'a été très utile. »

Devenir le plus conscients possible de ce que nous voulons vraiment exige du temps, des efforts et une bonne pincée de stratégie.

Le coût du changement d'identité

Examiner et évaluer nos objectifs consciemment, et peut-être même aller un peu plus loin et se désengager à leur égard, peut exiger un changement véritable et parfois douloureux dans notre façon de nous percevoir. Songez à l'histoire de Deidre, la jeune femme qui s'était définie pendant son enfance, son adolescence et le début de sa vie adulte par ses exploits en natation de compétition et qui s'est demandé : « Qui suis-je si je ne nage pas ? » Sa question traduit le coût affectif et psychologique de la transition qui peut nous empêcher de réévaluer nos objectifs et de nous désengager à leur égard.

C'est la question que soulève William Bridges dans son livre devenu un classique, *Transitions*, qui lui a été inspiré par l'abandon de sa carrière de professeur de littérature. William Bridges décrit son « processus de désidentification » comme « l'aspect intérieur du processus de désengagement. Les répercussions de telles pertes peuvent être beaucoup plus importantes qu'on ne l'imagine». Il était certain que cela ne lui causerait pas de problème de ne plus pouvoir se désigner comme professeur de littérature (soit ce qui résume ce que nous sommes, tant auprès des étrangers que des gens que nous connaissons) jusqu'à ce que sa fille rentre à la maison et lui demande: «Qu'est-ce que tu es, papa?» Il s'agissait d'une question anodine, issue d'une discussion entre élèves sur le métier de leurs pères, mais William Bridges se trouva décontenancé de ne pas disposer d'un terme officiel pour se décrire, tel que «professeur d'université», comme par le passé. Son identité reposait plutôt sur des verbes: écrire, conseiller, donner des conférences. Il lui a été douloureux de constater que ce qu'il voulait que sa fille dise de lui, à l'école, n'était pas une série de verbes, mais quelque chose de normal et de concret.

Cette perte potentielle est ce qui freine plusieurs d'entre nous de cataloguer leurs objectifs et de décider d'y donner suite ou non. On évite ainsi la douleur potentielle du désengagement, ainsi que la perte de la définition de soi-même au quotidien, que ce soit «avocat en droit immobilier», «épouse ou petite amie de Peter», «artiste», «courtier en valeurs mobilières» ou autre chose. Il est beaucoup plus difficile de perdre le côté rassurant de cette étiquette lorsque cela se produit contre notre gré: lorsqu'on est congédié, mis à pied ou laissé par son conjoint. La capacité de se désengager par rapport à la perte de la définition de soi fait autant partie de l'art de tirer sa révérence que la gestion des regrets.

Lorsque nous devons abandonner un objectif et nous engager à l'égard de quelque chose de nouveau, chacun de nous doit quitter la sécurité de la terre ferme pour s'aventurer dans des eaux inconnues, parfois troubles et terrifiantes. C'est habituellement houleux.

Un autre inventaire

Étant donné qu'une bonne partie de la vie humaine se passe sur le pilote automatique, faire l'inventaire de tous nos objectifs conscients (au sens figuré, faire le ménage dans notre placard d'aspirations) constitue une première étape utile vers la meilleure gestion de notre vie. Nous reconnaissons que cette idée de processus automatiques est un peu troublante : il est beaucoup plus rassurant de penser que c'est nous qui tenons le volant de la personne que nous sommes. Mais reconnaître l'existence des processus automatiques est ce qui, au bout du compte, nous donne davantage de contrôle. Vos objectifs conscients seront mis en relief et, en même temps, cela vous aidera à voir comment vos humeurs, vos émotions et vos attitudes à l'égard de vos objectifs sont façonnées par des forces dont vous ne soupçonnez même pas l'existence.

On trouve des preuves des processus automatiques pratiquement partout. Un jour, vous décidez consciemment d'emprunter un chemin plus long pour vous rendre au travail de façon à avoir plus de temps pour réfléchir à la journée qui commence, mais un autre jour, vous ne saurez même pas pourquoi vous avez décidé d'emprunter la rue Principale alors que la rue Saint-Paul est beaucoup moins congestionnée. Qu'est-ce qui vous a fait croire que Jack est un bon gars et que Philip est un perdant la première fois que vous les avez rencontrés ? Qu'est-ce qui vous rend immédiatement à l'aise dans un contexte, alors qu'un autre contexte vous rend maussade ? Pourquoi est-ce que le mardi, vous êtes sur un nuage et que vos objectifs vous semblent atteignables, alors que le jeudi, la seule idée qui vous vienne à l'esprit est que vos objectifs sont voués à l'échec, quels que soient les efforts que vous y mettiez ? Pourquoi, certains soirs, ne pouvez-vous cesser de vous en faire à propos du lendemain, malgré tous vos efforts pour vous libérer l'esprit ?

Nous savons déjà que la réponse à toutes ces questions est le « processus automatique », et le fait que le cerveau (l'esprit) est toujours en quête de manières de nous faire progresser vers nos objectifs, même ceux qui sont inconscients. Le fonctionnement de tout ce mécanisme a été démontré dans une étude qui se penchait sur la question de savoir pourquoi il est si difficile de se libérer de pensées intrusives, alors que tout ce que nous voulons, c'est dormir. Les chercheurs voulaient vérifier l'hypothèse selon laquelle ces pensées, qui semblent aléatoires et sorties de nulle part, sont en fait déclenchées par des tâches futures qui pourraient (dans notre esprit, à tout le moins) bénéficier d'un peu de prévoyance. Autrement dit, l'esprit, ou le cerveau, nous bouscule pour que nous réfléchissions, alors que, consciemment, tout ce que nous voulons, c'est dormir. Les chercheurs ont conçu une expérience qui permettait de tester si le fait d'anticiper une tâche future dans laquelle la performance serait stimulée par la prévoyance allait déclencher davantage de pensées intrusives automatiques qu'une tâche qui ne serait probablement pas améliorée par un peu de prévoyance. La tâche choisie pour les participants était un questionnaire sur la géographie.

Un groupe de participants s'étaient fait dire qu'à la suite d'un exercice de concentration, ils répondraient à un questionnaire, dans le cadre duquel ils devraient trouver le plus grand nombre possible d'États américains. À vrai dire, les chercheurs n'avaient aucune intention de leur faire répondre à un questionnaire. L'exercice de concentration comportait l'écoute d'une bande audio de huit minutes, portant sur la méditation et la respiration. En raison de l'effet du processus ironique décrit par Daniel Wegner (dire aux gens de ne pas penser à un ours blanc les incite à y penser), on n'a pas donné aux sujets la consigne de se vider l'esprit ou de ne pas tenir compte de pensées intrusives. On leur a demandé de se concentrer sur les exercices de respiration, mais d'écrire toutes les pensées intrusives qui leur venaient à l'esprit. La bande audio, bien sûr, ne parlait que de respiration, et non de géographie.

Il y avait deux groupes témoins. L'un d'eux a reçu les mêmes consignes que le groupe expérimental ; cependant, on a dit à ces sujets qu'il n'y aurait pas de questionnaire de géographie, mais uniquement un exercice de concentration. On a dit aux membres du deuxième groupe témoin qu'ils participeraient à un test de calcul rapide (ex. : « New York contient sept lettres »). Comme l'anticipation n'allait pas améliorer la capacité à calculer rapidement, les chercheurs ont émis l'hypothèse selon laquelle les sujets de ce deuxième groupe témoin, comme ceux qui savaient qu'ils ne seraient pas interrogés sur les noms des États, n'auraient pas de pensées intrusives.

Et c'est exactement ce qui s'est produit. Seuls les membres du premier groupe (les sujets qui croyaient qu'ils allaient avoir à nommer des États) ont eu des pensées intrusives, jusqu'à six, en lien avec la géographie, pendant l'écoute de la bande audio. De plus, les intrusions n'étaient pas comme un avant-goût délibéré, mais présentaient la nature aléatoire des pensées surgies de nulle part. Ce qui est vraiment remarquable, comme l'ont noté les chercheurs, c'est qu'étant donné la brièveté du test de concentration au cours duquel on leur rappelait, encore et encore, de se concentrer sur leur respiration, les participants n'ont eu aucune pensée intrusive, « sans parler de celles qui, avions-nous prévu, envahiraient leur conscience ». (La bande audio durait à peine huit minutes !) Les chercheurs ont conclu à la persistance des processus automatiques de l'esprit.

Bien sûr, on ne peut pas modifier le fonctionnement de l'esprit, mais en se sensibilisant davantage à la façon de prendre des décisions en vue de poursuivre un objectif et non un autre, et aux motifs de cette décision, on peut se rendre moins vulnérable aux processus automatiques. Lorsque vos pensées vous empêchent de dormir, demandez-vous s'il s'agit de pensées aléatoires ou si votre esprit essaie de planifier pour vous. En y substituant un plan conscient, on aidera l'esprit à se calmer, tout comme le fait de réorienter délibérément le processus de réflexion. De même, en prenant davantage conscience non seulement de ce que vous ressentez, mais aussi des raisons pour lesquelles vous le ressentez, vous renforcerez votre contrôle sur vos objectifs. La recherche a démontré que l'humeur (qui est distincte des émotions) influe sur les objectifs que vous vous fixez et sur votre poursuite de ces objectifs.

À cette fin, avant de cataloguer nos objectifs, nous devons examiner de près les humeurs « mystères ».

Les humeurs et les émotions

Nous avons déjà vu que la gestion des émotions et le perfectionnement des aptitudes à utiliser nos émotions pour soutenir notre processus de pensée sont essentiels à l'établissement des objectifs et au désengagement à l'égard de ceux-ci. Examiner de quelle façon l'humeur (autre état affectif) influe sur la poursuite et l'évaluation des objectifs augmente le degré de compréhension.

Mais, qu'est-ce que l'humeur, après tout ? Nous avons tous expérimenté les humeurs (la bonne, la mauvaise et l'humeur massacrante), mais en quoi diffèrent-elles des émotions ? Nous savons tous d'expérience que les humeurs affectent notre jugement et notre capacité à composer avec nos émotions et qu'elles font obstacle à notre objectivité. Les humeurs, bonnes et mauvaises, déterminent notre performance au travail, le plaisir qu'on a dans une fête, la vitesse à laquelle nous perdons patience quand nos enfants font une crise, la façon dont nous réagissons en situation de stress ou s'il y a un problème à résoudre. Que pouvons-nous tirer des enseignements de la science sur les humeurs, particulièrement les humeurs mystères ?

Contrairement aux humeurs, les émotions se vivent consciemment et proviennent d'une source identifiable : on est heureux parce qu'on a reçu des éloges ou que notre partenaire nous regarde avec des yeux amoureux ; on est triste parce qu'on a laissé tomber un ami ou que notre chien a perdu la vie. Les humeurs sont différentes : elles sont plus diffuses et, même si on est conscient de son humeur du moment, d'autres fois on ne l'est pas. Il s'agit alors de l'*humeur mystère*. Combien d'entre nous se sont fait demander par des amis ou un conjoint pourquoi ils sont de si bonne ou mauvaise humeur, et qui ont répondu d'une manière défensive ou indignée : «Mais non, tu te trompes !» Une fois qu'on se fait mettre son humeur sous le nez, il est plus facile de s'en rendre compte, mais il arrive qu'on ne sache toujours pas pourquoi on se sent ainsi. La nature inconsciente des humeurs mystères agit sur deux plans : la non-conscience de la personne d'être de cette humeur et la non-conscience des origines de cette humeur.

Quand vous savez que vous êtes de mauvaise humeur (ou de bonne humeur), et que vous savez pourquoi (votre patron vous a crié après sans raison, ou vous avez enfin obtenu la promotion que vous attendiez), vous avez conscience du fait que votre humeur influe non seulement sur votre vision générale de la vie, mais aussi sur la façon dont vous traitez l'information et sur votre manière de penser. Mais ce n'est pas le cas des humeurs mystères : vous chaussez alors vos lunettes roses (ou vos lunettes grises) pour scruter non seulement votre environnement, mais aussi vos objectifs et vos décisions. Bien sûr, ce n'est pas parce que vous n'avez pas conscience de votre humeur mystère ou de ses origines qu'il n'y a rien qui l'ait causée.

L'une des causes possibles est ce que Tanya Chartrand et ses collègues appellent un «objectif non conscient». Qu'est-ce que c'est, exactement?

Ce pourrait être un objectif que vous cherchez à atteindre depuis si longtemps (en bavardant avec votre patron et en le flattant, en essayant d'être plus extraverti) qu'il est devenu automatique ou que vous n'y avez pas songé consciemment. Voici l'exemple qu'utilisent Tanya Chartrand et ses collègues: un homme prénommé John, un joyeux fêtard qui a déjà travaillé sur son comportement pour se faire accepter socialement. Depuis, il a pris part à tellement de réceptions qu'il se met en mode «fête» sans même s'en rendre compte. Mais, même s'il n'a plus conscience de l'objectif qu'il s'est fixé il y a longtemps, le désir d'être apprécié est toujours présent et est déclenché par le simple fait de participer à une fête. Cependant, un soir, personne ne lui sourit, ne semble l'apprécier, ni ne rit de ses blagues, et son humeur s'assombrit. Il n'arrive pourtant pas à trouver pourquoi il se sent si abattu.

Les humeurs mystères peuvent aussi être déclenchées par l'environnement (les objets, les gens ou les situations) ou par le comportement social non verbal des autres. Les psychologues appellent cela la «contagion sociale». Vous en avez probablement fait l'expérience lorsque vous avez broyé du noir après avoir passé trop de temps avec des amis déprimés.

Les humeurs mystères nous touchent tant au point de vue émotionnel qu'au point de vue cognitif. Comme nous ne savons pas pourquoi nous nous sentons ainsi, il est probable que nous attribuions ces sensations à quelque chose d'aléatoire (autre variante du pigeon superstitieux de Skinner), plutôt qu'à la véritable cause. Notre humeur, qu'elle soit bonne ou mauvaise, influe sur la manière dont nous traitons l'information, donc sur la teneur de nos pensées ainsi que sur notre jugement à propos de nos objectifs. Tout comme les autres preuves des effets d'un optimisme exagéré, les humeurs mystères positives «mènent à un traitement exigeant moins d'efforts que les humeurs négatives», ce qui nous conduit à voir nos efforts pour atteindre un objectif sous un jour nouveau, qui n'est pas fondé, en réalité. Les humeurs mystères peuvent nous convaincre de continuer à poursuivre un objectif ou de nous désengager à son égard. Et surtout, le fait d'essayer de contrôler ce que nous ressentons et de changer d'humeur peut nous amener à formuler de nouveaux objectifs.

On peut composer avec les humeurs mystères en les contrecarrant par la conscientisation, en se concentrant sur les facteurs qui ont pu les déclencher, et en s'efforçant de gérer ces sensations. Il s'agit d'une autre étape dans le processus d'apprentissage visant à savoir quand se désengager par rapport à un objectif et quand s'engager dans une autre direction.

Nous allons maintenant nous pencher sur la cartographie de nos objectifs : l'arpentage du territoire de nos désirs, de nos besoins et de nos aspirations.

CHAPITRE SEPT

La cartographie de nos objectifs

Pendant des années, de nombreux livres et discussions ont fait allusion à une étude supposément célèbre et approfondie (attribuée soit à la promotion de 1954 du MBA à Harvard, soit à la promotion de 1979 de Yale), qui expliquait pourquoi 3 % des anciens étudiants gagnaient 10 fois plus d'argent que le reste des 97 %, 10 ans après l'obtention de leur diplôme. La réponse est très simple et super : les 3 % qui avaient le mieux réussi avaient écrit leurs objectifs. Il n'est pas difficile de voir pourquoi cette prétendue étude avait fait tant de tapage : des chiffres faciles à retenir, des écoles prestigieuses et la garantie d'un succès facile.

Ce n'est pas une légende urbaine, après tout

Malheureusement, cette étude n'a jamais existé. Mais, tout comme les alligators dans les égouts de New York, cette légende urbaine mériterait d'être vraie. En fait, une étude réalisée aux universités McGill et de Toronto en 2011 démontre que le fait de noter ses objectifs est utile, et qu'en élaborant leurs objectifs personnels et en y réfléchissant, les étudiants qui éprouvent des difficultés améliorent leur performance. Mettre nos objectifs par écrit peut accroître notre capacité à évaluer si nos efforts pour les atteindre donnent des résultats, et à déterminer si ces objectifs sont vraiment accessibles; cela aide à clarifier si on devrait continuer à poursuivre ces objectifs ou se désengager à leur égard. La cartographie permet aussi de considérer ses objectifs les uns par rapport aux autres, ce qui se révèle précieux.

Nous parlons de cartographie des objectifs au sens plutôt littéral du terme, en nous armant d'un stylo et d'une feuille ou d'un ordinateur. (Nous supposons que si vous avez un talent exceptionnel pour la visualisation, vous pouvez même le faire mentalement.) Mais, pour la plupart d'entre nous, écrire à propos de quelque chose clarifie le processus de la pensée de façon importante et force à exprimer ses désirs et ses aspirations de manière plus concrète. Si vous le voulez, vous pouvez lire les pages de ce chapitre sans faire la cartographie de vos objectifs pour commencer, puis y revenir, ou bien en faire la carte, étape par étape, au fil de votre lecture.

La liste de vos objectifs

Utilisez les catégories suivantes pour classer vos objectifs. Faites deux colonnes, l'une pour les objectifs à court terme, et l'autre pour les objectifs à long terme. Si vous le désirez, vous pouvez personnaliser encore davantage les catégories; il ne s'agit que d'un point de départ. N'hésitez pas à y inscrire tous les objectifs que vous croyez pertinents. Il n'en tient qu'à vous de déterminer ce qui est à court terme et à long terme; il peut s'agir d'une question de mois ou d'années pour atteindre un objectif à court terme: cela dépend de vous.

Objectifs de vie (efforts personnels)

Les objectifs de vie comprennent les aspirations personnelles liées à la croissance de soi (devenir un meilleur leader, être moins impulsif, se sentir mieux par rapport à ses choix, accepter ses limites, par exemple). Ils peuvent être vastes ou abstraits (parvenir à mieux écouter, être plus attentif, cultiver la gratitude, être plus réceptif aux autres) ou concrets (lire davantage de livres, gaspiller moins de temps sur Internet, dépenser moins, s'employer à résoudre les différends, maîtriser une nouvelle langue). Ils devraient comprendre tant des objectifs d'approche (comme avoir des enfants, être stable financièrement, être propriétaire d'une maison, voyager à travers le monde ou faire quoi que ce soit d'autre qui est important à vos yeux) que des objectifs axés sur l'évitement.

Objectifs de carrière ou de travail

Les objectifs que vous vous êtes fixés pour votre emploi ou votre carrière peuvent être aussi variés que de devenir écrivain ou gestionnaire de fonds de placement, trouver un emploi plus intéressant, retourner aux études pour vous réorienter, gagner plus d'argent ou travailler pour un patron plus sympathique. Vous pouvez aussi préciser davantage votre objectif, aller au-delà de la simple description de l'emploi ou de la carrière et noter ce que vous espérez que votre travail ajoute à votre vie, comme lui donner une valeur, un sens de l'appartenance, une satisfaction quotidienne, un défi intellectuel. De même, vous devriez ajouter des objectifs d'évitement, si vous en avez (comme de vous tenir loin des gens grincheux et trop exigeants).

Objectifs relationnels

En ce qui concerne les objectifs relationnels, dressez une liste de vos aspirations en matière de liens et d'appartenance (par exemple établir une relation intime et satisfaisante, vous marier, étendre votre cercle social, approfondir vos relations d'amitié ou améliorer vos relations familiales) ; ajoutez-y des étapes concrètes qui vous aideront à atteindre des objectifs plus abstraits (comme de socialiser davantage, faire du bénévolat, vous joindre à une équipe de sport, démarrer un club de lecture, mentorer un enfant). Les objectifs d'évitement (comme vous tenir loin des querelles familiales) peuvent également faire partie de votre liste.

Objectifs d'apprentissage et d'accomplissement

Vos objectifs d'apprentissage et d'accomplissement devraient être plus concrets et tenir compte des trois autres catégories ; si l'un de vos objectifs personnels est la stabilité financière, dans ce cas, obtenir un emploi mieux rémunéré, rembourser vos prêts étudiants ou ne pas contracter d'autres emprunts pourrait être votre objectif intermédiaire. Si vous envisagez une réorientation de carrière, le retour aux études ou le réseautage pourrait être l'un de vos objectifs à court terme.

Commencez par noter vos objectifs, sans ordre particulier. Si vous désirez voir un exemple de carte d'objectifs, regardez les modèles placés à la fin de ce chapitre, aux pages 230 et 233.

Intrinsèque ou extrinsèque ?

Passez en revue votre liste d'objectifs, et commencez à vous demander si chacun d'entre eux est intrinsèque ou extrinsèque. Comme le décrivent le psychologue Richard M. Ryan et ses collègues, les objectifs extrinsèques ne sont pas seulement ceux qui sont imposés par des tiers (par exemple, votre père, votre mère, votre mentor ou votre conjoint veulent que vous deveniez avocat, ou votre entraîneur veut que vous continuiez à faire de la natation), mais aussi ceux qui dépendent de la réaction ou de l'approbation de tiers. Les objectifs extrinsèques ont également tendance à être des moyens d'atteindre d'autres fins, plutôt que d'être des fins en eux-mêmes. Bien sûr, notre culture est obsédée par les définitions de la réussite qui reposent sur des objectifs extrinsèques : l'argent, la gloire et l'image.

Dans une étude intitulée « Further Examining the American Dream » (examiner de plus près le rêve américain), Tim Kasser et Richard Ryan ont demandé à des adultes et à des étudiants universitaires de rédiger des rapports sur quatre aspirations intrinsèques et trois aspirations extrinsèques, et de préciser lesquels de ces objectifs ou principes avaient le plus d'importance dans leur vie. Les quatre domaines intrinsèques étaient l'acceptation de soi (atteindre la maturité psychologique, l'autonomie et le respect de soi), l'appartenance (avoir des relations satisfaisantes avec la famille et les amis), l'esprit communautaire (améliorer le monde par l'activisme et la générosité) et la bonne condition physique (se sentir en santé, libre de toute maladie). Les trois principes extrinsèques étaient la réussite financière (être bien nanti, obtenir le succès matériel), la reconnaissance sociale (être célèbre ou connu et admiré) et avoir une belle apparence (être séduisant sur les plans corporel, de la tenue vestimentaire et de la mode). Les gens qui étaient davantage axés sur les objectifs intrinsèques ont fait état d'un plus grand bien-être, de moins d'anxiété et de dépression, et de moins de malaises physiques que ceux qui se laissaient mener par des objectifs extrinsèques.

Cela ne signifie pas que les objectifs extrinsèques soient mauvais en soi ou que le fait de chercher à les atteindre nous voue à une existence de malheur. N'ayez crainte : vous pouvez continuer à rêver d'avoir un placard rempli de chaussures Louboutin ou d'avoir une Porsche tout équipée dans votre garage. Ce qui semble important, c'est si vous poursuivez des objectifs extrinsèques dans une démarche autonome, et à quel point votre estime de vous-même repose sur ces objectifs extrinsèques. Malheureusement, les objectifs extrinsèques ne nourrissent pas l'âme, comme l'écrivent les chercheurs: «Leur attrait réside habituellement dans l'admiration présumée qui s'y rattache, ou dans le pouvoir et la valorisation qu'on tire du fait de les atteindre.» Il semble que les Beatles aient eu raison de chanter que «l'argent n'achète pas l'amour»; la gloire, l'argent, et même la beauté ne semblent pas garantir le bonheur ou la satisfaction dans la vie, peu importe ce qu'on nous montre à la télé ou dans les pages du magazine *People*. Les gens les plus heureux et les plus en santé sont ceux dont les objectifs sont à prédominance intrinsèque et qui alimentent largement leur estime de soi.

Vis-à-vis de chacun de vos objectifs, inscrivez un «I» pour «intrinsèque», et un «E» pour «extrinsèque». Rappelez-vous toutefois que même les objectifs intrinsèques peuvent se défraîchir avec le temps; même un objectif intrinsèque de longue date peut cesser de vous rendre heureux, parce que votre estime de vous-même et vos besoins fluctuent au fil du temps. Bien que ce soit une bonne chose en matière de croissance personnelle, cela complique la vie et peut nécessiter que vous apportiez des changements douloureux, allant même jusqu'à l'abandon de vos objectifs.

C'était le cas de Marie qui, après 20 années de travail en tant que dessinatrice, savait qu'elle devait tirer sa révérence. Elle avait voulu devenir dessinatrice depuis son tout jeune âge (trois ou quatre ans), et elle possédait le talent, le dynamisme et le perfectionnisme nécessaires pour y arriver. Elle avait fréquenté un collège prestigieux, avait lancé sa carrière en tant que dessinatrice commerciale à l'âge de 22 ans et s'était mariée peu après. Elle avait apprécié son succès, et elle était passée d'un contrat pour une seule illustration à la création d'un livre en quadrichromie, ce qui lui rapportait des droits d'auteur stables; puis, elle s'était dirigée vers les cartes et les calendriers. Marie avait voulu une carrière qui lui apporterait l'autonomie, qui lui permettrait de faire ce qu'elle aimait dans la solitude, de se tailler son propre horaire, mais, avec le temps, ce qu'elle avait voulu au début la rendait de plus en plus malheureuse. Comme elle avait de la difficulté à gérer son temps, tous ses projets étaient toujours en retard et elle se sentait enfermée dans son atelier, coupée du reste du monde.

En rétrospective, elle dit : « Ma façon de travailler était de l'autosabotage, et c'était épuisant, du point de vue physique, émotionnel et artistique. Mon travail était spectaculaire, mais il me dévorait vivante. J'ai raté des mariages, des enterrements, des baptêmes, des vacances familiales. Parallèlement, le marché a changé et la demande de beaux livres s'est effondrée. J'étais de moins en moins bien rémunérée pour le travail que je faisais. » Petit à petit, elle a commencé à revoir ses objectifs et à prendre des mesures pour s'aiguiller vers une vie comportant des aspirations très différentes. Plus que tout, elle voulait se trouver dans le monde, rencontrer des gens, loin de sa vie de travail en solitaire, qui est celle d'une dessinatrice.

Parfois, un objectif qui semble intrinsèque se révèle gratifiant seulement de façon extrinsèque. David était un enfant du divorce, et son choix du droit familial comme spécialité avait été conscient et délibéré ; son objectif était de travailler avec des couples en vue de tenter d'atténuer les tensions et l'anxiété qu'éprouvent les familles qui traversent un divorce. Mais après 10 années de pratique, il a commencé à comprendre que les efforts qu'il déployait au nom de ses clients ne faisaient souvent que prolonger le processus de divorce et, de temps à autre, cela ne faisait qu'amplifier les préjudices subis par la famille. Cette constatation l'a plongé dans un état de crise ; il a quitté sa pratique en tant qu'associé d'un cabinet d'avocats, et s'est réorienté comme médiateur. Il lui a fallu deux ans pour décider de partir et trois ans de plus pour établir son cabinet de médiation autonome, mais ce qu'il fait maintenant pour gagner sa vie est issu d'une motivation intrinsèque. Son travail témoigne de son estime de soi et en fait partie intégrante.

Formuler et établir la carte de vos objectifs, et prévoir les changements que vous pourriez vouloir y apporter dans l'avenir constituent une stratégie efficace.

Conflit ou compatibilité ?

L'étape suivante du processus consiste à revoir vos objectifs à court et à long termes, afin de vérifier s'il existe des conflits ou une compatibilité entre eux. Demandez-vous si vos objectifs à court terme sont liés à vos objectifs à long terme ou s'ils peuvent être considérés comme un tremplin vers de plus vastes objectifs. Dans le meilleur des cas, vos objectifs à court terme augmenteront les possibilités d'atteindre vos objectifs à long terme. Dans le pire des scénarios, vous trouverez que certains de vos objectifs (personnels ou professionnels) entrent en conflit.

Comme nous l'avons déjà vu, les objectifs conflictuels constituent une source quasi certaine de tristesse et de stress. Bien sûr, l'atteinte de certains objectifs à long terme (devenir associé dans une grande boîte, créer une entreprise à partir de zéro, entrer à la faculté de médecine et devenir spécialiste) qui nécessite un énorme investissement de temps et d'énergie entrera inévitablement en conflit avec d'autres objectifs dont la poursuite puise dans les mêmes quantités limitées de temps et d'énergie dont nous disposons. Ces conflits entre ce qu'il faut faire pour gagner assez d'argent et le désir de faire un travail gratifiant et satisfaisant de façon intrinsèque sont bien connus, comme le sont les exigences souvent conflictuelles d'être un parent disponible et habile de ses mains et de poursuivre une carrière nécessitant une énorme quantité de temps, d'efforts et de diligence. De même, il est peu probable que vous ayez le temps de cultiver d'autres intérêts (que ce soit de jouer au golf, d'étudier la reliure ou la menuiserie), peu importe à quel point ils peuvent être gratifiants, si vous vous consacrez à votre carrière. Vous êtes la seule personne en mesure de répondre à la question suivante : lequel de deux objectifs conflictuels est le plus important pour vous ? Il n'existe pas de règle absolue que l'on puisse appliquer de façon universelle.

Rick avait grandi dans la pauvreté au Wisconsin, enfant unique d'une mère qui avait été abandonnée par son mari. Il avait poursuivi ses études grâce à une bourse qu'on lui avait versée pour qu'il fasse partie de l'équipe de football, et il avait obtenu son MBA d'une institution prestigieuse. Ses objectifs, qu'il s'était fixés quand il était au début de la vingtaine, étaient la réussite financière, la sécurité et la stabilité émotionnelles, et la capacité de travailler à ses propres conditions, de manière assez autonome. Résolu et très persévérant, il s'est marié dès la fin de ses études, empressé de fonder la famille qu'il n'avait pas eue lui-même. Après ses études en commerce, il s'est trouvé un emploi dans une prestigieuse société d'experts-conseils, où il travaillait de 60 à 70 heures par semaine, déjouant les manœuvres de ses pairs, et décrochant constamment des promotions et des hausses salariales. Ses supérieurs faisaient son éloge et l'estimaient beaucoup. Mais les longues heures qu'il consacrait à son travail ont miné son mariage, et il était irrité par le manque total d'autonomie qui lui était imposé dans une entreprise traditionnelle ; son travail consistait à satisfaire tant ses supérieurs que ses clients. Mais il a tenu le coup jusqu'à ce que sa femme le quitte et qu'il se rende compte qu'il devait changer des choses.

Ce moment, qui aurait pu être le point tournant dans sa vie, ne l'a pas été. La plupart de ses amis travaillaient autant d'heures que lui, et leurs femmes, rêvant des récompenses à long terme que constituent les grandes maisons et les voitures de luxe, ne se plaignaient pas. Par conséquent, Rick s'est mis en tête que ce qui n'allait pas, c'était l'attitude de sa femme. Il s'est remarié trois ans plus tard et, cette fois, l'union a duré moins d'un an. Il a fini par heurter un mur, à l'âge de 35 ans, alors qu'il s'est retrouvé avec un gros compte en banque, mais peu d'autre chose. Il lui a fallu près de deux ans pour dénicher une occasion de démarrage d'entreprise en laquelle il croyait, et il a commencé à pressentir des investisseurs. Il a réussi à lancer l'entreprise, puis il s'est fixé un horaire de travail de 40 heures par semaine, ce qui lui a permis d'entamer une relation et de la cultiver. Il a finalement pu concilier ses objectifs professionnels et personnels, sans sacrifier l'un pour l'autre.

Si vous avez découvert des objectifs qui pourraient être conflictuels, tracez une nouvelle colonne et dressez la liste de ces objectifs, l'un au regard de l'autre, sous l'entête « Conflit ». Si vos objectifs sont compatibles, ne touchez pas à vos listes.

L'approche et l'évitement

Avec la carte de vos objectifs devant vous, songez à la façon dont vous formulez vos objectifs. Avez-vous l'habitude de voir vos objectifs en termes d'évitement ou d'approche ? Y a-t-il un équilibre entre les deux ou l'un est-il prédominant ? En prêtant attention à la manière dont vous formulez vos aspirations, vous en arriverez à savoir davantage si vous devez poursuivre dans la même direction ou si vous devez changer de parcours, du moins en partie.

Une question de priorités

Pour approfondir votre compréhension de vos objectifs, suivez les étapes des paragraphes ci-dessous. Ce prolongement de l'exercice de cartographie comporte trois parties. La première est créative et a été inspirée par l'étude des universités McGill et de Toronto.

1re étape: Rédigez une description de ce dont votre avenir aurait l'air dans des circonstances idéales. Imaginez-le le plus fidèlement possible, avec autant de détails que vous le pouvez. Vous devriez y incorporer une description de votre moi idéal, tous vos efforts ayant porté fruits. Incluez toutes les qualités et tous les comportements ainsi que les objectifs d'apprentissage et de maîtrise que vous aimeriez faire vôtres.

Soyez aussi précis que possible à propos de vos objectifs dans la vraie vie. Imaginez votre vie personnelle et professionnelle, l'endroit où vous vivez et votre style de vie, et ce à quoi vous consacrez votre temps et votre énergie. Songez aux objectifs que vous avez déjà atteints, à l'équilibre entre votre travail et vos loisirs, et au degré de satisfaction personnelle que vous en tirez. Imaginez votre contexte social, votre cercle familial et vos amis. Votre situation financière devrait aussi faire partie de votre scénario.

2e étape: Reprenez votre liste d'objectifs et réécrivez-les par ordre d'importance, en les numérotant. Si vous avez une liste d'objectifs conflictuels, priorisez-les, eux aussi. Laissez assez de place pour pouvoir écrire quelques phrases sous chacun d'eux. Rayez de votre liste tout objectif qui, réflexion faite, ne vaut pas la peine d'y figurer, et ajoutez-y ceux que vous croyez avoir oubliés. Soyez aussi précis que vous le pouvez dans l'établissement des priorités; si deux objectifs se rapprochent trop pour être distingués, numérotez-les et étiquetez-les comme (a) et (b).

3ᵉ étape: Sous chaque objectif, écrivez une ou deux phrases expliquant pourquoi cet objectif est important pour vous, et comment l'atteinte de cet objectif contribuera à votre bien-être, à votre bonheur ou à votre succès. Si vous avez des objectifs conflictuels, écrivez une ou deux phrases à propos de celui que vous pensez devoir abandonner, et sur les répercussions qu'aurait sur votre vie votre désengagement à son égard. De même, écrivez une ou deux phrases sur l'objectif que vous avez l'intention de continuer à poursuivre, et sur la façon dont son atteinte enrichirait ou changerait votre vie.

Une fois ces trois étapes terminées, relisez ce que vous avez écrit à propos de votre avenir idéal et revoyez vos objectifs dans l'ordre. Posez-vous les questions qui suivent:

- Mes objectifs traduisent-ils ma vision d'un avenir idéal?
- Mes objectifs à court terme contribuent-ils à mes objectifs à long terme? Me rapprochent-ils de l'atteinte de ces objectifs?
- Combien de mes objectifs sont abstraits, plutôt que concrets? Est-ce que j'ai à l'esprit les étapes concrètes qui me permettront de les atteindre?
- Mes stratégies me permettront-elles d'atteindre mes objectifs? Dans la négative, ai-je des solutions de rechange?
- S'il existe des conflits entre différents objectifs, lequel d'entre eux devrais-je songer à abandonner? Sur quels critères est-ce que je me fonde pour faire mon choix?
- Si j'ai l'intention de me désengager à l'égard d'un objectif, quel sera mon plan de match? Ai-je un objectif de remplacement en tête?

- Y a-t-il un équilibre entre mes objectifs qui ont une motivation intrinsèque et mes objectifs qui sont largement extrinsèques ?
- De tous mes objectifs et aspirations, lesquels sont les plus susceptibles de me rendre plus heureux à l'avenir que je ne le suis aujourd'hui ?

Pour certains d'entre nous, c'est à cette dernière question qu'il pourrait être le plus difficile de répondre. Nous allons donc examiner nos objectifs en ayant présent à l'esprit comment nous nous sentons lorsque nous les atteignons.

Utiliser le « flux » (*flow*) pour évaluer vos objectifs

Nous avons constaté plus d'une fois que les humains n'arrivent pas très bien à déterminer ce qui les rend heureux. Même s'il n'existe pas de recette universelle du bonheur, certains principes peuvent aider à comprendre la façon de reconnaître les sources de bonheur. L'un de ces principes est celui du « flux » (*flow*, en anglais, ou « expérience optimale ») établi par Mihaly Csikszentmihalyi ; c'est aussi un principe que nous pouvons utiliser pour tracer la carte de nos objectifs, les évaluer et décider de ceux que nous devrions poursuivre ou abandonner.

Le concept du flux est plus facile à expliquer par un exemple. Rappelez-vous un moment où vous étiez entièrement absorbé dans une activité, à tel point que tout ce qui vous entourait semblait avoir disparu. Votre concentration était totale, dépourvue de distraction. Cette activité peut être n'importe quelle tâche, pourvu que vous ayez été heureux ou serein en vous y adonnant, tellement absorbé que vous en aviez oublié le temps. En plus d'avoir l'impression de ne faire qu'un avec l'activité, vous ressentiez une intense satisfaction, une plénitude à faire ce que vous faisiez. Ce moment vous a donné une sensation de maîtrise, en plus de vous libérer des préoccupations courantes et des hésitations qui accompagnent la plupart d'entre nous, tout au long de la journée. C'est ce que Csikszentmihalyi appelle le «flux». Comme il l'explique, le flux est une expérience universelle qui ne connaît pas de frontières culturelles et qui n'est pas limitée par l'âge ou par le sexe.

Les athlètes décrivent souvent ce qu'ils ressentent à pratiquer leur sport comme le fait d'être sur leur lancée, dans le mouvement, ou «dans le flux»; dans ces pages, vous vous rappelez peut-être Deidre, la nageuse, qui décrivait la course comme une «impression incomparable d'épuisement, d'exaltation et de me sentir vivante», alors que James parlait de «se laisser totalement absorber dans une seule tâche». Ce sont là des descriptions du flux. Les écrivains parlent de leurs personnages qui «s'écrivent eux-mêmes», alors que les musiciens disent «être dans la musique»; une tisserande parlera de la légèreté de vivre qu'elle ressent en travaillant, du fait qu'elle se perd elle-même dans le processus. Le flux est probablement ce que le poète William Butler Yeats avait en tête lorsqu'il a écrit: «Comment distinguer la danseuse de la danse?»

Mais l'expérience du flux ne se limite pas aux activités qui sont, de par leur nature, créatrices. Et on n'a pas besoin d'être un artiste ou un athlète. Les gens ordinaires font l'expérience du flux, par moments, en effectuant leur travail et pendant des activités comme le tricot ou le jardinage. On peut aussi en faire l'expérience pendant une excellente conversation avec des amis ou en passant du temps avec ses enfants.

L'expérience du flux nécessite certaines conditions que Csikszentmihalyi décrit, à commencer par ce qu'il appelle l'«expérience autotélique», terme dérivé du grec *autos* signifiant «soi-même», et *telos*, signifiant «but». Il s'agit d'une activité qui, dans ses mots, est «une fin en elle-même», et qui, «même si elle a été entreprise pour d'autres raisons, devient gratifiante en elle-même». Sa définition d'un objectif intrinsèquement précieux et gratifiant rejoint celle d'autres théories que nous avons déjà abordées à propos des objectifs. Mais l'apport exceptionnel de Csikszentmihalyi repose notamment sur son affirmation que la plupart des activités ne sont ni «purement autotéliques», ni «purement exotéliques» (terme qu'il utilise pour décrire les activités motivées uniquement par des raisons extérieures), mais une combinaison des deux. Selon sa théorie, il est possible de voir comment les objectifs, qui sont d'abord poursuivis pour des raisons en grande partie extrinsèques, peuvent devenir intrinsèques, de par leur valeur et leur importance, et comment ils peuvent nous amener à un état de flux.

Parmi les exemples qu'il utilise, il y a celui de l'homme qui veut devenir chirurgien pour des raisons exotéliques : aider les gens, gagner de l'argent et avoir du prestige. Mais, précise-t-il, «avec un peu de chance, après un certain temps, il commencera à aimer son travail, et la chirurgie deviendra, dans une large mesure, autotélique». Le flux nous élève au-dessus du quotidien et transforme ce que nous ressentons, parce que nous sommes en symbiose avec ce que nous faisons.

Un avocat plaidant explique son expérience du flux : «Ça m'arrive lorsque je m'adresse à un jury et que je me rends soudainement compte que j'ai le contrôle de la salle d'audience. Tous les membres du jury m'observent, m'écoutent et prêtent attention à chacun de mes mots. À ce moment, le temps semble ralentir, et je n'ai aucune hésitation. Je peux choisir mes mots avec soin, sélectionner précisément le mot qu'il faut, façonner ma plaidoirie et chacune de mes phrases à l'avance, parce que mon esprit devance ma parole. Je suis totalement pris par le moment, mais, en même temps, je suis aux commandes. Je sais que cela peut paraître étrange (comment une personne peut-elle être en même temps "aux commandes" et "prise par le moment"?), mais c'est exactement comme cela que je me sens. »

Une femme décrit son expérience du flux alors qu'elle enseignait la littérature à des étudiants du niveau collégial : « Bien sûr, cela n'arrivait pas à tous les cours, mais tout de même avec une certaine régularité. Un jour, lorsque la discussion sur un poème ou un roman a pris une nouvelle tournure, et que mes étudiants étaient tous intéressés, entièrement absorbés par le sujet, j'ai su qu'ils avaient compris. Je pouvais lire l'émerveillement sur leur visage (ils avaient saisi quelque chose à propos des mots et de leur signification, ou à propos des personnages et de leurs émotions, d'une façon directe : une révélation), et lorsque la cloche annonçant la fin du cours a retenti, ils ont eu l'air étonné, tout comme moi. Ils sont restés assis pendant un moment, puis, ils se sont levés, avec une certaine réticence, comme si un charme avait été rompu. » Il s'agit là, aussi, d'une expérience du flux.

L'expérience optimale du flux dépend d'autres facteurs que de la nature « autotélique » de l'activité. Il peut s'agir notamment de ce qui suit :

- L'objectif doit être clair, exempt d'exigences contradictoires. Ce qui doit être fait doit être évident.
- Il doit y avoir un équilibre entre les défis que pose l'objectif et nos habiletés, contrairement à ce qui se passe dans la vie ordinaire, lorsqu'une situation trop exigeante peut donner lieu à de la frustration ou à de l'anxiété, ou lorsqu'une tâche peu stimulante est source d'ennui.
- La rétroaction doit être immédiate. Nous savons sur-le-champ si nous sommes sur la bonne voie, et nous

sommes rassurés de savoir que ce que nous faisons est bien.

- Nous sommes totalement concentrés sur l'activité, sans distraction.
- Nous sommes entièrement absorbés dans l'activité, inconscients de ce qui se passe à l'extérieur.
- Nous n'avons aucune pensée ou préoccupation liée à l'échec.
- Il y a une disparition totale de la conscience de soi ; nous ne pensons pas à la façon dont les autres nous voient ou nous jugent, et nous ne nous préoccupons pas d'impressionner ou d'influencer les autres.
- Nous vivons une distorsion temporelle.

Le travail que vous faites, les activités que vous exercez et les intérêts que vous poursuivez aux fins d'épanouissement et de plaisir, les relations que vous entretenez (bref, plusieurs des objectifs dont vous venez de faire la carte), peuvent être évalués en termes de flux. L'une des importantes leçons que les travaux de Csikszentmihalyi nous permettent de tirer a trait à l'équilibre entre les défis que pose l'objectif et vos habiletés. Comprendre que le flux émane d'un équilibre va à l'encontre de la vision culturelle de ce qui fait réussir les gens et les rend heureux. Voilà un autre argument puissant pour laisser tomber la croyance populaire voulant que « plus la barre est haute, meilleur sera le saut ».

Songez aux activités auxquelles vous vous adonnez ainsi qu'aux objectifs que vous vous êtes fixés en termes de flux. Quels changements pouvez-vous apporter à votre vie pour faire l'expérience du flux plus souvent ? Uniquement en ce qui concerne le flux, y a-t-il des objectifs que vous devriez poursuivre avec plus de dynamisme ? Quels changements pourriez-vous apporter à votre façon de faire votre travail ou au travail que vous faites ?

Une femme, qui est maintenant dans la mi-quarantaine, décrit comment elle a révisé ses objectifs : « J'ai abouti dans le domaine du marketing plutôt par accident ; à la fin de mes études, j'ai décroché un poste d'adjointe, puis j'ai gravi les échelons sans vraiment penser à ce qui me plaisait ou ne me plaisait pas dans mon travail. J'étais assez heureuse, je gagnais assez d'argent et je pouvais voyager, ce qui était formidable. Puis, l'entreprise a changé de mains, et j'ai été licenciée. J'ai donc dû faire une pause pour me demander ce que j'allais faire après. Il n'y avait pas beaucoup d'emplois qui m'intéressaient, et j'ai commencé à penser à démarrer ma propre entreprise. Je me suis rendu compte que ce qui me plaisait vraiment, c'était la planification et le dépannage, plus que la mise en œuvre de plans de marketing ; c'est ainsi que je me suis lancée dans les services de consultation, en travaillant directement avec de petites entreprises. C'est le remue-méninges qui me stimule. »

Cette femme n'utilise pas le terme « flux », mais elle aurait pu le faire. De nombreux autres exemples que nous vous avons donnés, particulièrement celui de Jill, l'avocate, qui a quitté son emploi d'avocate plaidante pour devenir enseignante, sont liés au flux et au besoin personnel d'éprouver de la satisfaction et une symbiose avec le travail et d'autres activités.

En plus de voir nos objectifs se réaliser ou non, en termes de flux, il est important de déterminer s'ils sont atteignables. Il s'agit, là aussi, d'une question d'équilibre.

La maîtrise du contraste mental

La première partie de la cartographie des objectifs étant terminée, le moment est venu de passer vos objectifs en revue afin de déterminer s'ils sont atteignables. N'oubliez pas que ce sont plusieurs facteurs qui déterminent si un objectif peut être atteint : disposer du temps, de l'énergie et des autres ressources nécessaires ; posséder les compétences et avoir les stratégies appropriées pour l'atteindre ; déterminer l'absence de conflit avec d'autres objectifs importants. La compétence nécessaire pour déterminer si nous devrions fixer et mettre en œuvre un objectif ou nous désengager à son égard, comme nous l'avons déjà vu, s'appelle le « contraste mental ».

Le contraste mental nécessite d'avoir en tête l'avenir souhaité, tout en se concentrant sur les facteurs de la vraie vie qui peuvent en empêcher la réalisation. Il s'agit d'un exercice mental qui exige de garder à l'esprit sa vision de l'avenir pendant que l'on évalue le présent avec réalisme. L'équilibre entre l'avenir et le présent est absent des deux autres façons de penser possibles à propos d'un objectif : la pensée positive à propos de l'avenir (complaisance) ou la concentration sur les aspects négatifs de la réalité (appesantissement). D'après la recherche réalisée par Gabriele Oettingen et ses collègues, la complaisance et l'appesantissement ne mènent qu'à un engagement tiède à l'égard de l'objectif, même si les possibilités de réussite sont élevées. Ainsi, ne penser à l'avenir qu'en termes positifs ou ne songer qu'aux obstacles actuels ne fait que maintenir l'engagement des gens à l'égard d'un objectif qu'ils ont peu de possibilités d'atteindre ; ils ne peuvent se désengager à l'égard de cet objectif que par le contraste mental. De plus, le contraste mental favorise le réalisme par rapport aux objectifs à court et à long termes, et à la possibilité de leur mise en œuvre.

Un objectif à court terme pourrait être de donner une excellente présentation de 40 minutes à la réunion de marketing de l'entreprise, à la demande de votre patron ; il vous a laissé libre d'accepter ou de refuser de faire cette présentation. La façon traditionnelle de faire face à ce défi est de se faire un petit laïus d'encouragement («Tu es capable!»), en vous rappelant les autres occasions où vous avez su relever des défis, ou simplement en imaginant les applaudissements enthousiastes et le sourire de votre patron, une fois votre présentation terminée. Bien sûr, cette approche complaisante masque vos tendances ou vos habitudes de penser qui pourraient faire obstacle à un succès retentissant. Par ailleurs, cette perspective peut vous terrifier et il se peut que la seule vision que vous en ayez soit vous, paralysé entre des graphiques et une présentation PowerPoint, et une mer de personnes qui ont l'air de s'ennuyer; cela constitue de l'appesantissement.

En recourant au contraste mental, vous vous concentreriez sur l'objectif de donner une présentation dynamique, en tenant compte des choses qui pourraient y faire obstacle: votre anxiété à l'idée de parler en public, votre tendance à ne pas tenir en place en situation de stress, votre habitude de procrastiner, votre débit trop rapide, votre propension à avaler vos mots quand vous êtes stressé et votre tendance à dire «hum», dans presque toutes vos phrases.

Songer aux embûches possibles en termes concrets vous permet de déterminer si ces obstacles peuvent être surmontés et si le fait de donner cette présentation peut mener à des gains éventuels (être apprécié du patron, retenir l'attention du président et des autres hauts dirigeants, ouvrir peut-être la voie à de futures promotions). Votre réflexion sur les bons côtés repose sur le réalisme, et vous force à porter votre attention sur ce qui doit être fait pour réussir. Vous vous rendez compte qu'en vous préparant, vous pouvez atténuer votre anxiété, ce qui vous permettra de vous sentir plus à l'aise; vous pourrez donc vous concentrer davantage. Vous prenez des notes, vous rédigez votre narration, puis vous la divisez en sections et vous demandez à un copain de vous «coacher». Le contraste mental vous permet d'aller de l'avant vers l'atteinte de votre objectif sur tous les plans : cognitif (réfléchir et planifier) ; affectif (se sentir responsable et en contrôle de la tâche) ; motivationnel (se sentir stimulé par les avantages potentiels) ; et comportemental (investir temps et efforts).

Le contraste mental peut être utilisé pour évaluer tout objectif, dans tous les domaines, et faciliter son atteinte. Ces objectifs peuvent être aussi variés que de créer un jardin communautaire (les obstacles peuvent être la recherche de restrictions de zonage, l'obtention de l'approbation de la municipalité, le financement, la publicité, la recherche de bénévoles, la recherche d'une source de paillis, etc.) ou de réorienter votre carrière (la collecte des références nécessaires, la planification de cette activité, l'acquisition de l'expérience requise, le réseautage et l'obtention de recommandations, la recherche d'un emploi). Dans tout domaine, le contraste mental favorise l'approche « si-alors », comme dans : « Si X se produit, alors je réagirai en faisant Y » ou « Si X ne se produit pas, alors je ferai Y » ou encore, « Si il ou elle agit de façon X, alors je réagirai en disant Y » et vous pouvez alors planifier des manières de surmonter les obstacles à l'atteinte de votre objectif. Cela favorise l'action, plutôt que la stagnation ou l'immobilisme dans les vieux schèmes. Ce processus clarifie les possibilités et peut faire comprendre que la persévérance risque d'être vaine.

Par contre, la complaisance (chausser ses lunettes roses et rêver que l'avenir idéal se concrétisera par magie) et l'appesantissement (se concentrer sur les aspects négatifs et crouler sous leur poids) font entièrement référence à soi. Ils limitent particulièrement nos choix en matière de relations. L'approche « si-alors », qui est issue du contraste mental, aide à prévoir nos réactions aux situations, car nous utilisons ce que nous savons pour anticiper les problèmes.

Imaginez, pour un moment, que votre objectif est de cesser de vous disputer avec votre conjoint à propos de l'argent. En adoptant le point de vue complaisant, vous imaginerez une vie sans querelles avec des fonds illimités, alors qu'en adoptant la perspective de l'appesantissement, vous vous concentrerez sur les disputes que vous avez eues au fil des ans et sur le fait que votre conjoint est dépensier ou radin, mais le contraste mental, lui, vous fera songer à la façon de réagir aux divers facteurs qui ont déclenché les querelles par le passé. En vous concentrant sur la réalité actuelle pour résoudre les problèmes, ce que vous pouvez dire pour désamorcer la situation et rendre l'échange plus productif fera de vous un auditeur plus attentif, par surcroît. L'approche « si-alors » vous permet de reformuler toute situation en termes d'action et de réaction.

Tout comme l'intelligence émotionnelle nous aide à gérer nos émotions et à les utiliser pour informer notre processus de pensée, le contraste mental peut nous aider à acquérir de l'intelligence motivationnelle et comportementale. Il peut équilibrer la façon dont nous sommes « câblés » pour persévérer, peu importe le peu de possibilités d'une éventuelle réussite, il peut nous aider à formuler des plans d'action avec plus d'autorité ou nous donner l'énergie et la stimulation nécessaires pour susciter notre désengagement, au besoin.

Le contraste mental depuis l'intérieur

Des études visant à mesurer l'activité cérébrale ont démontré que le contraste mental n'est pas simplement un concept théorique, mais que c'est une activité différente de la complaisance, de l'appesantissement ou du repos. La recherche a également laissé entendre que le contraste mental ne peut être maîtrisé que dans certaines conditions; nos cerveaux devraient porter une étiquette disant : « Avertissement : capacité limitée.» Ces conclusions viennent confirmer ce que Roy Baumeister et ses collègues avaient constaté à propos de l'épuisement de l'ego et d'autres capacités.

À l'aide de l'imagerie cérébrale, des chercheurs ont découvert que le contraste mental et la complaisance mènent à une augmentation de l'activité des régions du cerveau associées à la mémoire de travail et à la formation de l'intention. Fait intéressant, ils ont également constaté une hausse de l'activité cérébrale dans les zones responsables de la mémoire épisodique et de l'imagerie mentale nette et précise, «ce qui donne à penser que le contraste mental prend sa source dans la récupération d'événements passés personnels ainsi que dans le traitement de stimuli complexes, comme revivre des incidents passés».

Selon les chercheurs, ces constatations laissent entendre qu'étant donné que le contraste mental met à l'épreuve la mémoire de travail, cet exercice doit être fait à un moment où la demande cognitive n'est pas élevée ; ce devrait être une activité faite séparément, et non de concert avec d'autres tâches ou lorsque la personne est stressée ou fatiguée.

Une fois que vos objectifs sont cartographiés aux fins de clarté, le contraste mental devient un outil puissant qui peut vous aider à décider de rester engagé, de redéfinir vos objectifs ou de vous désengager. Quelle que soit votre intention ultime, il reste un autre outil à ajouter à votre arsenal.

Oublier la petite locomotive

Veuillez nous excuser à l'avance de malmener vos plus chers souvenirs d'enfance, mais lorsqu'il s'agit de nous conditionner en vue de l'atteinte de nos objectifs, il appert que les paroles d'encouragement qui seraient censées fonctionner, comme «Tu peux y arriver !» «Vas-y, tu es capable !», ne fonctionnent pas. Dans une étude sur le monologue intérieur, Ibrahim Senay et son équipe ont émis l'hypothèse que la forme interrogative («Est-ce que je pourrai…?») entraînerait une plus grande motivation à poursuivre un objectif que la déclaration «Je vais…», parce que la formulation inspirerait des pensées liées aux raisons intrinsèques de la poursuite de cet objectif et donnerait donc lieu à une meilleure performance dans l'exécution de la tâche. Et c'est exactement ce qu'ils ont découvert.

Les participants qui se sont fait demander «si» ils allaient résoudre des anagrammes ont mieux réussi que ceux à qui on a demandé de songer au fait «qu'ils allaient» résoudre des anagrammes. Dans une deuxième expérience, on a demandé aux participants d'écrire 20 fois «Will I», «I will», «I» ou «Will» («Vais-je?», «Je vais», «Je» ou «Vais»), puis on leur a donné 10 anagrammes à résoudre. Seuls ceux à qui on avait donné la consigne d'écrire «Will I» ont enregistré une bonne performance. Dans la troisième expérience, on a d'abord demandé aux participants d'écrire une séquence de 24 nombres que les chercheurs lisaient à haute voix et qui étaient dans un ordre aléatoire ou déterminé; on leur a dit que cet exercice allait leur libérer l'esprit pour le test d'écriture qui allait suivre (dans ce cas, il s'agissait d'écrire seulement deux segments de phrase: «Vais-je?» ou «Je vais»). On leur demandait ensuite de faire état de leurs projets d'exercice physique pour le week-end suivant, et du nombre d'heures qu'ils prévoyaient y consacrer. Les chercheurs ont pensé que le fait d'écrire une séquence aléatoire allait atténuer l'effet de la notation du segment «Vais-je?», plusieurs fois de suite, et cela s'est avéré. Le segment «Vais-je?» a le mieux fonctionné avec les nombres prédéterminés. Dans la quatrième et dernière expérience, on demandait aux participants s'ils prévoyaient continuer à s'entraîner régulièrement ou s'ils commenceraient à le faire, après avoir reçu la consigne d'écrire les segments «Vais-je» ou «Je vais». Ils ont ensuite noté 12 énoncés sur l'importance, selon eux, de faire de l'exercice. Six des raisons données étaient intrinsèques (par exemple, «Je veux prendre ma santé en main.»), et six étaient extrinsèques (par exemple, «Parce que je me sentirais coupable ou honteux si je ne le faisais pas.»). Le segment «Vais-je?» n'a eu aucun effet sur les objectifs extrinsèques, mais il incitait à donner des raisons intrinsèques de faire de l'exercice.

Alors, si vous prévoyez amorcer un monologue intérieur pour vous motiver, ne le formulez pas dans des mots comme «Je peux» ou «Je vais»; motivez-vous plutôt en vous posant la question à laquelle vous seul pouvez répondre: «Vais-je?» Cela fera entrer en action toutes les raisons intrinsèques que vous avez pour poursuivre l'objectif et stimuler votre sens de l'autonomie.

Un acte de foi

Revenons à l'histoire de Marie qui, au bout de 20 ans comme dessinatrice indépendante, s'est rendu compte que ses objectifs initiaux ne la rendaient plus heureuse. Au début, incapable de penser à ce qu'elle pourrait faire d'autre (elle n'avait aucune expérience pratique à part être dessinatrice), elle s'est concocté des solutions temporaires pour répondre à la double exigence de gagner sa vie et d'être heureuse. Elle a continué à accepter des mandats, mais elle a entamé de nouveaux projets qui l'entraînaient à l'extérieur de son atelier. Elle s'est mise à défendre les intérêts des dessinateurs et a obtenu une accréditation en tant que médiatrice; elle a commencé à donner des ateliers et à conseiller les dessinateurs sur la résolution de différends avec leurs clients, à négocier leurs droits et à étudier les complexités des droits d'auteur. Et pourtant, même si son nouveau réseau la faisait sortir dans le monde pour établir des contacts avec les gens et les aider, ce qui, a-t-elle compris, était l'un de ses principaux objectifs, elle ne voulait pas passer tout son temps sur la route. Par ailleurs, elle s'adonnait encore au graphisme et n'était pas prête à s'arrêter, du moins, pas tout de suite.

Le dilemme de Marie est typique de ce qui arrive lorsqu'un grand objectif qui définit intimement la personne ne fonctionne pas et qu'abandonner la situation n'est pas vraiment une solution envisagée. Lorsque la capacité de se désengager n'est pas mise en équilibre avec la persévérance, il n'y a pas de possibilité d'imaginer un avenir différent.

Dans le cas de Marie, l'impulsion d'agir lui a été insufflée de l'extérieur, soit par les terribles événements du 9 septembre 2001 et les pertes de vie qu'ils ont causées. Native de New York où elle a grandi, elle s'est sentie poussée par un sentiment d'urgence de trouver un sens à sa vie et de lui donner de la stabilité. Elle a abandonné le dessin et s'est tournée vers une carrière dans le commerce de détail, ce qui lui permettait de faire appel à son sens du design et d'utiliser son aptitude à traiter avec les gens. Avec le temps, elle est devenue une excellente directrice de magasin. Et cette expérience l'a menée vers un emploi qui a donné un sens à sa vie, comme elle le recherchait : un emploi dans un organisme sans but lucratif, auprès de jeunes défavorisés. Il y a maintenant 10 ans qu'elle a quitté le dessin et cela ne lui manque pas. Elle a numérisé tout le travail qu'elle avait effectué en 20 ans et, à l'occasion, elle exploite ces dessins sous licence. Être une dessinatrice n'est plus ce qui la définit avant tout, et elle n'en a aucun regret.

Malheureusement, ce n'est pas le cas de tout le monde, surtout si l'objectif était intrinsèque et primordial pour la personne. C'est dans ces moments que la maîtrise de l'art de tirer sa révérence est absolument essentielle, et encore plus si la perte de la définition de soi n'est pas librement choisie, comme lorsque quelqu'un est licencié ou congédié, ou abandonné par son conjoint. Gérer des sentiments de perte et de regret ainsi que l'impression de ne pas être à la hauteur peut faire partie du travail nécessaire pour se désengager totalement, faire la transition et se réengager à l'égard d'un nouvel objectif. Nous allons donc maintenant tenter d'ouvrir la voie de la connaissance de soi et des stratégies conscientes.

1er MODÈLE DE CARTE D'OBJECTIFS

Cette carte d'objectifs a été remplie par une femme célibataire de 25 ans, diplômée universitaire, qui a travaillé en relations publiques et dans les médias sociaux. Il s'agit de sa première liste d'objectifs sans ordre particulier ni numérotage.

	Court terme	Long terme
Objectifs de vie	Être fidèle à moi-même.	Mener une vie authentique, fondée sur des valeurs véritables.
	Être plus compréhensive envers les autres.	Être plus à l'aise avec mes choix.
	Être plus indulgente envers moi-même à propos de mes décisions passées.	Accepter que le passé soit passé.
		Être consciente du fait que nous apprenons de nos erreurs.
Carrière/travail	Acquérir et perfectionner des compétences.	Travailler pour un organisme sans but lucratif.
	Travailler en rédaction et dans les contacts avec les médias.	Me concentrer sur l'aide à apporter aux autres.
	Réseauter avec des gens d'organismes sans but lucratif.	Bien me sentir à propos de ma carrière, dès que je me réveille.
	Trouver un emploi dans un milieu motivant.	
	Être entièrement autonome.	
	Me sentir stimulée comme si je travaillais fort.	

Relations	Faire des efforts pour sortir davantage.	Avoir un mariage fondé sur l'intimité et la confiance.
	Approfondir les amitiés existantes.	Avoir des enfants.
	Être proactive dans la résolution de problèmes.	
	Mettre fin aux amitiés superficielles et me retrouver avec un petit groupe de confiance.	
Apprentissage/ réalisations	Explorer davantage le bénévolat.	Voyager dans le monde.
	Obtenir un diplôme de premier cycle en histoire de l'art.	Apprendre une autre langue.
	Être plus proactive concernant les sujets sur lesquels je désire apprendre.	Essayer de vivre dans une autre ville.

2ᴱ MODÈLE DE CARTE D'OBJECTIFS

Cette carte d'objectifs a été remplie par un homme marié de 38 ans, qui a un fils en bas âge, est diplômé universitaire et travaille comme journaliste et rédacteur. Il s'agit de sa première version, sans ordre particulier ni numérotage.

	Court terme	Long terme
Objectifs de vie	La stabilité financière ; économiser pour déménager dans une plus grande maison.	Économiser en vue des études et des soins de santé de ma famille.
	M'assurer que les tâches quotidiennes et le stress ne m'empêchent pas d'être davantage à l'écoute.	Continuer à faire de l'exercice.
	Me concentrer sur la joie de vivre le moment présent.	Courir un demi-marathon.
Carrière/travail	Avoir une performance de haut niveau.	Accroître constamment mes connaissances et mes compétences professionnelles afin de rester un élément clé dans mon secteur.
	Obtenir des hausses salariales, des promotions et des primes.	
	Trouver l'équilibre entre les heures de travail et la vie familiale.	
	Être un mentor efficace auprès des plus jeunes membres de l'équipe.	

Relations	Faire savoir à ma femme que je l'aime et que je l'apprécie tous les jours.	Être le genre de père qui assiste aux matches de baseball de son fils.
	Voyager et entreprendre au moins une grande aventure par année.	Être présent et avoir une influence positive sur la vie de mon fils.
Apprentissage/ réalisations	Trouver le temps de lire le plus de livres possible.	Écrire un roman.
		Apprendre une langue étrangère, peut-être le portugais.

CHAPITRE HUIT

Réussir son départ

Parfois, notre capacité de nous pousser à agir et à partir est moins liée à notre personnalité, à notre caractère ou à notre façon de penser innée qu'à notre histoire personnelle. L'expression «histoire personnelle» fait allusion aux événements de notre enfance ainsi qu'à la teneur et à la qualité des liens d'attachement avec nos parents et nos autres dispensateurs de soins. Ces liens précoces s'inscrivent dans de plus vastes modèles de comportement qui ont une incidence sur notre capacité à composer avec nos émotions, que notre vie soit fondée sur l'approche ou sur l'évitement, et en fonction de notre attitude par rapport au succès et à l'échec. Les gens qui ont eu des liens profonds dans leur enfance ont tendance à se trouver dans des situations saines et valorisantes, suscitant les émotions de leur enfance, mais ils détectent aussi plus facilement les situations inconfortables et toxiques. Les gens qui n'ont pas eu de liens sécurisants peuvent se trouver attirés par des gens et des situations qui leur rappellent leur passé, mais qui les rendent malheureux.

Il y a autre chose dont il faut tenir compte : les événements malheureux ont des répercussions à plus long terme que les événements heureux. Nous savons que ce n'est pas très positif, mais c'est réaliste et confirmé par un tas d'études scientifiques.

Comme le disaient Roy Baumeister et ses collègues dans « Bad Is Stronger than Good » (le mauvais l'emporte sur le bon), « les émotions négatives, les mauvais parents et la mauvaise rétroaction ont plus de répercussions que ceux qui sont positifs, et l'information négative est traitée plus en profondeur que la bonne ».

Nous ne nous souvenons pas toujours consciemment de ces événements, mais ils influent tout de même sur nos actes conscients et sur notre prise de décisions. Nous ne comprenons peut-être pas toujours pourquoi nous agissons d'une certaine façon ou pourquoi nous faisons certains choix, pas à cause des processus automatiques de notre cerveau, mais en raison de schèmes passés, qui résident dans notre subconscient.

Ces schèmes peuvent faire obstacle à notre engagement et à notre désengagement à l'égard d'objectifs, ce qui nous empêche de poursuivre notre quête de ce que nous avons besoin ou de ce que nous voulons, ou nous immobilise sur place alors qu'il faudrait que nous partions. Comme tous les processus inconscients, la solution réside dans la prise de conscience de ces schèmes.

L'histoire de Carolyn, future photographe, illustre comment ces vieux schèmes peuvent influer sur la façon de penser et sur les objectifs. Carolyn venait du Midwest, mais elle avait déménagé à New York après ses études, animée de grandes ambitions, comme bien des jeunes. Elle a saisi ce qu'elle croyait être la chance d'une vie, un emploi de réceptionniste dans le studio d'une photographe réputée. Elle a commencé au bas de l'échelle, mais après deux années d'assiduité, elle est devenue l'une des assistantes de la photographe. Il y avait un fort roulement du personnel au studio ; la photographe était brillante, mais irritable, brusque et perfectionniste. Elle était susceptible, invectivait ceux qui se trouvaient à proximité d'elle, et la plupart de ses assistants partaient. Mais Carolyn a tenu bon, même si la photographe l'apostrophait pour qu'elle prenne plus d'initiatives, pour ensuite la fustiger d'avoir « dépassé les bornes ».

Dans cette situation où personne n'était gagnant, Carolyn a vu son estime de soi dégringoler. Ses amis, et même ses collègues, lui ont conseillé de partir, mais elle était déterminée à tenir le coup. Elle croyait qu'elle devait rester, que c'était la meilleure voie pour réaliser son rêve de devenir photographe et de posséder son propre studio. Elle espérait que ce qu'elle apprenait du métier allait l'emporter sur la vie misérable qu'elle menait, jour après jour, semaine après semaine. Une autre année s'écoula, et rien ne s'améliora.

Elle a tenu bon jusqu'à ce que sa sœur vienne la voir de Californie et la suive pendant une séance de photo. Sa sœur était là lorsque la photographe s'est défoulée sur Carolyn pour ne pas avoir réglé l'éclairage correctement, même si c'était elle qui avait dirigé Carolyn dans l'installation des projecteurs. Carolyn s'est excusée abondamment, même si elle n'avait rien fait de mal. Par la suite, sa sœur a commenté le comportement violent de la photographe et sa diatribe qui lui rappelait les critiques acerbes de leur père quand elles étaient petites, et la façon dont Carolyn lui présentait ses excuses pour qu'il arrête de la rabaisser.

Carolyn a été secouée et étonnée des remarques de sa sœur, mais, dans un éclair de lucidité, elle a compris pourquoi elle occupait encore ce poste et pourquoi elle hésitait encore à partir. Sa supérieure la traitait comme son père l'avait fait, et Carolyn apaisait la photographe comme elle l'avait fait avec son père quand elle était petite. C'est à ce moment-là qu'elle s'est rendu compte qu'elle devait partir, que ce n'était ni sain ni productif de rester. Elle s'est fixé un nouvel objectif: passer à autre chose, et elle a fait courir le bruit qu'elle était prête pour un changement. Quelques mois plus tard, un photographe concurrent lui a offert un poste et elle a sauté sur l'occasion.

Carolyn a eu la chance d'avoir une sœur perspicace et observatrice, qui avait elle-même dû affronter les fantômes de son enfance. Et elle a été encore plus chanceuse d'être capable de reconnaître le schème, une fois qu'il lui a été présenté. Pour la plupart d'entre nous, la voie de la compréhension sera un peu plus cahoteuse, et il faudra du temps et des efforts pour saisir pourquoi nous persévérons dans quelque chose qui ne nous satisfait plus ou ne nous rend plus heureux.

C'était le cas de Bill, qui se sentait coincé et insatisfait de son travail dans le secteur bancaire, où il avait débuté à l'âge de 22 ans. Il n'y avait pas vraiment de possibilités d'avancement dans son service, mais malgré le lobbyisme qu'il avait entrepris, personne ne lui avait fait d'offre au sein de l'entreprise. En dépit de sa frustration, il ne se décidait pas à chercher du travail à l'extérieur de la banque et à partir. Au bout de six ans, il était à l'aise dans ses fonctions, il assumait ses responsabilités, il aimait bien ses collègues et était loyal envers eux et envers l'institution qui lui avait donné sa première chance. La loyauté était importante pour lui, en tant qu'Américain de première génération et aîné de quatre enfants. Il avait été le bras droit de ses parents pendant ses jeunes années; il faisait ce qu'il fallait pour ses frères et sœurs, il avait été le premier à fréquenter l'école secondaire, puis le collège, et il appréciait le précieux soutien de ses parents. Bill n'était pas capable de faire un trait entre son sentiment de loyauté à l'égard de sa «famille» professionnelle et ses propres besoins de croissance et d'autonomie dans son travail, sans se sentir en conflit. Une thérapie l'a aidé à démêler tout cela et il a finalement pu commencer à se chercher un autre emploi, répondant mieux à ses besoins que son poste à la banque.

Bien sûr, les sociétés et les entreprises ne sont pas des familles ; il n'est cependant pas étonnant que plusieurs d'entre nous transfèrent inconsciemment des sentiments envers leur vraie famille (bons, mauvais ou d'indifférence) à leur milieu de travail, le plus souvent dans les relations qu'ils entretiennent avec leurs collègues et même avec leurs supérieurs, comme le démontrent les histoires de Jill et de Bill. Ce que nous apprenons, au cours de nos jeunes années, sur l'adaptation aux situations dans lesquelles nous nous trouvons (composer avec un parent critique ou avec une sœur ou un frère grincheux et le schème plus vaste de notre façon de nous exprimer) peut être ravivé par des événements que nous vivons au travail. Ces schèmes « confortables » (qui n'offrent pas vraiment de confort, sauf qu'ils nous sont familiers) expliquent pourquoi nous effectuons involontairement de l'autosabotage, en contribuant à notre propre malheur par notre immobilisme lorsqu'il faudrait partir.

Mais, le plus souvent, on trouve ces schèmes dans le domaine des relations personnelles, surtout dans les relations amoureuses ou les amitiés, et c'est souvent le schème, et non la relation elle-même, qu'il faudrait abandonner, avec habileté et consciemment.

Elizabeth avait grandi auprès d'une mère souvent distante et très critique, donc elle avait connu un genre d'attachement qui est très insécurisant. Comme tous les enfants, Elizabeth avait désespérément besoin de l'amour et de l'approbation de sa mère, et elle avait fait ce qu'elle avait pu pour lui plaire, mais en vain ; ce schème avait persisté pendant toute son enfance, jusqu'au début de sa vie d'adulte. En apparence, du moins, Elizabeth semblait bien fonctionner dans le monde :

elle avait fréquenté des écoles prestigieuses, poursuivait une carrière gratifiante en finance, était entourée d'amis proches, et elle s'intéressait à un tas de choses; mais, plus d'une fois, ses relations intimes s'étaient détériorées. À son insu, elle était attirée par les hommes qui la traitaient comme sa mère l'avait fait; inévitablement, cela la rendait misérable, mais elle restait toujours et elle était rarement, voire jamais, à l'origine de la rupture. Lorsqu'elle a atteint la fin de la vingtaine, elle s'est rendu compte qu'elle devait comprendre pourquoi elle choisissait toujours ce genre d'homme, alors elle s'est mise à chercher un thérapeute. C'est avec l'aide de celui-ci qu'avec le temps elle est parvenue à cesser de recréer les circonstances de son enfance. Elle a quitté son dernier petit ami, trop critique et exigeant, et s'est donné comme objectif de trouver un partenaire de vie qui la traiterait différemment.

Ces schèmes familiers peuvent constituer des obstacles au travail, à la maison et même avec des amis, comme l'a constaté Dawn, vers la mi-trentaine. Dawn ne pouvait jamais dire non à une demande d'aide, même quand cela ne lui convenait pas du tout. Elle était la personne à consulter au bureau quand un projet prenait du retard, parce qu'elle était la seule à ne pas avoir d'enfants; ce fut la même chose lorsqu'il fallut aider ses parents âgés, même si elle avait un frère et une sœur. Dans son enfance, elle avait pu se rendre utile en faisant la messagère entre ses deux parents qui se disputaient; sa serviabilité avait été à la base de nombreuses amitiés pendant ses années de collège et même après. Elle était celle chez qui on allait chercher des encouragements au besoin, ce qui ne la dérangeait pas parce que cela la valorisait. Une fois mariée à Rick, elle a constaté que celui-ci s'irritait parce que leurs plans, et parfois même leurs besoins, étaient laissés en suspens lorsque quelqu'un demandait de l'aide à Dawn. Même si elle comprenait que Rick se plaigne, il lui a été difficile de rompre avec ses habitudes avant qu'elle et Rick ne consultent un thérapeute et qu'elle ne se rende compte qu'elle devait fixer des limites. Encore aujourd'hui, cela demeure quelque chose qu'elle doit garder présent à l'esprit et travailler.

Il y a des milliers d'années, lorsque les Grecs de l'Antiquité allaient consulter l'oracle de Delphes avant de prendre une décision, ce qu'ils voyaient d'abord, c'était le dicton : « Connaistoi toi-même. » Cette sage pensée a tout autant de valeur aujourd'hui qu'à cette époque. Utilisez le contraste mental pour vous demander si vous devez persévérer ou si vous devez mettre plus d'efforts à essayer de partir. Demandez-vous si la situation dans laquelle vous vous trouvez correspond à votre schème de comportement. Vous trouverez ci-dessous une série de questions que vous pourriez vous poser pour explorer vos raisons profondes de rester ou de partir.

- La situation dans laquelle je me trouve me semble-t-elle familière ? De quelle façon ?
- Quels avantages tirerais-je à poursuivre sur cette voie ? Comment ces avantages se comparent-ils aux avantages possibles d'un changement de parcours ?
- Quelle part de mon comportement est motivée par l'évitement ? Puis-je formuler ce que j'essaie d'éviter ?
- Est-ce que je réagis aux gens ou aux situations de la façon que j'ai réagi par le passé ? Comment le fait de réagir ainsi me fait-il sentir ?
- À quel point ma persévérance dans cette situation est-elle alimentée par ma peur de l'inconnu, de ce qui pourrait m'arriver par la suite ?
- Est-ce que je persévère pour avoir le contrôle de la situation ? Est-il même possible d'en avoir le contrôle ?

- Est-ce que j'utilise les bonnes stratégies pour gérer mes émotions ? Suis-je submergé par mes émotions ? Ai-je des pensées intrusives ?
- À quel point suis-je poussé par la peur ou les regrets ? Par la peur de commettre une erreur en partant trop tôt ou en partant, tout court ?

Les regrets possibles par rapport à l'action ou à l'inaction sont étroitement liés à d'autres habitudes de pensée persistantes que nous avons déjà abordées, y compris l'aversion à la perte et l'escalade de l'engagement. Mais il s'agit là de façons de penser. Bien que les regrets comportent des pensées (comparer ce qu'on a fait et les résultats obtenus avec ce qui aurait pu être, opposer la réalité à une construction imaginaire), ce sont des émotions qui surgissent sans invitation et qui s'insinuent dans nos prises de décisions, y compris dans l'établissement d'objectifs et dans le désengagement à leur égard.

La gestion des regrets

De toutes les émotions, le regret est sans doute la plus complexe, ce qui explique peut-être pourquoi il a été étudié par des théoriciens dans différents domaines de la psychologie, dont le consumérisme, et en économie. Nous avons tous éprouvé des regrets, à un moment ou à un autre de notre vie, émotion qui se situe quelque part dans le spectre, entre le « Non, je ne regrette rien » d'Édith Piaf et une pensée d'Arthur Miller : « Peut-être que tout ce qu'on peut faire, c'est de finir avec les bons regrets. »

Les regrets peuvent se présenter sous toutes sortes de formes, depuis les plus petits (comme regretter de ne pas être allé à une réception vendredi soir au lieu de rester à la maison, ou de ne pas avoir acheté cette robe pendant qu'ils avaient encore votre taille), jusqu'aux moyens (si seulement vous aviez accepté cet emploi au lieu de celui que vous occupez maintenant, ou investi dans ces actions que vous vantait votre copain) et aux énormes (vous auriez dû rompre avec votre petit ami au lieu de l'épouser, ou conserver votre héritage au lieu de le jouer). Nous pouvons toujours ressentir un petit pincement de regret à propos de choses qui se révéleront insignifiantes à long terme, ainsi que de profonds regrets à l'égard de décisions qui ont assombri notre vie. Les regrets peuvent être étroitement liés au blâme, à l'autorécrimination et aux remords.

Comme le soulignent les psychologues néerlandais Marcel Zeelenberg et Rik Pieters, contrairement aux émotions de base telles que la joie, la peur ou la tristesse (toutes ressenties par les bébés), le regret ne s'accompagne d'aucune expression faciale, et il apparaît plus tard dans la vie. Une étude a conclu que les enfants de sept ans peuvent éprouver du regret parce qu'ils sont capables de différencier ce qui est de ce qui aurait pu être, mais pas les enfants de cinq ans. Le terme technique de ce processus de comparaison est «pensée contrefactuelle».

Comprendre l'importance du rôle que joue dans notre vie l'évitement des regrets peut nous permettre de tirer notre révérence avec doigté et de cerner les raisons à la base des schèmes de persévérance.

L'une des premières théories relatives aux regrets a été proposée par les lauréats du prix Nobel Daniel Kahneman et Amos Tversky, à la suite d'une étude qu'ils ont réalisée : ils y demandaient à des étudiants laquelle de deux situations hypothétiques entraînerait les plus grands regrets. Les répondants avaient reçu la consigne de s'imaginer deux investisseurs : l'un, qui détient des actions dans la société A, songe à les vendre pour acheter des titres de la société B, mais ne le fait pas ; l'investisseur apprend ensuite qu'il aurait gagné 1 200 $ s'il avait acheté les actions de la société B. Le deuxième investisseur détient des actions de la société B et les vend afin d'acheter des titres de la société A ; lui aussi apprend qu'il serait plus riche de 1 200 $ s'il s'en était tenu à la société B. Lequel de ces deux investisseurs aura le plus de regrets ?

Répondez vous-même à cette question, puis réfléchissez aux conclusions qu'ont tirées Kahneman et Tversky : 92 % des répondants ont dit que l'investisseur qui avait agi (en vendant ses actions de la société B) aurait plus de regrets que celui qui avait perdu la même somme (1 200 $) en n'agissant pas (en n'achetant pas les actions de la société B).

Le résultat est, bien sûr, étrangement contre-intuitif, étant donné que les deux investisseurs se retrouvent au même point (ils ont tous deux raté l'occasion de gagner 1 200 $) ; alors, pourquoi devrait-on supposer que l'un des investisseurs éprouvera plus de regrets que l'autre ? Dans son livre intitulé *Système 1/Système 2 : Les deux vitesses de la pensée (Thinking, Fast and Slow)*, Kahneman explique que « les gens s'attendent à éprouver de plus fortes émotions (y compris le regret) face à un résultat produit par l'action que face au même résultat produit par l'inaction ». Il affirme que l'asymétrie est aussi forte dans le cas des pertes que dans le cas des gains, et que cela s'applique aussi bien au blâme qu'au regret. Il explique cela ainsi : « La clé n'est pas la différence entre la commission et l'omission, mais la distinction entre les options par défaut et les actions qui en découlent. Lorsqu'on s'écarte de l'option par défaut, on peut facilement imaginer la norme et si l'option par défaut est associée à des conséquences négatives, l'écart entre les deux peut être la source d'émotions douloureuses. » Parmi les exemples qu'il cite, on compte les joueurs à un jeu de blackjack informatisé. Agir (que ce soit de « tirer » ou de « s'arrêter », en disant « oui ») entraînait plus de regrets que le fait de dire « non » et de ne rien faire. D'après lui, l'aversion à la perte est liée au regret : « L'asymétrie, dans le risque d'avoir des regrets, favorise les choix traditionnels, réfractaires au risque. »

Mais cette théorie a été remise en question par une série d'études ultérieures réalisées par Thomas Gilovic et Victoria Husted Medvec. Dans ces études, ils répliquaient que, même si les résultats de Kahneman et de Tversky étaient convaincants, ils ne correspondaient pas aux observations courantes sur le regret, soit que « lorsqu'on demande aux gens les plus grands regrets qu'ils ont dans la vie, ils semblent plutôt se concentrer sur les choses qu'ils n'ont pas faites ». Pour reprendre les mots de Robert Frost, que regrettons-nous le plus : la route que nous avons prise ou celle que nous n'avons pas empruntée ? (Le désaccord entre Kahneman et Gilovic et Medvec a ensuite été abordé dans un article que les trois ont publié.)

Les constatations de Gilovic et de Medvec sont fascinantes, et présentent le nombre de processus de l'esprit déjà abordés dans ces pages qui touchent et modifient les sentiments de regret. Ils ont pris pour hypothèse que le passage du temps a une incidence sur les regrets que nous éprouvons par rapport aux actes que nous avons posés et à ceux que nous n'avons pas posés ; ils soutiennent que, même si, au début, les gens sont plus troublés par ce qu'ils ont fait, le défaut d'avoir agi suscite plus de regrets, avec le temps. Une vaste étude qu'ils ont réalisée a confirmé cette observation, ainsi qu'une autre observation intéressante : deux fois plus de gens ont regretté de ne pas avoir agi, plutôt que d'avoir agi. Étant donné qu'un très faible pourcentage de regrets portait sur les circonstances hors du contrôle d'une personne, les chercheurs ont également conclu que le sentiment de responsabilité personnelle était à l'origine du regret. Ainsi, vous regretteriez beaucoup de ne pas avoir écouté votre conseiller financier, en 2007, qui vous disait de vendre votre portefeuille d'actions avant que le marché ne s'effondre; par contre, si vous n'aviez pas reçu de conseils, vous pourriez regretter l'argent perdu, mais vous ne vous sentiriez pas responsable.

Gilovic et Medvec ont réalisé des expériences visant à déterminer la différence entre les regrets à court terme et les regrets à long terme, en présentant aux sujets le scénario suivant: deux jeunes hommes, Dave et Jim, fréquentent la même université, mais ils ne se connaissent pas. Aucun des deux n'est heureux, et ils songent tous deux à changer d'institution. Les deux se rongent les sangs à propos de cette décision, mais au bout du compte, Dave décide de rester à la même université, et Jim décide de partir. Finalement, aucun des deux n'est heureux de son choix: Dave aurait préféré partir, et Jim aurait souhaité rester.

Tout en lisant, répondez aux questions qui ont été posées aux participants: (1) Qui regrettera le plus sa décision, à court terme? (2) Qui regrettera le plus sa décision, à long terme?

Les réponses ont confirmé l'hypothèse des chercheurs: 76 % des sujets ont pensé que Jim, qui avait agi en changeant d'université, aurait plus de regrets à court terme. Mais la majorité des répondants (63 %) ont pensé que Dave, qui n'a pas agi, aurait des regrets plus longtemps. Mais ce qui est le plus pertinent par rapport à notre exposé, c'est le cadre proposé par Gilovic et Medvec pour comprendre pourquoi les regrets se modifient avec le temps. Plusieurs de leurs observations concordent avec les idées déjà présentées dans ces pages, mais il vaudrait la peine de les passer en revue, parce qu'elles expliquent le processus du regret dans la vie, et le fait qu'il peut entraver le désengagement.

Les actes regrettables deviennent moins douloureux parce que les gens posent des actes en vue de « corriger » les erreurs qu'ils ont commises par le passé, et ils trouvent de bons côtés qui justifient leurs actes. Les gens affirment que les leçons tirées de leurs erreurs et de leurs échecs font partie de ce processus. De même, le fait de vous rendre compte que vous n'avez pas épousé la bonne personne vous incite à demander le divorce, mais cela peut éveiller en vous de bons souvenirs de vos fréquentations et du charme de votre partenaire qui vous ont amenés à vous marier. Ou, le comble du fait de trouver de bons côtés à tout : « Si je ne l'avais pas épousée, je n'aurais pas eu ces merveilleux enfants. » Reformuler ce qui s'est produit en termes positifs (c'est-à-dire rationaliser) est ce que Daniel Gilbert a appelé, dans un autre contexte, le « système immunitaire psychologique ».

Même si l'inaction peut être reformulée de manières qui atténuent la douleur des regrets, ce n'est ni efficace ni logique. D'abord, les inactions regrettables sont beaucoup plus difficiles à reformuler parce qu'en rétrospective, il semble habituellement très clair que les raisons pour lesquelles vous n'avez pas agi (ne pas être allé à cette université située à l'autre bout du pays pour ne pas perdre de vue vos vieux amis, ne pas inviter cette fille à sortir de peur qu'elle ne vous rejette, ne pas épouser votre partenaire amoureux de l'époque où vous fréquentiez l'université parce que vos opinions politiques divergeaient) ne tiennent pas la route, avec le temps. La plupart d'entre nous rejetteront ce qu'ils ont déjà considéré comme les facteurs clés qui ont justifié leur inaction ; c'est ce que Gilovic et Medvec appellent le « biais de sagesse rétrospective » : vous auriez pu trouver le moyen de faire la navette entre votre foyer et votre université pour voir vos amis de temps à autre ; vous ne trouvez pas de raison pour laquelle elle ne serait pas sortie avec vous ; et vous auriez réussi à vous entendre avec votre partenaire du temps de vos études parce que votre amour était si fort. Avec le temps, vous aurez de plus en plus de difficulté à saisir les vraies raisons pour lesquelles vous n'avez pas agi, plutôt que d'être en accord avec votre immobilisme passé.

Le regret causé par l'action est délimité et atténué par le fait qu'il est rétroactif, alors que la nature ouverte de l'inaction (la qualité cinématique de «ce qui aurait pu être» et de «si seulement») recèle des possibilités infinies, comme le démontre clairement le roman de F. Scott Fitzgerald, intitulé *Gatsby le magnifique*. L'effet Zeigarnik (la tendance à mieux se rappeler une tâche interrompue et à vouloir la terminer) rend aussi plus difficile l'atténuation des regrets causés par l'inaction.

Le regret est une émotion complexe, précisément parce qu'il tire son origine d'une comparaison, ce qui rend possible le fait d'éprouver du regret même lorsque nos actions ne produisent pas de mauvais résultats. Cette observation a conduit Terry Connolly et Marcel Zeelenberg à présenter leur théorie de la justification de la décision, selon laquelle le regret provient de deux sources, l'une reliée à l'évaluation comparative des résultats, et l'autre, à l'autocritique d'avoir fait un mauvais choix. Le «mauvais» choix serait celui qui est incompatible avec ses propres normes de comportement et d'intentions. Le fait est que l'on peut se blâmer d'avoir fait un certain choix et ressentir du regret, même si les résultats n'ont pas été négatifs. Ils donnent comme exemple un homme qui conduit sa voiture pour retourner à la maison après être allé à une réception où il a trop bu. Il n'arrive rien, l'homme rentre chez lui sans incident, mais il regrette tout de même ce qu'il a fait, parce que cela ne lui ressemble pas de faire quelque chose de dangereux et d'idiot. D'après la théorie de la justification de la décision, le sentiment que son action ou son inaction va à l'encontre de son comportement habituel entraîne plus de regrets qu'une décision compatible avec ses pensées et son comportement habituels. Et c'est très logique : si vous êtes ordinairement une personne très prudente, une décision impromptue qui donne de mauvais résultats vous causera plus de regrets et d'autocritique qu'une décision que vous avez soigneusement pesée, mais qui a tout de même entraîné un échec.

Étant donné que le regret est considéré comme une émotion désagréable, les humains sont supposés avoir la motivation pour tenter de le contrôler. Comme vous pouviez vous y attendre, les chercheurs Todd McElroy et Keith Dows ont découvert que les personnes orientées « action » (qui contrôlent mieux leurs émotions et qui ont donc plus de facilité à se désengager à l'égard d'un objectif) n'éprouvent pas autant de regrets que celles qui sont orientées « état ». Ils ont également constaté que les personnes orientées « état » ressentaient davantage de regrets, que la situation ait comporté de l'action ou de l'inaction. Cette observation ne devrait pas non plus être étonnante, car les personnes orientées « état » ont de la difficulté à gérer les émotions négatives en général, et le regret n'y ferait pas exception. Par contre, les personnes orientées « action » éprouvaient peu de regrets, sauf lorsqu'elles n'avaient pas agi. On peut ainsi conclure que les comportements inconstants constituent un facteur de regret, alors que ce n'est pas le cas des comportements constants.

Si vous vous êtes déjà reconnu comme orienté « action » ou orienté « état », vous serez en mesure d'évaluer votre propre capacité (ou incapacité) à gérer le regret et la façon dont votre anticipation du regret affecte tant votre prise de décision en général que votre aptitude à partir.

Apprendre de ses regrets
Même si, habituellement, on peut lire dans la documentation en psychologie que les sentiments de regret sont négatifs et

doivent donc être évités, Colleen Saffrey et ses collègues ont adopté l'approche inverse pour tenter de découvrir si le regret présentait des avantages psychologiques et si les gens ordinaires reconnaissaient ces avantages. Ils se sont demandé si le regret pouvait déclencher ou orienter le comportement futur vers les résultats souhaités. Le sentiment de regret pouvait-il aider les gens à tirer du positif d'expériences négatives ? Les gens voyaient-ils le regret comme pouvant être avantageux, ou repoussant, ou une combinaison des deux ?

Leur première étude visait à déterminer si les gens accordaient une certaine valeur à l'expérience du sentiment de regret, et si le fait de voir de la valeur dans cette expérience avait un lien avec le fait de voir le «bon côté» d'autres émotions négatives. Les chercheurs ont demandé aux participants de répondre à un sondage sur neuf émotions négatives (le regret, la colère, l'anxiété, l'ennui, la déception, la peur, la culpabilité, la jalousie et la tristesse), et sur quatre émotions positives (la joie, l'amour, la fierté et la décontraction). On ne s'étonnera pas que les quatre émotions positives aient été unanimement considérées comme favorables et bénéfiques, mais les répondants ont également trouvé des côtés positifs aux émotions négatives. Les exceptions les plus notables ont été l'anxiété, l'ennui et la jalousie, qui est carrément jugée comme défavorable. Mais le regret et la déception ont été classés à un niveau plus favorable que la colère, la culpabilité et la tristesse, devant la fierté, émotion positive, ce qui indique que les gens attribuent une certaine valeur au regret.

La deuxième étude de Colleen Saffrey et de ses collègues visait à déterminer si l'expérience du regret pouvait aider les gens à trouver un sens à des situations et les inciter à poursuivre le but recherché ou à éviter le *statu quo*. De plus, les chercheurs voulaient savoir si une émotion négative pouvait amener les gens à s'examiner et à s'analyser, et si elle pouvait les inciter à se rapprocher des autres. (En fait, ils n'ont pas vérifié si les émotions négatives produisaient vraiment ces résultats, mais seulement si les sujets le croyaient.) Enfin, les chercheurs se demandaient si, étant donné que les gens avaient tendance à voir le regret d'un œil positif, les participants considéreraient qu'ils éprouvent plus de regrets que d'autres. Cela ne semble pas très logique : pourquoi quelqu'un voudrait-il croire qu'il éprouve plus de regrets que d'autres ? Mais, ainsi que nous l'avons déjà vu, les gens ont tendance à se voir non seulement comme au-dessus de la moyenne, mais aussi comme possédant plus de traits positifs que d'autres ; alors, se pourrait-il qu'ils fassent montre du même préjugé favorable envers eux-mêmes lorsqu'il s'agit de regret, s'ils voient le regret comme une expérience positive et enrichissante ?

Les participants se sont vu remettre un exercice d'évaluation des regrets comportant une série d'énoncés. Ils devaient dire s'ils étaient en accord ou en désaccord avec chacun des énoncés, d'abord en tant qu'eux-mêmes, puis de la façon dont un ami répondrait. Ces énoncés sont présentés ci-dessous afin que vous puissiez y répondre vous-même. (Ces énoncés ont été créés à l'origine par Barry Schwartz, Andrew Ward et leurs collègues, dans le cadre d'une autre étude.)

1. Lorsque je fais un choix, je me demande ce qui serait arrivé si j'avais fait un choix différent.
2. Toutes les fois où je fais un choix, j'essaie de découvrir comment les choses ont tourné pour ceux qui ont fait un choix différent.
3. Si je fais un choix qui donne de bons résultats, j'éprouve tout de même un petit sentiment d'échec si je découvre qu'un autre choix aurait donné de meilleurs résultats.

4. Quand je pense au point où j'en suis dans ma vie, je soupèse souvent les possibilités que je n'ai pas saisies.
5. Une fois que ma décision est prise, je ne regarde pas en arrière.

On peut voir les nuances, ici ; il y a beaucoup de jeu entre le premier énoncé (être curieux) et le cinquième (ne jamais regarder en arrière). Si vous le pouvez, essayez de vous situer dans cette liste.

Puis, les participants se sont fait demander de se concentrer sur 12 émotions négatives (le regret, la colère, l'anxiété, l'ennui, la déception, le dégoût, la peur, la frustration, la culpabilité, la jalousie, la tristesse et la honte), et ils devaient dire s'ils étaient en accord ou en désaccord avec deux énoncés portant sur chacune des émotions, en leur attribuant une note relative à cinq fonctions positives : comprendre une situation ; documenter ou motiver une approche de l'action future ; éviter de refaire la même erreur ; l'expérience personnelle ; et l'amélioration des relations avec d'autres personnes ou la compréhension de celles-ci.

Les chercheurs ont découvert que les gens pensaient que le regret remplissait ces cinq fonctions, ce qui a confirmé les conclusions de la première étude, plus particulièrement que le regret est considéré comme présentant des côtés positifs. (Vous ne serez pas surpris d'apprendre que, parmi les autres émotions négatives évaluées, trois [la culpabilité, la honte et la déception] étaient également considérées comme ayant des effets positifs sur le comportement.) Enfin, les participants pensaient vraiment qu'ils avaient éprouvé plus de regrets qu'un ami. Alors, peut-être qu'Édith Piaf n'était pas en aussi bonne position lorsqu'elle chantait qu'elle ne regrettait rien. Désolés, petit moineau (« piaf » est le nom familier du moineau) !

Comme Colleen Saffrey et ses collègues l'ont constaté, croire que le regret est positif n'est peut-être qu'un mécanisme d'adaptation, faisant partie de ce que Daniel Gilbert appelle le «système immunitaire psychologique». Mais il vaut tout de même la peine de jeter un coup d'œil sur la pensée contrefactuelle et sur la façon dont elle peut faire progresser ou freiner nos efforts visant à maîtriser l'art de partir.

À propos de la pensée contrefactuelle

Nous avons vu que le contraste mental (garder présent à l'esprit l'avenir souhaité ainsi que la réalité actuelle qui lui fait obstacle) permet de lancer le mouvement et de prendre les mesures nécessaires à l'atteinte d'un objectif; on croit que la pensée contrefactuelle peut jouer un rôle important dans la recherche et l'établissement d'un objectif, car elle recourt à une revue d'événements passés pour documenter l'avenir. Ces pensées peuvent porter sur de meilleures solutions quant à ce qui s'est produit (la pensée contrefactuelle ascendante, qui favorise le regret) ou des solutions pires (la pensée contrefactuelle descendante, qui peut aider les gens à gérer leurs humeurs).

Par exemple, vous devriez recevoir une promotion et une augmentation de salaire, mais vous êtes déçu lorsqu'on ne vous les accorde pas. La pensée contrefactuelle ascendante vous fait ressentir du regret, mais vous vous mettez à penser à ce que vous auriez pu faire différemment pour obtenir un autre résultat. Cela vous pousse à formuler de nouvelles idées qui mènent à un nouveau comportement, qui pourrait, à l'avenir, vous conduire vers le succès. Par contre, vous savez aussi que deux personnes dans votre service ont été remerciées. La pensée contrefactuelle descendante vous incite à penser que vous n'avez pas reçu de promotion, mais que ç'aurait pu être pire : vous auriez pu être l'une des personnes congédiées.

Selon Kai Epstude et Neal J. Roese, la pensée contrefactuelle peut être une partie utile du contrôle du comportement, étant donné qu'elle est déclenchée par un objectif raté et que la personne se concentre sur ce qui aurait pu être fait pour que cet objectif soit atteint («Si j'avais fait X, Y serait arrivé»), ce qui donne lieu à une directive («La prochaine fois, je ferai X, alors Y se produira») et à un changement de comportement. La pensée contrefactuelle ouvre la porte à la modification du comportement futur, par une revue du passé. En tant que travailleur qui n'a pas été considéré pour une promotion, vous pourriez en arriver à constater que vous n'en avez pas assez fait pour que vos supérieurs remarquent votre apport au service, et vous pourriez vous concentrer sur le fait de porter la qualité de votre travail à leur attention à l'avenir. Ou encore, vous pourriez conclure que vos erreurs ont nui à l'obtention d'une promotion et vous employer à commettre moins d'erreurs à l'avenir.

De manière optimale, la pensée contrefactuelle vous permet de formuler de nouvelles stratégies en visualisant les actes que vous auriez pu poser pour atteindre l'objectif, dès le départ. Pour y parvenir, vous devez avoir une certaine dose de réalisme, ce qui est l'opposé de prendre ses désirs pour des réalités. Dans l'exemple de la promotion ratée, si votre pensée contrefactuelle était concentrée uniquement sur les déficiences de vos supérieurs et que vous imaginiez un scénario selon lequel leur imbécillité collective n'entravait pas votre promotion, la pensée contrefactuelle ne générerait aucun acte productif ou utile. Bien sûr, ce ne sont pas toutes les pensées contrefactuelles qui sont productives; vous concentrer sur un acte qui ne peut être changé («Si seulement je ne l'avais pas épousé», «Si seulement j'avais étudié la dentisterie quand j'étais dans la vingtaine» «Si seulement mes supérieurs étaient différents et plus intelligents»), vous acculera sans doute à une impasse. Si on l'associe à la rumination, la pensée contrefactuelle n'est probablement pas la voie à emprunter.

Vous et le regret

Seulement vous pouvez témoigner de ce que le regret a fait dans votre vie. Voyez-vous vos regrets comme faisant partie d'une véritable expérience d'apprentissage, ou avez-vous tendance à penser que la recherche du bon côté (« Ce qui ne nous tue pas nous rend plus forts ») n'est qu'une forme d'automassage et de rationalisation ? La façon dont vous traitez le regret agit-elle pour vous ou contre vous ? Vous fait-elle vous concentrer sur des manières de réussir la prochaine fois, ou vous concentrer uniquement sur l'évitement ? Le regret a-t-il rehaussé votre capacité d'utiliser la pensée contrefactuelle pour vous pousser à l'action ?

Dans une intéressante méta-analyse citée dans *What We Regret Most... And Why* (ce que nous regrettons le plus... et pourquoi), Neal J. Roese et Amy Summerville (ceux-là mêmes qui ont offert la vision positive du regret) ont dressé la liste des choses que les Américains regrettent le plus. Tout en lisant, songez à la place que vous donneriez à chacune.

Les six plus grands regrets s'inscrivaient dans les domaines suivants, par ordre décroissant : l'instruction, la carrière, les amours, le parentage, l'autoamélioration et les loisirs. (Et si vous êtes curieux, les six domaines suivants sont : les finances, la famille, la santé, les amis, la spiritualité et la collectivité.) Il est un peu étonnant que les études occupent la première place, mais les auteurs affirment ceci : « Les occasions engendrent les regrets. Les sentiments d'insatisfaction et de déception sont plus forts lorsque les possibilités de mesures correctives en réaction sont les plus claires. » Vu de cet angle (avec la multiplication des possibilités d'études à de nombreux niveaux aux États-Unis), il n'est pas étonnant que le fait de regretter ses choix en matière d'études (ne pas avoir terminé ses études secondaires, ne pas avoir fréquenté l'université, avoir décroché, ne pas avoir acquis de compétences qui auraient pu ouvrir d'autres avenues) se place au sommet de la liste. Bien sûr, ces observations viennent étayer la notion selon laquelle les plus grandes sources de regret sont les routes qu'on n'a pas empruntées.

Songez à vos propres regrets, aux domaines de la vie dans lesquels ils s'inscrivent, et comment ils sont en lien avec les objectifs que vous voulez poursuivre et avec ceux que vous souhaitez laisser tomber. Marcel Zeelenberg et Rik Pieters ont catalogué les stratégies d'adaptation relatives au regret (certaines bénéfiques et d'autres, non) que les gens utilisent pour gérer et contrôler le regret. Voyez si vous pouvez situer vos propres stratégies parmi elles. Étant donné que certains regrets semblent incorporés à la condition humaine (il nous arrive tous de faire de mauvais choix ou de commettre des erreurs), la première stratégie consiste à perfectionner votre aptitude à prendre des décisions et à tenir compte de la possibilité d'éprouver des regrets dans votre prise de risques. Parmi les stratégies qui conviennent moins à la gestion des regrets, mais qui sont courantes, on compte l'accroissement de la justification de la décision, le report ou l'évitement de la prise de décisions, ou le transfert de responsabilité des décisions. («J'ai eu de mauvais conseillers en placements. Ce n'était pas ma faute.»)

Concentrez-vous sur les solutions de rechange, soit en élargissant ou en réduisant le nombre de choix, soit en vous assurant que vous pouvez, au besoin, revenir sur votre décision. De même, vous pouvez consciemment éviter la rétroaction à propos de la voie que vous n'avez pas empruntée; il pourrait ne pas être utile de continuer à ressasser ce que vous n'avez pas fait avec des amis, avec des êtres chers et même avec des connaissances. En ce sens, le vieux dicton est bien vrai : ce qui est fait est fait. Rappelez-vous l'histoire de Tim, l'avocat qui voulait changer de carrière, mais qui n'arrêtait pas de dire qu'il avait raté son coup en étudiant le droit lorsqu'il se présentait à une entrevue. Ce sont le regret et l'autocritique (la variété non digérée) qui parlent. C'était aussi le cas de Roberta qui, 10 ans après son divorce, ressassait quotidiennement les mêmes regrets, comme si le fait d'y penser lui permettrait de refaire les choses. Mais son habitude de ruminer ses regrets l'a plutôt empêchée de refaire sa vie de bien des façons.

Si vous avez tendance à vous enliser dans des sentiments de regret, la meilleure stratégie serait peut-être de les anticiper. Reconnaissez que certains des choix que vous faites pourraient vous causer des regrets à l'avenir et préparez-vous à gérer ces sentiments du mieux que vous le pouvez.

Composer avec un départ bloqué

Il ne fait pas de doute que le départ exige parfois un grand saut dans l'inconnu (imaginer un avenir non encore réalisé et être préparé à accepter un échec possible ainsi que les répercussions émotionnelles qui l'accompagnent). Étant donné que la persévérance et le *statu quo* sont les paramètres par défaut du comportement humain, le désengagement à l'égard d'un objectif peut achopper sur les plans affectif, cognitif, motivationnel et comportemental. Certaines des stratégies suggérées dans ces pages valent la peine qu'on s'y attarde.

Gérer les ruminations

Repasser ce qui est, ou n'est pas, arrivé (l'action ou l'inaction) n'est pas seulement une source de regret, mais c'est aussi le début de la rumination. La rumination entrave l'action, car elle monopolise les capacités mentales nécessaires pour réaliser de nouveaux objectifs ; elle nous retient prisonniers d'objectifs non réalisés et nous empêche d'en imaginer de nouveaux. (Oui, il s'agit encore de l'effet Zeigarnik.) Vous pouvez vous attribuer du temps pour être préoccupé, comme nous vous l'avons déjà suggéré, ou affronter vos pensées en les écrivant et en les faisant surgir dans votre conscient. Vous pouvez aussi vous concentrer sur un élément distracteur. Par exemple, Leslie gère ses préoccupations en faisant surgir dans son esprit l'image de fleurs. Elle se concentre sur chaque détail des fleurs (la tige, les pétales, les étamines et le pistil) pendant aussi longtemps qu'il le faut pour contrôler ses pensées.

Dans une étude réalisée sur la rumination, Annette van Randenborgh et ses collègues ont découvert que les participants à qui on avait donné au hasard des distracteurs qui n'avaient pas de lien entre eux (« Pensez aux contours d'un violoncelle » ; « Pensez aux pièces qui constituent une automobile ») étaient davantage en mesure de se désengager à l'égard d'anagrammes insolubles que les participants à qui on avait demandé de retourner quelque chose dans leur tête (« Pensez aux raisons pour lesquelles vous êtes devenus ce que vous êtes » ; « Pensez aux attentes qu'ont envers vous votre famille et vos amis »).

Se concentrer sur l'exécution d'une tâche

Il peut être utile de fractionner les tâches que vous devez accomplir en étapes plus petites ou de vous fixer des objectifs intermédiaires. Rappelez-vous que la vieille croyance selon laquelle un objectif difficile à atteindre nous inspire davantage n'est tout simplement pas vraie. Comme nous l'avons vu, l'établissement de plans concrets est la clé de la plupart des accomplissements. En écrivant les étapes nécessaires à la réalisation de votre plan, vous serez en mesure de juger si vos stratégies sont réalistes. Par ailleurs, étant donné qu'une forte représentation mentale de l'avenir souhaité incite à établir des objectifs, le fait de visualiser en détail ce que sera votre vie vous encouragera.

Être réaliste

Le nouvel objectif que vous vous fixez est-il réaliste ? Vos talents et vos habiletés sont-ils suffisants pour que vous puissiez l'atteindre ? Rappelez-vous que les humains sont trop optimistes de nature (et qu'ils tendent à surestimer leurs aptitudes et leurs compétences), alors essayez d'évaluer votre objectif avec le plus de neutralité possible. Recourez au contraste mental pour évaluer vos habiletés, votre objectif et vos stratégies. Si vous êtes tombé dans les modèles de la pensée contrefactuelle, assurez-vous qu'ils sont fondés sur la réalité. Si vous n'avez pas la certitude que votre objectif est atteignable, fixez-vous des échéances intermédiaires, de façon à pouvoir suivre vos progrès.

Garder le « flux » présent à l'esprit

Encouragez-vous en songeant aux fois où vous avez connu le « flux », et imaginez à quel point l'atteinte de vos objectifs permettra au flux d'entrer dans votre vie. Soyez votre propre motivateur en vous posant des questions (« Vais-je faire X ? ») plutôt qu'en faisant de simples énoncés (« Je vais faire X. »). N'oubliez pas qu'abandonner un objectif et en fixer un nouveau sont essentiellement des activités créatives qui exigent de la souplesse dans votre approche.

Obtenir du soutien

Si vous éprouvez des problèmes à vous désengager par rapport à votre objectif, à gérer vos pensées ou vos émotions ou à trouver une nouvelle orientation, vous devriez demander de l'aide. Il n'y a aucun mérite à essayer d'y parvenir seul, quoi qu'en disent les mythes culturels. C'est particulièrement vrai si vous avez des difficultés parce que vous avez perdu votre emploi ou subi un revers de fortune dans votre vie personnelle ou dans votre carrière.

Savoir que vous devez déposer le canard

On fait ici allusion à une chanson de *Sesame Street*; si vous avez grandi dans les années 1980 ou après, ou si vous avez des enfants qui ont regardé cette émission, vous vous en souviendrez sûrement. Ernie essaie de jouer du saxophone et se plaint à Hoot le hibou que tout ce qu'il obtient, c'est un petit couinement. En fait, ce bruit provient du canard de caoutchouc qu'Ernie tient dans sa main et qui l'empêche de jouer du saxophone. D'un point de vue métaphorique, nous devons tous déposer le canard (les habitudes du passé, les zones de confort, les objectifs non atteints, les efforts qui ont échoué) si nous voulons aller de l'avant.

Maîtriser l'art de tirer sa révérence exige de déposer le canard.

CHAPITRE NEUF

Réinitialisez votre boussole intérieure

Bien sûr, les vraies boussoles ne peuvent pas être «remises à zéro» (les points cardinaux sont fixes), mais comme la «boussole intérieure» est une métaphore de l'interaction complexe entre la cognition, la motivation, le comportement et le moi, ce genre de boussole peut être réinitialisé. Les objectifs que nous nous fixons sont le reflet de la personne que nous sommes et de la personne que nous voulons être. Les chapitres précédents étaient axés sur les obstacles au véritable désengagement à l'égard des objectifs, mais le processus de désengagement n'est pas complet tant qu'il n'y a pas engagement à l'égard d'un nouvel objectif. Le mouvement en avant que constitue le choix d'un nouvel objectif renouvelle la motivation, ce qui mène à l'adoption d'un nouveau comportement. Le réengagement, allié aux leçons tirées du fait de partir, nous fait grandir aux points de vue psychologique et comportemental, et nous permet de recréer des aspects de nous-mêmes au cours du processus. Le nouvel objectif que nous nous fixons traduit notre moi actuel et celui que nous entrevoyons pour l'avenir.

Comme le remarquaient Charles S. Carver et Michael F. Scheier, même si savoir quand persévérer et quand partir constitue une compétence de vie essentielle, «une autre compétence importante serait l'aptitude à abandonner complètement (vraiment lâcher prise) lorsque partir s'avère nécessaire. La combinaison de ces deux aptitudes procure de la souplesse, ce qui permet à la personne de reconnaître les situations inextricables et d'en sortir, tout en maximisant les efforts dans des situations qui peuvent être changées ».

Canaliser vos énergies vers votre nouvel objectif constitue la première étape.

Songer à la prochaine étape

Comment les gens passent-ils d'un cul-de-sac à une voie libre, regorgeant de possibilités ? C'est une question que la psychologie a posée et à laquelle elle a répondu de bien des façons. Nous avons déjà vu comment les objectifs intrinsèques, c'est-à-dire dont la motivation est interne apportent un plus grand bien-être et une plus grande satisfaction que les objectifs extrinsèques, qui sont imposés de l'extérieur ou qui dépendent d'une validation externe, comme l'admiration des autres. De même, les objectifs axés sur l'approche, qui sont positifs en eux-mêmes, apportent plus de satisfaction que ceux qui sont fondés sur l'évitement des résultats négatifs.

Bien que les humains soient par nature orientés vers un objectif, leur degré de bonheur (ce que les psychologues appellent le « bien-être subjectif »), dépend beaucoup de la cohérence de leurs objectifs, de sorte qu'ils représentent leur vrai moi, selon la perception que chacun en a. Qu'est-ce que cela signifie exactement ? Comme l'explique Robert A. Emmons, les êtres humains n'éprouvent pas un bien-être subjectif simplement parce qu'ils se fixent d'importants objectifs de vie et qu'ils progressent vers ces objectifs ; c'est l'une des choses qui nous distingue d'autres créatures orientées vers des objectifs, comme les vers de terre et les écureuils, ou le chien ou le chat qui peut être couché à vos pieds.

Le fait que vous vous sentiez heureux, ou non, en ce moment ne dépend pas uniquement de vos objectifs ou de votre progression vers ceux-ci. Alors, si l'atteinte de nos objectifs ne nous rend pas heureux, qu'est-ce qui y parviendra ? C'est le fait que nos objectifs reflètent notre vrai moi. Comme l'écrivait Emmons : « Les gens sont plus qu'une combinaison d'objectifs personnels. Ce qui manque, c'est un principe d'organisation global qui réunit et intègre en une structure cohérente les efforts isolés en vue d'atteindre un objectif. C'est le rôle de l'identité, ou du moi, qui crée un but d'ensemble dans la vie. Ce principe d'organisation (que ce soit l'identité, le moi ou une structure semblable) est ce qui lie les objectifs individuels entre eux, avec les états futurs et les résultats souhaités. » Il conclut en disant qu'ultimement, le principe est « la quête d'un sens à sa vie. Le sens vient d'objectifs gratifiants, au point de vue personnel, de l'intégration de ces objectifs dans un réseau personnel plus vaste, et de l'intégration de ces objectifs dans un réseau social plus vaste ».

D'après certaines des histoires que nous vous avons relatées à propos du départ, il est clair que, parfois, la quête de cohérence, de sens, est primordiale, et que chez chacun d'entre nous, le moi n'est pas statique, mais un travail en cours. Robert, l'environnementaliste dont nous avons raconté l'histoire, voulait un travail qui traduise et intègre ce qui lui tenait à cœur et qui contribuerait au bien supérieur de tous. Deidre, la nageuse, a relevé le défi d'abandonner un objectif qui avait été la clé de son identité et de trouver d'autres domaines qui pourraient lui permettre de se définir.

L'histoire de Jill est un bon exemple, étant donné qu'elle était une avocate compétente, très bien rémunérée, et qui avait, aux dires de bien des gens, une carrière enviable. Sa tristesse et son insatisfaction venaient du fait que son travail ne donnait pas de sens à sa vie et qu'il entrait même en conflit avec son identité la plus profonde. Enseigner aux enfants, comme elle le fait maintenant, lui permet de se sentir utile et liée aux autres, ce qu'elle considère comme essentiel. Lorsque Marie, la dessinatrice, a mis à jour sa définition d'elle-même, qui avait été sienne pendant plus de 20 ans, elle a dû redéfinir ses objectifs en conséquence.

La recherche de la cohérence et d'un sens n'est pas limitée à la tranche de 1 % d'Américains qui peuvent se permettre de penser au-delà du chèque de paie. Le flux peut être atteint dans pratiquement toutes les activités ou les domaines de travail, comme l'a démontré Mihaly Csikszentmihalyi. Dans son livre intitulé *Flow: The Psychology of Optimal Experience* (en français: *Vivre, la psychologie du bonheur*), Csikszentmihalyi cite une étude qu'il a réalisée et qui reposait sur l'autoévaluation de plus d'une centaine d'hommes et de femmes qui travaillaient à temps plein dans divers domaines. Lorsqu'ils recevaient le signal d'un téléavertisseur, les gens devaient consigner comment ils se sentaient de manière générale, à quel point ils éprouvaient des difficultés et combien d'habiletés ils utilisaient à ce moment précis. Ils recevaient un signal sonore huit fois par jour, à intervalles aléatoires. Le tiers des 4 800 réponses que les chercheurs ont recueillies ont été considérées comme étant «dans le flux». Le pourcentage a même été plus élevé (54 %) lorsque les gens travaillaient vraiment et étaient concentrés (par opposition à rêvasser, à bavarder ou à s'occuper d'affaires personnelles pendant les heures de travail). Csikszentmihalyi note que ce pourcentage de flux est beaucoup plus élevé que ce que les gens signalent lorsqu'ils s'adonnent à des loisirs, comme lire, regarder la télé, recevoir des amis ou aller au restaurant; dans ces situations, seulement 18 % des gens ont dit être dans le flux.

On ne s'étonnera pas qu'il ait également découvert que les gens qui occupaient des emplois d'un niveau élevé (gestionnaires et superviseurs) étaient dans le flux 64 % du temps, par rapport aux employés de bureau (57 %) et aux cols bleus (47 %). Ce qui est peut-être plus étonnant, c'est que même si les écarts sont assez importants, ils ne sont pas extrêmes. Le flux, ou l'expérience optimale, n'est peut-être pas aussi rare que les gens le pensent. Fait à noter, Csikszentmihalyi a découvert que dans le cas des activités de loisir, les cols bleus ont déclaré être dans le flux 20 % du temps, comparativement à 16 % du temps pour les employés de bureau et à 15 % pour les gestionnaires. Mais, comme il le fait remarquer, même les travailleurs à la chaîne ont déclaré être dans le flux deux fois plus souvent au travail que dans les loisirs, soit dans une proportion de 44 % contre 20 %.

Le flux résulte de la cohérence, de l'harmonisation du moi avec l'action ou l'activité. Il n'existe pas de stratégie universelle pour être dans le flux, étant donné que nous nous définissons tous à notre manière ; la façon dont nous nous définissons et dont nous nous voyons est étroitement liée à la facilité avec laquelle nous pourrons nous réengager après avoir abandonné quelque chose.

Le moi et la résilience

Certaines forces et faiblesses cognitives et affectives font que quelques-uns d'entre nous savent mieux quand et comment partir ; de même, certains d'entre nous seront mieux outillés pour repartir à zéro, fixer et poursuivre de nouveaux objectifs en remplacement de ceux qui n'ont pas été atteints ou qui se sont soldés par un échec. Cet avantage serait lié à la conception de base du soi et à la nature « simple » ou « complexe » du soi. Comment se fait-il qu'une personne ne se remette jamais vraiment d'un revers (un divorce, par exemple) ou d'un événement marquant, alors que, pour une autre, ce revers, même s'il est éprouvant et douloureux, finit par mener à de nouvelles voies et à de nouvelles expériences, avec le temps ? La psychologue Patricia Linville a posé comme hypothèse que la complexité des représentations mentales de soi affecte directement la faculté d'adaptation non seulement au stress quotidien, mais aussi aux grands changements émotionnels que l'on subit lorsqu'on n'atteint pas un objectif ou que l'on cesse d'en poursuivre un qui est important. Plus notre représentation est complexe, plus nous sommes protégés contre les affects négatifs et les conséquences émotionnelles ; à l'inverse, plus la représentation de soi est simple, plus nous sommes vulnérables aux conséquences émotionnelles. En passant, le sous-titre de son article est : « Ne mettez pas tous vos œufs dans le même panier cognitif. »

Selon Patricia Linville, la représentation que l'on se fait de soi englobe des événements et des comportements particuliers (« ai déposé les enfants à l'école à l'heure », « ai travaillé à un nouveau cas pendant six heures »), des généralisations à propos de certains traits (timide, extraverti, enthousiaste), des rôles (avocat, mari, père, frère), l'appartenance à certaines catégories (de sexe masculin, juif, libertarien), des caractéristiques physiques (en forme, grand, myope), des comportements (joueur de cartes, amateur de voile, mordu du jazz), des préférences (vie urbaine), des objectifs (réussite financière), des souvenirs autobiographiques (les étés au chalet des grands-parents) et des relations (collègues, amis, supporteurs).

Patricia Linville avance l'hypothèse que chacun de ces domaines est associé à des sentiments précis à propos de soi, ainsi qu'à des évaluations ; chacune des représentations de soi peut susciter un sentiment positif ou négatif. Nous pouvons être fiers de nous-mêmes dans un domaine (dans le travail ou l'athlétisme, par exemple), mais pas dans un autre (les rapports sociaux ou les langues). Mais surtout, Patricia Linville tient pour acquis que la représentation de soi est plus complexe chez certaines personnes que chez d'autres. Plus la représentation de soi repose sur un petit nombre de domaines et plus ces domaines sont interreliés, plus importantes seront les conséquences émotionnelles d'un objectif raté ou contrecarré. À l'inverse, plus les représentations sont nombreuses et indépendantes les unes des autres, plus la personne sera protégée. Imaginez un homme qui se définit avant tout en termes de réussite professionnelle; il est le pourvoyeur de sa famille, il a un niveau de vie élevé et il suscite l'admiration de tous. Supposons qu'une promotion lui passe publiquement sous le nez ou qu'il est congédié. Sa déception aura des retombées sur sa représentation de soi en tant que mari, père, ami et connaissance; il aura probablement de la difficulté à trouver un domaine dans lequel il se sentira bien dans sa peau, afin de contrer l'affect négatif. Par contre, imaginez un homme occupant le même poste prestigieux et bien rémunéré, mais qui se définit de plusieurs façons: par ses relations personnelles, par son travail communautaire, par sa passion de la guitare. Cet homme peut subir les mêmes revers, mais il continuera à se sentir bien dans d'autres domaines. C'est ce second homme qui sera en mesure de se réengager plus facilement à l'égard d'un nouvel objectif. Le nombre d'aspects du soi qui sont directement liés à la perte ou à l'échec sera aussi déterminant dans l'importance des conséquences émotionnelles.

Dans une autre étude, qui se penche sur la complexité de soi en tant que zone tampon cognitive, Patricia Linville utilise l'exemple de deux femmes qui vivent un divorce, et elle fournit une réponse à la question que nous avons posée plus tôt:

pourquoi un revers constitue-t-il un revers passager dans la vie d'une personne et une catastrophe dont elle ne revient pas dans la vie d'une autre ? La première femme a une représentation assez simple d'elle-même : épouse et avocate. Dans son cas, ces deux aspects de soi sont étroitement liés, car son futur ex-mari est aussi avocat et ils travaillent souvent ensemble. Patricia Linville écrit que « l'affect négatif et l'autoévaluation associés à son divorce auront une forte incidence, car cela envahira ses pensées et ses sentiments sur deux aspects importants d'elle-même ». Une autre femme en instance de divorce a une définition plus complexe d'elle-même, en tant qu'épouse, avocate, joueuse de tennis et amie. Étant donné que son mari n'est pas avocat, sa représentation professionnelle d'elle-même est à l'abri des répercussions négatives, tout comme les autres rôles qui la définissent. Elle tiendra le coup plus facilement par rapport au divorce.

La personne qui a une définition étroite d'elle-même pourrait avoir de la difficulté à se réengager après s'être désengagée à l'égard d'un objectif, qu'elle ait abandonné celui-ci intentionnellement ou non. C'était le cas de Lacie, qui avait suivi son mari, Steven, en France, lorsque l'entreprise pour laquelle il travaillait l'avait muté. Au cours du processus, elle avait dû quitter son emploi et son cercle d'amis, mais elle avait relevé le défi d'aller vivre à l'étranger, elle avait appris à parler français couramment et, après la naissance de ses enfants, elle s'était intégrée à la culture et à la société en tant qu'expatriée américaine. Puis, Steven était tombé amoureux d'une collègue et il avait demandé le divorce. Lacie était retournée aux États-Unis avec ses deux enfants, complètement dévastée. Elle avait fait des demandes d'emploi, sans succès, même si elle était très qualifiée ; découragée, elle avait consulté un thérapeute. Elle constata rapidement qu'étant donné qu'elle s'était définie avant tout comme une épouse pendant toutes ces années, ses pensées négatives rejaillissaient dans tous les domaines. Les employeurs potentiels étaient rebutés par son manque de confiance en elle, son air d'autodépréciation lorsqu'elle parlait de ses compétences et son hésitation. Il lui a fallu y mettre des efforts, mais elle a fini par retrouver certains des bons sentiments qu'elle avait envers elle-même et elle a commencé à formuler de nouveaux objectifs qui étaient en harmonie avec ses besoins et ses souhaits. Avec le temps, elle a fini par démarrer sa propre entreprise de services-conseils auprès de familles américaines qui déménageaient à l'étranger pour un certain temps.

L'histoire de Lacie démontre qu'avec des efforts, il est possible de refaçonner la représentation qu'on a de soi, afin de la rendre plus complexe et qu'il est avisé de ne pas «mettre tous ses œufs dans le même panier cognitif». Si vous êtes encore écorchés et que vous ruminez après avoir subi un revers, prenez un peu de temps pour réfléchir aux autres aspects de votre définition de vous-même et fixez-vous comme objectif intermédiaire d'en être fier et d'y prendre plaisir.

Dans leur livre, devenu un classique, sur l'autocontrôle, Charles S. Carver et Michael F. Scheier affirment que la capacité de poursuivre un objectif atteignable après en avoir abandonné un inatteignable entraîne la personne dans un mouvement vers l'avant. C'est particulièrement important lorsque ce qu'ils appellent le «passage obstrué» concerne une valeur essentielle du moi ou, pour emprunter le terme de Patricia Linville, une représentation essentielle du moi. Ils soulignent l'avantage de pouvoir considérer l'objectif en termes relativement abstraits, en regardant au-delà des caractéristiques de l'objectif perdu et en en appréciant l'importance. Alors, quelqu'un qui a perdu un conjoint, mais qui attachait beaucoup de prix à l'étroitesse du lien qui les unissait, «qui comprend que son désir essentiel est de connaître cette étroitesse de liens peut plus facilement reconnaître qu'il existe davantage de façons d'y parvenir que ne le croirait une personne pour qui la nature de l'objectif de haut niveau est moins claire».

La représentation complexe du moi et la capacité de penser de façon abstraite à un objectif procurent à une personne la souplesse nécessaire pour aller de l'avant et poursuivre un nouvel objectif de manière créative, en empruntant des chemins différents. Si vous avez de la difficulté à aller de l'avant (à vous réengager), passez vos efforts en revue en pensant aux domaines du moi qui donnent un sens à votre vie et qui vous font vous sentir bien dans votre peau, au lieu de ressasser l'objectif qui vous a échappé. Essayez de songer à votre objectif en termes abstraits, de façon à pouvoir déterminer s'il existe diverses manières de l'approcher ou d'obtenir ce dont vous avez besoin dans votre vie.

Prenez l'exemple de la jeune femme qui était entièrement bloquée dans ses efforts pour obtenir un emploi dans un organisme sans but lucratif; les compressions budgétaires avaient rendu presque impossible le fait qu'elle se trouve un emploi assez rémunérateur pour payer son loyer et ses comptes. Finalement, elle a décidé de faire du bénévolat les week-ends, en plus d'occuper un emploi à temps plein, en gardant son objectif présent à l'esprit. Elle croit que son bénévolat pourrait finir par la mener là où elle veut aller.

Voir votre objectif en termes abstraits pourrait aussi vous permettre de déceler plus facilement les occasions que recèlent les objectifs intermédiaires. Votre objectif ultime pourrait être de vous remarier après la fin d'une relation très étroite, mais il pourrait être plus facile et plus réaliste de vous concentrer sur le resserrement des liens des relations existantes, entre-temps.

Tout ce qui peut vous aider à avoir de la souplesse cognitive et émotionnelle vous permettra d'aller de l'avant. Mais, plus l'objectif abandonné est près de votre définition essentielle de vous-même, plus grandes seront les répercussions émotionnelles. Cherchez à obtenir du soutien si vous en avez besoin ; le rétablissement émotionnel fait partie du processus.

L'optimisme et le réengagement

Nous avons parlé de l'optimisme dans ces pages, le plus souvent en termes d'optimisme exagéré, ce qui incite souvent les gens à s'accrocher à des objectifs inaccessibles et alimente leur manque de réalisme dans leur évaluation des objectifs et des compétences nécessaires pour les atteindre. En général, l'optimisme est un biais cognitif qui ne nous est pas utile lorsque nous devons nous désengager. Mais Carsten Wrosch et Michael Scheier soutiennent que l'optimisme (qu'ils définissent comme « une attente généralisée relativement stable de bons résultats dans d'importants domaines de la vie ») est néanmoins un ingrédient important du réengagement. Dans cette recherche, l'optimisme n'est pas l'opposé du pessimisme, comme ce l'est dans le langage courant (« Êtes-vous une personne qui voit le verre à moitié plein ou à moitié vide ? ») ; c'est plutôt un éventail d'attentes. Par « stable », Wrosch et Scheier entendent que l'optimisme, comme les traits de caractère, a tendance à être stable, tout au long d'une vie. Ils mesurent l'optimisme et le pessimisme en fonction d'une échelle comportant six éléments, qu'ils appellent un « test d'orientation dans la vie ». Il ne sert qu'à la recherche et n'est pas utilisé comme outil clinique, mais vous pouvez tout de même vous situer dans l'échelle, tout en poursuivant votre lecture :

1. En période d'incertitude, je m'attends habituellement à ce qui peut arriver de mieux.
2. Il m'est facile de me détendre.
3. Si une chose peut mal aller pour moi, elle ira mal.
4. Je suis toujours optimiste face à mon avenir.
5. J'apprécie beaucoup mes amis.
6. C'est important pour moi de rester occupé.
7. Je m'attends rarement à ce que les choses tournent comme je le voudrais.
8. Je ne me fâche pas très facilement.
9. Je m'attends rarement à ce que de bonnes choses m'arrivent.
10. Dans l'ensemble, je m'attends à ce qu'il m'arrive plus de bonnes choses que de mauvaises.

Les énoncés 2, 5, 6 et 8 ne sont que des éléments de remplissage et ne sont pas notés. Aux énoncés 1, 4 et 10, vous obtenez 4 points pour « tout à fait d'accord », 3 points pour « d'accord », 2 points pour « je suis neutre », 1 point pour « en désaccord » et 0 pour « tout à fait en désaccord ». Le pointage est inversé pour les énoncés 3, 7 et 9 (0 = « tout à fait d'accord », 1 = « d'accord », 2 = « je suis neutre », 3 = « en désaccord » et 4 = « tout à fait en désaccord »). Additionnez vos points. Plus le pointage est élevé, plus vous êtes optimiste.

Wrosch et Scheier affirment que l'optimisme procure le carburant nécessaire au réengagement ; de plus, ils écrivent que les gens optimistes ont un style d'adaptation plus actif et qu'ils s'engagent davantage dans la résolution de problèmes lorsqu'un objectif subit un blocage. Rappelez-vous que le désengagement à l'égard d'un objectif exige la réduction des efforts (cesser les activités de poursuite de l'objectif) et un abandon de l'engagement. Comme nous l'avons déjà vu, les gens qui n'arrivent pas à abandonner un engagement finissent par être coincés et incapables de se fixer de nouveaux objectifs. Wrosch et Scheier soutiennent que l'optimisme par rapport à ses possibilités d'atteindre un nouvel objectif facilite le processus.

La façon d'équilibrer l'optimisme avec le réalisme est expliquée par un examen de l'état d'esprit nécessaire pour atteindre les objectifs qu'on s'est fixés.

La question de l'état d'esprit

Étant donné que ce livre porte sur l'art de partir, nous ne nous sommes pas vraiment attardés en détail sur ce qui contribue à l'atteinte des objectifs. Puisque le réengagement nécessite que nous comprenions non seulement comment se fixer les bons objectifs, mais aussi comment les atteindre, c'est ce sur quoi nous allons maintenant nous pencher. L'un des arguments ayant le plus de poids présentés par Peter M. Gollwitzer est que la planification constitue un élément clé. Peter Gollwitzer divise la poursuite d'un objectif en quatre stades distincts, mais reliés. Le premier est le stade prédécisionnel, au cours duquel une personne considère ses souhaits et ses désirs en termes de faisabilité et de désirabilité, en mettant de côté certains désirs et en se concentrant sur d'autres, qui semblent atteignables au prix de certains efforts. Ce stade prédécisionnel mène au stade préactionnel, au cours duquel la personne commence à planifier les actes qui lui permettront de se rapprocher de son objectif. Ce processus est axé sur le moment, le lieu, la façon et la durée de l'acte à poser. Au troisième stade, le stade actionnel, la personne réagit à des occasions de progresser en direction de son objectif et redouble d'efforts si un obstacle surgit. Le quatrième stade, le stade postactionnel, ressemble au stade prédécisionnel, en ce qu'il comporte une évaluation. La personne évalue non seulement sa propre performance, mais aussi les résultats obtenus, notamment si l'objectif a tenu ses promesses. En repensant au moment où elle a choisi et fixé son objectif, la personne réévalue celui-ci en termes de faisabilité et de désirabilité, et fait de la projection en le comparant à d'autres objectifs possibles qui pourraient être plus faisables ou désirables, ou les deux. Le désengagement à l'égard d'un objectif, s'il doit se produire, a lieu au stade postactionnel.

Gollwitzer pose ensuite comme hypothèse qu'il existe deux états d'esprit différents (deux orientations cognitives) qui distinguent ces stades. L'orientation cognitive de délibération (à laquelle on recourt aux stades prédécisionnel et postactionnel) diffère de l'orientation cognitive d'exécution, qui accompagne les stades préactionnel et actionnel. L'orientation cognitive de délibération est sans parti pris, car la personne en est encore à soupeser les options et à décider de l'objectif qu'elle poursuivra ; cet état d'esprit est inquisiteur et ouvert à tous les genres d'information. Par contre, en comparaison, l'orientation cognitive d'exécution est ciblée, sélective et fermée. L'orientation cognitive de délibération est plus précise et réaliste, en termes d'évaluation de la faisabilité, alors que l'orientation cognitive d'exécution tend à l'optimisme et à l'autoanalyse parce qu'elle est centrée sur la poursuite de l'action.

Même s'il est facile de voir l'utilité de l'orientation cognitive d'exécution lorsqu'on poursuit le bon objectif, réellement atteignable (en avant toutes !), l'orientation cognitive de délibération est aussi précieuse s'il faut adapter son engagement à l'objectif, ou si l'objectif lui-même ne tient pas ses promesses. L'illusion du contrôle, comme nous l'avons vu ailleurs, est augmentée par l'orientation cognitive d'exécution.

Un certain nombre d'expériences qui ont suscité ces états d'esprit chez les participants ont amené Gollwitzer à penser que ces orientations cognitives avaient des applications pratiques à l'extérieur du laboratoire, dans la vie de tous les jours. En se concentrant, les gens peuvent vraiment orienter leurs pensées vers la délibération ou l'exécution, en fonction de la situation. Pouvoir harmoniser son état d'esprit avec le problème à régler est une stratégie efficace d'engagement à l'égard d'un objectif.

Si vous avez de la difficulté à vous fixer un nouvel objectif, essayez de déceler ce qui fait obstacle. Est-ce que l'échec ou l'obstruction par rapport à l'objectif que vous avez abandonné vous empêche de vous concentrer sur de nouvelles avenues ? Dans l'affirmative, la nature ouverte de l'orientation cognitive de délibération peut vous être utile. Au besoin, couchez sur papier les divers objectifs possibles et songez à ceux qui sont souhaitables en premier, puis à ceux qui sont le plus réalisables. Laissez-vous la liberté d'imaginer ce que vous ferez ensuite. Par ailleurs, si la déception associée à l'abandon vous empêche d'agir, l'orientation cognitive d'exécution s'impose. Dresser des plans renforcera votre engagement à l'égard de l'objectif et des comportements actifs ; c'est ce qu'on appelle l'« intention d'exécution ».

Les avantages de la planification

La décision de poursuivre un objectif est une déclaration d'intention consciente (« Je vais faire X. »). La simple décision de poursuivre un objectif ouvre la porte à une série d'autres décisions relatives à la façon d'atteindre ces objectifs. C'est ce que Peter Gollwitzer appelle les « intentions d'exécution », ou les pensées et les plans à mettre en pratique si une certaine situation survient. La formulation, dans ce cas, est : « Si X se produit, alors je ferai Y. » ; essentiellement, vous reformulez votre objectif en termes d'actes précis que vous poserez. Comment la formation de ces intentions est-elle liée à l'établissement et à l'atteinte d'objectifs ? Y a-t-il une façon plus efficace de procéder pour faire passer une personne de la simple contemplation d'un objectif à l'action ? C'est la question que Gollwitzer et ses collègues se sont posée dans un article intitulé « From Weighing to Willing » (de soupeser à être prêt à passer à l'action).

Les chercheurs ont demandé aux participants de citer deux problèmes personnels non encore résolus ; l'un devait être relativement simple (par exemple, « Devrais-je m'abonner au journal ? » ou « Devrais-je aller skier pendant mes vacances ? ») et l'autre, plus complexe (par exemple, « Devrais-je rompre avec mon petit ami ? » ou « Devrais-je déménager de chez mes parents ? »). Les chercheurs se sont assurés que tous les participants étaient en fait loin d'être sur le point de prendre une décision à propos de ces questions personnelles. Les sujets ont été divisés en trois groupes plus un groupe témoin. Les membres du premier groupe se sont vu demander d'imaginer et de rêver à propos des attentes positives qu'ils auraient s'ils allaient de l'avant avec leur décision. Les membres du deuxième groupe se sont vu demander de trouver différentes façons d'atteindre leur objectif sans s'engager à l'égard d'un seul plan. Mais les membres du troisième groupe se sont fait demander de décider d'une seule voie à emprunter. Quant aux membres du groupe témoin, on les a empêchés de penser à leur situation personnelle en leur faisant faire des problèmes de mathématiques. Lorsque les chercheurs ont fait un suivi, trois semaines plus tard, ils ont découvert que seuls les sujets à qui l'on avait demandé de songer à une voie à emprunter en particulier et de s'engager à cet égard étaient allés de l'avant dans la poursuite de leur objectif de résoudre leur problème.

La leçon à tirer ici est que les intentions d'exécution aident à surmonter la procrastination et les autres obstacles à la poursuite de l'objectif, et orientent l'attention d'une personne vers les occasions possibles d'action. Gollwitzer affirme que de formuler l'intention d'agir rend sensible aux signaux qu'envoient les situations; de plus, dit-il, relier un comportement à une situation critique choisie conduira à «l'automatisation» du comportement. Autrement dit, le comportement ne sera pas conscient, et il tirera avantage de l'automaticité décrite par John A. Bargh et ses collègues, abordée au chapitre 1. Mais, dans ce cas, vous choisissez les signaux situationnels auxquels vous réagissez.

La réflexion sur l'avenir en termes concrets (l'orientation cognitive d'exécution), alliée à l'intention ou à l'engagement, peut aider à nous tirer de situations rendues au point mort en raison de la rumination ou de la distraction. Mais l'orientation cognitive de délibération et celle d'exécution sont des outils extrêmement précieux qui peuvent être utilisés consciemment pour se fixer des objectifs et les poursuivre. L'orientation cognitive de délibération vous permet de réévaluer vos efforts en cours de route, et de recalibrer ou de redéfinir votre objectif, au besoin. Les plans ou les intentions d'exécution aiguillent la pensée vers la résolution de problèmes; ce sont des moteurs de l'entreprise.

Si votre objectif est de résoudre un conflit ou un malentendu avec une autre personne, formuler consciemment cette intention vous aidera à prévoir la façon de réagir, en actes et en paroles. Par exemple, vous pourriez penser: «S'il est ouvert, je réagirai en faisant une suggestion sur la manière de réparer les pots cassés», ou «Si elle dit qu'elle n'aime pas ma façon d'agir, je vais lui demander des détails calmement, sans agressivité». Le fait de formuler votre intention vous amène à vous concentrer sur les signaux qu'envoie le comportement de l'autre personne (montre-t-elle des signes indiquant qu'elle veut mettre fin au conflit?), ce qui vous permet de prévoir ce que vous pouvez faire pour favoriser ces bonnes dispositions et pour atteindre votre objectif.

L'intention d'exécution peut être appliquée à tous les domaines; elle vous fait sortir de l'imprécision dans l'établissement d'objectifs (devenir une personne meilleure ou plus attentive) pour vous diriger vers l'action (« Si mon conjoint me demande de faire des courses, je le ferai sans me plaindre. », ou « Si mon voisin me demande de l'aider dans sa vente-débarras, je le ferai. »). L'intention d'exécution ne fait pas que transformer un objectif abstrait (être une meilleure personne, se remettre en forme, apprendre à mieux connaître un sujet) en actes; c'est aussi une stratégie efficace d'autocontrôle du comportement. Supposons, par exemple, que vous avez reçu une évaluation mitigée au travail. Le rapport vous louange, mais il fait également état du peu de suite que vous donnez à la critique, ce qui est une faiblesse. Plutôt que de vous dire que vous réagirez de la bonne façon, à l'avenir, vous formulez un plan d'action : « Si je reçois des critiques, je vais immédiatement demander à mon supérieur ce que j'aurais dû faire, et faire ce que je peux pour régler la question. »

Mais surtout, l'intention d'exécution peut devenir automatique et tirer avantage de la pensée « non consciente » qui fait parfois obstacle à l'établissement conscient d'objectifs, explique Gollwitzer : « En formulant une intention d'exécution, les gens peuvent passer stratégiquement du contrôle conscient, issu d'un effort, de leur comportement, au fait de se laisser contrôler automatiquement par les signaux qu'envoient les situations (c'est-à-dire « Je vais faire X, alors Y se produira. »). » L'intention d'exécution peut aussi contribuer à empêcher les distractions, à nous garder sur la bonne voie et à renforcer l'engagement à l'égard de l'objectif. Comme l'ont noté Gollwitzer, Ute C. Bayer et Kathleen C. Molloch, « il est important de reconnaître que toutes ces manœuvres sont axées sur le changement du moi, de sorte que le moi devienne un meilleur dirigeant ».

Parvenir au « bonheur »

Il appert que le chemin du bonheur (et pas celui de l'enfer, comme le disait le vieil adage) est pavé d'intentions, du moins d'après une étude réalisée par Sonja Lyubomirsky, Kennon M. Sheldon et David Schkade. Ils posent comme principe qu'il existe trois facteurs qui font qu'une personne se considère comme heureuse : le seuil de déclenchement du bonheur, les circonstances de la vie et l'activité intentionnelle. Ces termes nécessitent une explication et, même si vous vous êtes probablement fait à l'idée que ce que vous considériez comme le libre arbitre n'est peut-être pas aussi libre que vous l'aviez cru (et que vous ne maîtrisez pas complètement le « véhicule » que vous êtes), voici de bonnes nouvelles.

Le « seuil de déclenchement du bonheur ou *set-point* » est le facteur responsable d'environ la moitié de votre potentiel de bonheur. Le seuil de déclenchement, comme les traits de caractère qui en font partie, est stable au fil du temps et est plutôt déterminé génétiquement.

Puis, il y a les « circonstances de la vie » qui, étonnamment, ne comptent que pour 10 % du bonheur ; elles englobent tant les événements positifs que les événements négatifs (une enfance stable et heureuse ou une enfance traumatisante ; remporter des prix d'excellence scolaire ou échouer misérablement), ainsi que l'état matrimonial, le métier, la sécurité d'emploi, le revenu, l'état de santé et la religiosité. Les chercheurs soulignent que les gens qui gagnent plus d'argent sont, en effet, relativement plus heureux, que les gens mariés sont plus heureux que les célibataires, les divorcés ou les veufs, que les gens religieux ont tendance à se décrire comme plus heureux que ceux qui ne le sont pas, et que les gens en santé se disent plus heureux que ceux qui sont malades. Mais Sonja Lyubomirsky et ses collègues tiennent à préciser que toutes ces circonstances combinées ne comptent que pour 8 % à 15 % des variations des niveaux de bonheur : « Ces associations relativement faibles ont été jugées étonnantes et paradoxales, étant donné les attentes initiales des chercheurs, selon lesquelles des facteurs circonstanciels comme le revenu et la santé physique auraient un lien étroit avec le bonheur. »

Les travaux de Daniel Gilbert sur le bonheur expliquent ces chiffres étonnamment bas par le rôle que jouent les biais d'impact et la faculté humaine de s'adapter rapidement à de nouvelles situations. (C'est pourquoi la félicité à laquelle vous vous attendiez lorsque vous avez obtenu votre promotion n'a pas duré, mais la détresse émotionnelle que vous avez ressentie lorsque votre partenaire amoureux a rompu, non plus.) Comme Sonja Lyubomirsky et ses collègues l'ont noté : « L'adaptation hédoniste tend à ramener les gens à leur point de départ après tout changement positif des circonstances. » Voilà pour les probabilités qu'un gain à la loterie vous rende beaucoup plus heureux !

La bonne nouvelle est que, même si le seuil de déclenchement du bonheur et les circonstances de la vie comptent pour 60 % de ce qui détermine votre degré de bonheur, une part de 40 % provient d'une activité intentionnelle, et cela vous rend responsable de cette part de bonheur. L'activité intentionnelle, comme vous pouvez l'imaginer, est un énorme fourre-tout qui accueille tout ce que les gens font, y compris les activités comportementales (faire une promenade dans les bois ou rencontrer un ami proche), les activités cognitives (recadrer une situation pour se sentir plus positif) et l'activité volontaire (s'efforcer d'atteindre des objectifs personnels).

Fait étonnant, contrairement aux changements circonstanciels entourant le bonheur, qui sont relativement éphémères en raison de l'adaptation, l'activité intentionnelle a des effets à long terme. Sheldon et Lyubomirsky ont vérifié cette hypothèse dans une série d'expériences au cours desquelles ils comparaient la durée de l'effet d'une amélioration des circonstances sur le bonheur avec celle de l'activité intentionnelle. Dans leur première étude, ils ont demandé aux participants de se placer dans des groupes qui avaient connu un changement circonstanciel positif ou dans des groupes qui avaient effectué un changement d'activité positif. Les chercheurs ont constaté que les changements circonstanciels étaient moins stimulants à long terme qu'une activité continue. Dans le cadre de leur deuxième étude, ils ont relevé des mesures pendant 12 semaines et ils ont constaté que l'activité intentionnelle augmentait le bonheur, avec le temps, mais pas de façon graduelle ; l'augmentation initiale du bonheur était plutôt maintenue au même niveau par l'activité. La troisième étude portait sur les changements du bien-être psychologique et elle a permis de constater les mêmes tendances.

Il y a toutefois une mise en garde : les changements circonstanciels peuvent avoir un effet plus durable sur le bonheur si les circonstances initiales ne répondaient pas aux besoins fondamentaux de la personne. Autrement dit, passer d'une maison comportant trois chambres à coucher à une plus grande maison n'assurera pas le bonheur (on s'habitue simplement à une plus grande maison), mais déménager d'un quartier dangereux à un quartier où l'on se sent en sécurité rendra plus heureux. Cela dépend donc en partie des circonstances à l'origine. De plus, la façon dont vous traitez les changements circonstanciels dans votre vie a aussi une incidence sur votre adaptation au changement et sur la possibilité de vous trouver à votre seuil de déclenchement du bonheur. Le changement circonstanciel peut vous rendre heureux pendant plus longtemps, comme l'écrivent les chercheurs, « dans la mesure où vous agissez pour garder des circonstances "fraîches", c'est-à-dire en vous rappelant de les apprécier ou de ressentir de la gratitude ou en faisant l'effort de saisir les occasions d'expériences positives qu'elles permettent. Autrement dit, c'est faisable lorsque vous vous engagez dans une activité intentionnelle relative aux circonstances de votre vie : vous agissez sur les circonstances dans lesquelles vous êtes placé. »

Il n'est pas étonnant que de nombreux points permettant de juger s'il faut abandonner un objectif s'appliquent aussi à la sélection de nouveaux objectifs et activités qui apporteront le bonheur ou un bien-être subjectif. Premièrement, Sonja Lyubomirsky et ses collègues affirment que le bon appariement entre la personne et l'activité est important ; nous avons vu cette observation ailleurs, dans différents contextes. Deuxièmement, ils soulignent l'importance de commencer par faire un effort et de soutenir cet effort. Il est plus facile de soutenir l'effort si l'activité est autosuffisante et intrinsèque ou si elle vous place dans le flux.

Au bout du compte, même si nous n'excellons pas dans la détermination de ce qui peut nous rendre heureux maintenant ou plus tard, le fait d'avoir un seuil de déclenchement du bonheur reposant sur la personne que nous sommes, qui est stable au fil du temps et qui peut s'adapter aux changements de circonstances susceptibles de nous rendre heureux, nous laisse une bonne marge de manœuvre.

Les fruits à récolter

Les recherches sur lesquelles nous nous sommes penchés dans le présent chapitre soulignent l'efficacité du comportement conscient et l'aide qu'il peut apporter dans la conduite du véhicule que vous êtes. Ces concepts théoriques peuvent tous se traduire en comportements motivés pouvant vous aider à choisir des objectifs cohérents, satisfaisants et atteignables. Vous pouvez utiliser ces stratégies cognitives (d'orientation et d'intentions d'exécution) pour vous engager à l'égard de nouveaux objectifs. De même, la recherche sur le bonheur laisse entendre que, même s'il existe certains aspects du bonheur sur lesquels nous n'avons aucune influence, il en reste tout de même plusieurs sur lesquels nous pouvons influer. La façon dont nous pensons à ce qui nous rend heureux (décider de compter tous les avantages dont nous bénéficions, par exemple) en fait une activité intentionnelle. La pensée consciente et l'action consciente alimentent notre estime de soi et nous font sentir libres d'agir. De même, alors que la Mercedes dans l'entrée et les vêtements Gucci dans vos placards ne feront pas durer votre bonheur, ce que vous en pensez (le travail que vous avez effectué pour les payer et la manière dont ce travail vous a fait sentir) peut y parvenir.

Réinitialiser votre boussole après un désengagement est un acte de foi et de bravoure, qui regorge aussi de possibilités. Le moi qui émerge de cette transition n'est pas le même moi qui a entrepris ce processus. Nous espérons que ce que vous avez appris dans ce livre vous permettra de partir et de dire adieu quand il le faut, peu importe ce que disent la culture et les autres, et que vous le ferez consciemment, avec grâce et intelligence. Nous espérons que la période d'incertitude quant à l'avenir qui suit un départ vous mènera à un temps où vous vous sentirez en confiance. Et, ultimement, puissiez-vous profiter pleinement de cette part de bonheur qui est entièrement vôtre.

La sagesse de partir

L'une des choses intéressantes à souligner au sujet de la rédaction de ce livre est le fait d'avoir pu écouter des femmes et des hommes de différentes générations parler de ce qu'ils ont appris de la persévérance pendant leur enfance. Les *baby-boomers* ont grandi en entendant des histoires de persévérance de leurs parents et de leurs grands-parents qui ont connu la Grande Crise et la Seconde Guerre mondiale. Le thème de la persévérance était étroitement lié à l'héroïsme et s'est répercuté dans les livres, les films et les leçons à l'école. Pourtant, l'aversion de cette génération, qui a prolongé la guerre du Vietnam, à l'égard de la perte a modifié la façon de penser du groupe par rapport à la persévérance. Dans ce contexte, la vertu de la persévérance s'est mêlée au conservatisme, au manque de réalisme et à l'amour des causes perdues. Bien des jeunes gens ont « abandonné » les attentes culturelles de leurs parents, du moins pour un temps, et un certain nombre d'entre eux ont fait ce que Timothy Leary les exhortait à faire : « Vas-y, mets-toi à l'écoute et décroche. »

Par conséquent, les enfants des *baby-boomers* (ceux qui sont maintenant dans la vingtaine, la trentaine et la quarantaine) semblent avoir eu une plus grande marge de manœuvre en ce qui a trait à la possibilité de pouvoir changer d'idée concernant leurs engagements lorsqu'ils étaient enfants. Néanmoins, ces jeunes gens affirment aussi que, même si leurs parents n'avaient pas vanté la persévérance en tant que vertu, ils en avaient souvent donné l'exemple.

Le questionnaire utilisé pour rédiger ce livre (pas une étude scientifique, mais un appel à témoignages) a révélé à quel point la plupart des gens peuvent être encore ambivalents lorsqu'il s'agit d'avouer qu'ils ont abandonné quelque chose d'important, même si, au bout du compte, c'était la bonne chose à faire. Le portrait culturel du lâcheur (celui qui ne fera jamais rien de sa vie et qui manque de persévérance) domine encore la scène. Alors que les parents des *baby-boomers* avaient tendance à ne pas laisser leurs enfants abandonner quoi que ce soit à l'égard duquel ils s'étaient engagés (si on avait demandé à avoir un saxophone, on était forcé de s'exercer à en jouer), les *baby-boomers* eux-mêmes semblent avoir tenté de naviguer entre des écueils : enseigner à un enfant la valeur de l'effort et de l'exercice soutenu, d'une part, et la liberté d'explorer une activité et de l'abandonner si cela ne convenait pas, d'autre part.

«Il est difficile de s'imaginer pourquoi son enfant veut abandonner, dit une mère. La peur de l'échec est toujours une mauvaise raison pour abandonner, et je n'ai jamais laissé mes enfants abandonner une activité en cours. Par contre, il n'y a rien à gagner à forcer un enfant à persévérer dans quelque chose qu'il déteste. » Une autre mère avait une opinion diamétralement opposée : elle écrivait qu'il y avait quelque chose à apprendre du fait de terminer ce qu'on avait commencé. Elle disait que la vie est remplie de situations qui nécessitent que l'on persévère, alors que tout ce qu'on désire, c'est abandonner. C'est assez vrai.

L'abandon d'un sport d'équipe constitue un problème vraiment épineux pour la plupart des parents : il s'agit de mettre dans la balance ses désirs individuels et l'engagement pris envers d'autres. Le père d'un homme de 33 ans se rappelle sa décision d'avoir permis à son fils d'abandonner le hockey sur glace, même après avoir investi dans le coûteux équipement de ce sport : « Je me demande si j'ai bien fait, parce que ce sport ne m'importait pas vraiment. Aurais-je réagi différemment si cela avait été le golf, sport que j'ai pratiqué toute ma vie ? Je me le demande. »

D'après l'énorme popularité du livre d'Amy Chua, *L'Hymne de bataille de la mère Tigre* et le brouhaha qui a accompagné sa vision du parentage axé sur la discipline et la persévérance afin d'optimiser les réalisations d'un enfant, il est clair que la plupart des gens se demandent encore si l'abandon doit avoir sa place dans leur agenda.

Le présent livre ne fait pas la promotion de l'abandon en lui-même. Si l'abandon n'est pas accompagné de l'engagement à l'égard de nouveaux objectifs, il ne constitue vraiment pas la solution. Dans une culture obsédée par la célébrité, axée principalement sur des objectifs extrinsèques (surtout l'argent et la gloire), peut-être que notre rôle, en tant que personnes, parents et mentors, est de nous concentrer moins sur la valeur de la persévérance et davantage sur la nature des objectifs que nous nous fixons et que nous encourageons chez les autres.

Nous savons maintenant que la persévérance est enracinée dans l'espèce humaine ; ce qu'il faut apprendre, c'est le discernement, savoir reconnaître les objectifs qui valent la peine d'être poursuivis et qui sont assez significatifs pour apporter le bonheur ou la satisfaction. Alors que la technologie continue de façonner la définition de soi chez les enfants et les adolescents (selon laquelle la valeur est associée à la popularité et à l'attention qu'on obtient, à en juger par le nombre d'abonnés à YouTube, de textos sur Twitter et « d'amis » sur Facebook), il semble plus important que jamais de se concentrer sur les objectifs intrinsèques et compatibles avec le moi, plutôt que sur des objectifs extrinsèques. Dans un monde où la distraction est omniprésente (le cellulaire sur l'oreiller, de multiples écrans allumés en tout temps), encourager les enfants à se concentrer sur des objectifs qui leur correspondent devrait être une priorité. Dans une culture aux solutions rapides, où la fin prime trop souvent sur les moyens, les enfants ont besoin d'apprendre que la quête d'un objectif est un cheminement précieux en lui-même et que ce n'est pas uniquement la fin (l'atteinte de l'objectif) qui importe.

Même si la culture le déprécie, l'abandon fait inévitablement partie du cycle de la vie et est plus difficile à réaliser à certains moments qu'à d'autres. La gestion de nos pensées, de nos sentiments et de nos actes est au cœur de l'art de partir avec doigté et de tirer satisfaction de la vie.

L'abandon conscient et réfléchi nous fait voir les décisions sous un autre angle, que ce soit le vôtre ou celui d'autres personnes. Comme l'écrivait un jeune homme âgé de 30 ans qui avait décroché deux fois, pour devenir ensuite professeur dans un collège: «Cela a changé mes perspectives, parce qu'abandonner quelque chose est souvent une tentative d'affirmer quelque chose de plus grand que ce que nous pouvons saisir. Et même si je trouve excessivement négatif d'entendre des gens parler de leurs décisions en termes d'abandon, j'essaie dorénavant de voir plutôt le pas positif qu'ils essaient de poser au prix de grands efforts, mais qu'ils ne peuvent pas encore exprimer en mots. »

Ainsi soit-il.

Remerciements

Ce livre n'existerait pas sans l'incroyable travail des psychologues, des économistes et des autres spécialistes des sciences sociales qui ont cherché pourquoi les gens font ce qu'ils font, pour en arriver à de nouvelles conclusions sur les processus de la pensée, de l'automaticité et de l'inconscient, ainsi que sur l'autocontrôle et l'établissement d'objectifs. Les notes à la fin de cet ouvrage et la bibliographie en témoignent. De nouvelles découvertes sur le fonctionnement du cerveau nous apportent encore plus de lumière et s'avèrent emballantes. Même si ces chercheurs ne sont pas responsables de la façon dont ces idées sont utilisées ou exprimées, sans eux et sans l'ensemble de leurs travaux, ce livre aurait été à peine un concept intéressant et aurait abouti dans le vaste purgatoire où vont les idées chouettes, mais non fondées.

D'un point de vue personnel, le parcours intellectuel de la découverte qu'a été l'exploration de ces travaux a été emballant, et parfois déconcertant ; j'essaie encore de me faire à l'idée que la conscience est une illusion.

Mille mercis à Elizabeth Kaplan, mon agente, qui n'a pas abandonné, et à Dan Ambrosio, pour son aide à mener le livre à bonne fin ainsi que pour son enthousiasme. Merci à Carolyn Sobczak de m'avoir écoutée déplorer la mort du stylo bleu et d'avoir été si patiente.

Des amis et des étrangers se sont donné le mot pour envoyer des courriels exhortant des gens à admettre qu'ils avaient abandonné quelque chose et à parler du lâcher-prise, de l'échec, du regret et de la joie de recommencer à zéro et de se réinventer. Par ordre alphabétique, je remercie Jacqueline Freeman, Leslie Garisto, Ray Healey, Ed Mickens, Patti Pitcher, Claudia Karabaic Sargent et Lori Stein. Merci aussi à tous ceux qui ont relaté leur histoire, mais ont préféré garder l'anonymat; vous vous reconnaîtrez. Sachez que j'ai apprécié votre aide. Un merci particulier à Karyl McBride pour ses courriels du matin.

À la maison, un grand merci à Alexandra Israel et à Craig Weatherly, qui ont vécu avec une écrivaine distraite et des piles d'articles. Craig mérite des félicitations particulières pour sa maîtrise récemment acquise de JSTOR et d'autres bases de données, dans sa quête d'articles scientifiques impossibles à trouver sur Internet.

— Peg Streep

Je voudrais remercier, par-dessus tout, les personnes et les groupes avec lesquels j'ai travaillé au fil des ans. Le courage et la ténacité dont ils ont fait preuve pour trouver leur voie et poursuivre leurs rêves m'ont aidé à considérer l'abandon comme une forme d'art.

Au plan professionnel, je voudrais remercier les Drs George Weinberg, Louis Ornont et Larry Epstein, chacun ayant son talent particulier et ayant contribué à créer un bassin de thérapeutes qui ont tiré parti de leurs compétences. Chacun d'eux a élargi ma conscience des possibilités que recèle l'esprit humain et a augmenté ma capacité technique à être une présence thérapeutique dans la vie des gens.

Enfin, mon travail avec Dick Bolles, auteur du livre *De quelle couleur est votre parachute ?* m'a encouragé à voir la réorientation de carrière comme une métaphore pour une occasion spirituelle. Dick a aidé, comme personne d'autre, les gens en transition à considérer leur avenir comme un processus de découverte.

— Alan Bernstein

Notes

Chapitre un : La psychologie de la persévérance

21. On ne peut trop souligner : Carston Wrosch et coll., «The Importance of Goal Disengagement in Adaptive Self-Regulation : When Giving Up Is Beneficial», *Self and Identity* 2 (2003) : 1–20.

23. L'un, appelé «intuition» : Daniel Kahneman, «A Perspective on Judgment and Choice : Mapping Bounded Rationality», *American Psychologist* 85, nᵒ 9 (septembre 2003) : 692–720. Voir aussi Daniel Kahneman, *Thinking, Fast and Slow* (New York : Farrar, Straus et Giroux, 2011), 20 et suivantes.

26. Le cerveau humain est fait pour réagir à une quasi-victoire : R. L. Reid, «The Psychology of the Near Miss», *Journal of Gambling Behavior* 2, nᵒ 1 (1986) : 32–39.

26. Dans le cadre d'une étude britannique sur le jeu : Henry Chase et Luke Clark, «Gambling Severity Predicts Midbrain Response to Near-Miss Outcomes», *Journal of Neuroscience* 30, nᵒ 18 (2010) : 6180–6187.

28. «Disponibilité heuristique», est une autre propension mentale : Amos Tversky et Daniel Kahneman, «Availability : A Heuristic for Judging Frequency and Probability», *Cognitive Psychology* 4 (1973) : 207–232.

29. Le psychologue Scott Plous : *Psychology of Judgment and Decision-Making* (New York : McGraw-Hill, 1993), 121.

33. L'escalade de l'engagement : Barry M. Staw, «The Escalation of Commitment to a Course of Action», *Academy of Management Review* 6, nᵒ 4 (octobre 1981) : 577–587.

34. L'effet «au-dessus de la moyenne» : Emily Pronin, Daniel Y. Lin et Lee Ross, «The Bias Blind Spot : Perceptions of Bias in Self

versus Others», *Personality and Social Psychology Bulletin* 28, nᵒ 3 (mars 2002) : 369–381 ; Justin Kruger, « Lake Wobegon Be Gone ! The "Below-Average Effect" and the Egocentric Nature of Comparative Ability Judgments», *Journal of Personality and Social Psychology* 77, nᵒ 2 (1999) : 221–232.

35. Nous avons tendance à faire montre de trop de confiance en nous : David Dunning, Dale W. Griffin, James D. Mikojkovic et Lee Toss, « The Overconfidence Effect in Social Prediction », *Journal of Personality and Social Psychology* 58, nᵒ 4 (1990) : 568–581 ; Robert P. Vallone, Dale W. Griffin, Sabrina Lin et Lee Ross, « Overconfident Prediction of Future Actions and Outcomes by Self and Others », *Journal of Personality and Social Psychology* 58, nᵒ 4 (1990) : 582–591.

35. Dans le *Harvard Business Review* : Dan Lovallo et Daniel Kahneman, « Delusions of Success : How Optimism Undermines Executives' Decisions », *Harvard Business Review* (juillet 2003), 56–63.

36. Des études démontrent qu'un gestionnaire : William Samuelson et Richard Zeckhauser, « The Status Quo Bias in Decision-Making », *Journal of Risk and Uncertainty* 1 (1988) : 7–59.

37. On appelle ce phénomène « effet du coût irrécupérable » ou « aversion à la perte » *Ibid*, 37.

39. Comme l'ont découvert les lauréats du prix Nobel Daniel Kahneman et Amos Tversky : Daniel Kahneman et Amos Tversky, « Prospect Theory : An Analysis of Decision Under Risk », *Econometrica* 47, nᵒ 2 (mars 1979) : 263–291.

40. À quel point les gens sont-ils sensibles aux pertes ? : Daniel Gilbert, *Stumbling on Happiness* (New York : Vintage Books, 2007), 51-52. Son exemple est fondé sur « Preferences for Sequences of Outcomes », de George F. Loewenstein et Drazen Prelec, dans *Psychological Review* 100, nᵒ 1 (1993) : 91–108.

42. Des chercheurs ont découvert que, lorsque la poursuite : Nils B. Jostmann et Sander L. Koole, « When Persistence Is Futile », dans *The Psychology of Goals*, sous la direction de Gordon B. Moskowitz et Heidi Grant (New York : Guilford Press, 2009), 337-361.

43. « La lenteur de la conscience nous amène à penser » : Daniel M. Wegner, *The Illusion of Conscious Will* (Cambridge, MA : MIT Press, 2002), 57.

44. Cela est attribuable à l'influence de l'« amorçage » : Tanya L. Chartrand et John Bargh, « The Chameleon Effect : The Perception-Behavior Link and Social Interaction », *Journal of Personality and Social Psychology* 76, n° 6 (1999) : 893–910.

45. D'autres expériences, particulièrement celles de John A. Bargh : John A. Bargh et Tanya L. Chartrand, « The Unbearable Automaticity of Being », *American Psychologist* 54, n° 7 (juillet 1999) : 462–479.

45. Par exemple, dans une expérience : John A. Bargh, Mark Chen et Lara Burrows, « Automaticity of Social Behavior : Direct Effects of Trait Construct and Stereotype Activation on Actions », *Journal of Personality and Social Psychology* 71, n° 2 (1996) : 230–244.

45. Bargh et ses collègues : Aaron C. Kay, S. Christian Wheeler, John A. Bargh et Lee Ross, « Material Priming : The Influence of Mundane Physical Objects on Situational Construal and Competitive Behavior Choice », *Organizational Behavior and Human Decision Process* 93 (2004) : 83–96.

45. du « jeu de l'ultimatum » : *Ibid.*, 88.

46. Des expériences semblables, ainsi que des scintigraphies cérébrales : John A. Bargh *et al.*, « The Automated Will : Nonconscious Activation and Pursuit of Behavior Goals », *Journal of Personality and Social Psychology* 81, n° 6 (2001) : 1 014–1 027 ; John A. Bargh et Ezequiel Morsella, « The Unconscious Mind », *Perspectives on Psychological Science* 3, n° 1 (2003) : 73–79 ; John A. Bargh et Julie Y. Huang, « The Selfish Goal », dans *The Psychology of Goals*, sous la direction de Gordon B. Moskowitz et Heidi Grant (New York : Guilford Press, 2009), 127–150.

46. « une fois qu'ils sont activés » : John A. Bargh et Tanya L. Chartrand, « The Unbearable Automaticity of Being », *American Psychologist* 54, n° 7 (juillet 1999) : 473.

47. « processus ironiques de contrôle mental » : Daniel M. Wegner, « Ironic Processes of Mental Control », *Psychological Review* 101, n° 1 (1994) : 34–51.

47. «Il semble que le cerveau recherche»: Wegner, *The Illusion of Will*, 141.

47. Wegner et ses collègues ont expliqué: L'expérience originale est relatée dans «Paradoxical Effects of Thought Suppression», de Daniel M. Wegner, David J. Schneider, Samuel R. Carter III et Teri L. White, dans *Journal of Personality and Social Psychology* 53, n° 1 (1987): 5–13; Daniel M. Wegner, «You Can't Always Think What You Want: Problems in the Suppression of Unwanted Thoughts», *Advances in Experimental Psychology* 25 (1992): 193–225.

Chapitre deux: Le départ raté

65. Richard M. Ryan et Edward L. Deci: Richard M. Ryan et Edward L. Deci, «Intrinsic and Extrinsic Motivations: Classic Definitions and New Directions», *Contemporary Educational Psychology* 25 (2000): 54–67.

65. «la distinction la plus fondamentale s'établit entre la *motivation intrinsèque*»: *Ibid.*, 55.

66. «La motivation extrinsèque est habituellement»: *Ibid.*

67. Comme l'ont démontré les travaux de John A. Bargh et de ses collègues: John A. Bargh et Ezequiel Morsella, «The Unconscious Mind», *Perspectives on Psychological Science* 3, n° 1 (2003): 73–79.

67. D'après Andrew J. Elliot et Todd M. Thrash: Andrew J. Elliot et Todd M. Thrash, «Approach-Avoidance Motivation in Personality: Approach and Avoidance Temperaments and Goals», *Journal of Personality and Social Psychology* 82, n° 5 (2002): 804–818; Andrew J. Elliot et Todd M. Thrash, «Approach and Avoidance Temperament As Basic Dimensions of Personality», *Journal of Personality* 78, n° 3 (juin 2010): 865–906.

69. La distinction entre ces deux motivations: Andrew J. Elliot, «A Hierarchical Model of Approach-Avoidance Motivation», *Motivation and Emotion* 29 (2006): 111–116.

69. «La motivation de l'évitement est limitée»: *Ibid.*, 115.

69. «La motivation de l'évitement vise à faciliter»: *Ibid.*

70. Les psychologues Robert Emmons et Laura King: Robert A. Emmons et Laura King, «Conflict Among Personal Stirrings: Immediate and Long-Term Implications for Psychological and Physical Well-Being», *Journal of Personality and Social Psychology* 54, n° 6 (1988): 1 040-1 048.

Chapitre trois: De l'art de partir

75. Le désengagement à l'égard d'un objectif s'effectue: Ici et ailleurs, la définition des composantes du désengagement est tirée de «When Persistence Is Futile: A Functional Analysis of Action Orientation and Goal Disengagement», de Nils B. Jostmann et Sander L. Koole, dans *The Psychology of Goals*, sous la direction de Gordon B. Moskowitz et Heidi Grant (New York et Londres: Guilford Press, 2009), 337-361. Leur tableau 13.2, à la p. 347, est particulièrement utile.

76. Daniel Wegner explique: Daniel M. Wegner, *The Illusion of Conscious Will* (Cambridge, MA: MIT Press, 2002), 141.

76. Wegner et ses collègues: Daniel Wegner, *White Bears and Other Unwanted Thoughts: Suppression, Obsession, and the Psychology of Mental Control* (New York et Londres: Guilford Press, 1994), 65-69.

77. «Si nous voulons supprimer une pensée»: *Ibid.*, 70.

77. Roy Baumeister a appelé ce phénomène «épuisement de l'ego»: Roy F. Baumeister, Ellen Bratslavsky, Mark Muraven et Dianne M. Tice, «Ego Depletion: Is the Active Self a Limited Resource?», *Journal of Personality and Social Psychology* 74, n° 5 (1998): 1 253-1 265.

79. «Poser un choix puise dans les mêmes ressources limitées»: *Ibid.*, 1 257. Pour trouver un autre modèle possible d'épuisement, voir Michael Inzlicht et Brandon J. Schmeichel, «What Is Ego Depletion? Toward a Mechanistic Revision of the Resource Model of Self-Control», *Perspectives on Psychological Science* 7, n° 5 (2012): 450-463.

79. D'autres expériences ont démontré: *Ibid.*, 1 258-1 259. Voir aussi Mark Muraven, Dianne M. Tice et Roy M. Baumeister, «Self-Control As Limited Resource: Regulatory Depletion

Patterns», *Journal of Personality and Social Psychology* 74, n°3 (1998): 774–789.

80. Dylan D. Wagner et Todd F. Heatherton: Dylan Wagner et Todd F. Heatherton, «Self-Regulatory Depletion Increases Emotional Reactivity in the Amygdala», *Social, Cognitive and Affective Neuroscience* (27 août 2012). DOI: 10/1093scan/nss082.

80. L'«effet Zeigarnik»: Roy F. Baumeister et John Tierney, *Willpower: Rediscovering the Greatest Human Strength* (New York: Penguin Books, 2011), 80–81.

81. Les travaux récents d'E. J. Masicampo et Roy Baumeister: E. J. Masicampo et Roy F. Baumeister, «Consider It Done! Plan Making Can Eliminate the Cognitive Effects of Unfulfilled Goals», *Journal of Personality and Social Psychology* (2 juin 2011); publication en ligne avancée. DOI: 10.1037/90024192.

83. Dans son article fondamental de 1975, Eric Klinger: Eric Klinger, «Consequences of Commitment to and Disengagement from Incentives», *Psychological Review* 82, n°2 (1975): 1–25.

84. Dylan D. Wagner et Todd F. Heatherton: Dylan Wagner et Todd F. Heatherton, «Self-Regulatory Depletion», *Social, Cognitive and Affective Neuroscience* (27 août 2012). DOI: 10/1093scan/nss082.

85. Une série d'expériences menées par Kathleen D. Vohs, Roy F. Baumeister et leurs collègues: Kathleen D. Vohs et coll., «Engaging in Self-Control Heightens Urges and Feelings», document de travail.

85. «L'épuisement de l'ego ne change peut-être pas»: *Ibid.*, 5.

90. «Autrement dit, sur 8 heures»: Daniel Gilbert, *Stumbling on Happiness* (New York: Vintage Books, 2006), 17.

91. «Les Américains de tous âges s'attendent»: *Ibid.*, 19.

91. Emily Pronin, Daniel Lin et Lee Ross: Emily Pronin, Daniel Y. Lin et Lee Ross, «The Bias Blind Spot: Perception of Bias in Self Versus Others», *Personality and Social Psychology Bulletin* 8 (2002): 369–381.

92. «Nous ne nous considérons pas toujours comme supérieurs»: Gilbert, *Stumbling on Happiness*, 252.

93. Timothy Wilson et Daniel Gilbert ont établi quatre aspects: Timothy D. Wilson et Daniel T. Gilbert, «Affective

Forecasting», *Advances in Experimental Social Psychology* 35 (2003): 346–411.

93. Les gens ont tendance à simplifier exagérément: *Ibid.*, 348.

94. Les chercheuses Julia Woodzicka et Marianne LaFrance ont demandé: Julia A. Woodzicka et Marianne LaFrance, «Real Versus Imagined Gender Harassment», *Journal of Social Issues* 57, n° 1 (2001): 15–39.

96. «Biais d'impact»: Wilson et Gilbert, «Affective Forecasting», 351.

97. Le «système immunitaire psychologique»: *Ibid.*, 380 et suivantes.

99. Les psychologues Lauren B. Alloy et Lyn Y. Abramson: Lauren B. Alloy et Lyn Y. Abramson, «Judgment of Contingency in Depressed and Non-Depressed Students: Sadder but Wiser?», *Journal of Experimental Psychology* 108, n° 4 (1978): 441–485.

99. Le «réalisme dépressif»: D'autres points de vue sur le sujet: David Dunning et Amber L. Story, «Depression, Realism, and the Overconfidence Effect: Are the Sadder Wiser When Predicting Future Actions and Events?», *Journal of Personality and Social Psychology* 61, n° 4 (1981): 521–532; Lorraine G. Alan, Shepherd Siegel et Samuel Hannah, «The Sad Truth About Depressive Realism», *Quarterly Journal of Experimental Psychology* 60, n° 3 (2007): 482–495.

100. Comme l'écrit Timothy D. Wilson: *Strangers to Ourselves: Discovering the Adaptive Unconscious* (Cambridge, MA: Belknap Press of Harvard University, 2002), 140.

101. «J'avais un million de choses à faire»: Stephenie Meyer, site Web officiel, «Bio», visité le 16 juin 2013, www.stepheniemeyer.com/bio.html.

102. Les psychologues Gabriele Oettingen et Doris Mayer établissent une distinction: Gabriele Oettingen et Doris Mayer, «The Motivating Function of Thinking About the Future: Expectations Versus Fantasies», *Journal of Personality and Social Psychology* 83, n° 5 (2002): 1 198–1 212.

103. Dans le cadre d'une expérience, Gabriele Oettingen et ses collègues: Gabriele Oettingen, Hyeon-ju Pak et Karoline Schnetter, «Self-Regulation of Goal-Setting: Turning Free Fantasies

About the Future into Binding Goals», *Journal of Personality and Social Psychology* 80, n° 5 (2001) : 736–753.

Chapitre quatre : Avoir le talent de partir

114. Les études démontrent que, même si la persévérance est utile : Charles S. Carver et Michael F. Scheier, « Scaling Back Goals and Recalibration of the Affect Systems Are Processes in Normal Adaptive Self-Regulation : Understanding the "Response-Shift" Phenomena », *Social Science and Medicine* 50 (2000) : 1 715-1 722 ; Carsten Wrosch et coll., « Adaptive Self-Regulation of Unattainable Goals : Goal Disengagement, Goal Reengagement, and Subjective Well-Being », *Personality and Social Psychology Bulletin* 29, n° 12 (décembre 2003) : 1 494-1 508. Pour savoir si le départ peut améliorer la santé, voir Carsten Wrosch, Gregory E. Miller, Michael F. Scheier et Stephanie Brun de Pontet, « Giving Up on Unattainable Goals : Benefits for Health ? » *Personality and Social Psychology Bulletin* 33, n° 2 (février 2007) : 251-265. Sur le fait que ne pas partir peut rendre malade, voir Gregory E. Miller et Carsten Wrosch, « You've Gotta Know When to Fold 'Em : Goal Disengagement and Systemic Inflammation in Adolescence », *Psychological Science* 18, n° 9 (2007) : 773-777.

116. Andrew J. Elliot et Todd M. Thrash ont proposé une perspective : Andrew J. Elliot et Todd M. Thrash, « Approach and Avoidance Temperament As Basic Dimensions of Personality », *Journal of Personality* 76, n° 3 (juin 2010) : 865-906.

118. D'après Andrew J. Elliot et Harry T. Reis : Andrew J. Elliot et Harry T. Reis, « Attachment and Exploration in Adulthood », *Journal of Personality and Social Psychology* 85, n° 2 (2003) : 317-331.

118. La théorie de l'attachement est issue d'une série : Mary Ainsworth, *Patterns of Attachment : A Psychological Study of the Strange Situation* (Hillsdale, N.J. : Lawrence Erlbaum Associates, 1978.

120. Une expérience fascinante, appelée « falaise visuelle » : L'étude originale visait à évaluer la perception de la profondeur chez les nourrissons. E. J. Gibson et R. D. Walk, « The Visual Cliff », *Scientific American* 202, n° 4 (1960) : 67-71.

120. Dans le cadre d'une expérience de falaise visuelle réalisée par James F. Sorce et ses collègues : James F. Sorce, Robert N. Emde, Joseph Campos et Mary D. Klinnert, « Maternal Emotional Signaling: Its Effect on the Visual Cliff Behavior of 1-Year-Olds », *Developmental Psychology* 21, n° 1 (1985) : 195-200.

121. Elliot and Ries ont avancé l'hypothèse : Elliot et Ries, « Attachment and Exploration », 319.

123. Une analyse en profondeur réalisée par Philip R. Shaver et Mario Mikulincer : Philip R. Shaver et Mario Mikulincer, « Attachment-Related Psychodynamics », *Attachment and Human Development* 4 (2002) : 133-161.

124. Une étude de Heather C. Lench and Linda J. Levine : Heather C. Lench et Linda J. Levine, « Goals and Responses to Failure : Knowing When to Hold Them and When to Fold Them », *Motivation and Emotion* 32 (2008) : 127-140.

125. « Ironiquement, expliquent les auteurs, en se concentrant sur l'évitement de résultats négatifs : *Ibid.*, 137.

125. « Cela pourrait sembler contraire à la logique, mais les gens qui se sont concentrés sur l'échec potentiel » : *Ibid.*, 139.

126. Au cours d'une étude fascinante, Elliot et Thrash : Andrew J. Elliot et Todd M. Thrash, « The Intergenerational Transmission of Fear of Failure », *Personality and Social Psychology Bulletin* 30, n° 8 (août 2004) : 957-971.

126. « L'échec en soi qui est craint » : *Ibid.*, 958.

127. « La plupart de ceux qui y ont recours ne font » : *Ibid.*, 959.

128. Une étude de personnes en thérapie : Andrew J. Elliot et Marcy A. Church. « Client-Articulated Avoidance Goals in the Therapy Context », *Journal of Counseling Psychology* 49, n° 2 (2002) : 243-254.

129. Certains exemples tirés de cette étude permettent de constater clairement cette différence : *Ibid.*, tableau, 244.

132. Si, comme le soutiennent Carsten Wrosch et d'autres : Carsten Wrosch, Michael F. Scheier, Charles S. Carver et Richard Schulz, « The Importance of Goal Disengagement in Adaptive Self-Regulation : When Giving Up Is Beneficial », *Self and Identity* 2 (2003) : 1-20.

133. Théorie de la psychologie appelée «théorie des interactions des systèmes de personnalité»: Nicola Baumann et Julius Kuhl, «Intuition, Affect, and Personality: Unconscious Coherence Judgments and Self-Regulation of Negative Affect», *Journal of Personality and Social Psychology* 83, n° 5 (2002): 1 213–1 225; Nicola Baumann et Julius Kuhl, «Self-Infiltration: Confusing Tasks As Self-Selected in Memory», *Personality and Social Psychology Bulletin* 29, n° 4 (avril 2003): 487–497; Sander L. Koole, Julius Kuhl, Nils B. Jostmann et Kathleen D. Vohs, «On the Hidden Benefits of State Orientation: Can People Prosper Without Efficient Affect-Regulation Skills?», dans *Building, Defending, and Regulating the Self*, sous la direction d'Abraham Tesser, Joanne Woods et Diederik Stapel (New York: Psychology Press, 2005), 217–244; Nils B. Jostmann et Sander L. Koole, «When Persistence Is Futile: A Functional Analysis of Action Orientation and Goal Disengagement», dans *The Psychology of Goals*, sous la direction de Gordon B. Moskowitz et Heidi Grant (New York: Guilford Press, 2009), 337–361. Voir aussi Nils B. Jostmann, Sander L. Koole, Nickie Y. Van Der Wulp et Daniel A. Fockenberg, «Subliminal Affect Regulation: The Moderating Role of Action versus State Orientation», *European Psychologist* 10, n° 3 (2005): 209–217.

134. Comme l'ont constaté James M. Diefendorff et ses collègues: James M. Diefendorff, Rosallie J. Hall, Robert G. Ord et Mona L. Strean, «Action-State Orientation: Construct Validity of a Revised Measure and Its Relationship to Work-Related Variables», *Journal of Applied Psychology* 85, n° 2 (2000): 250.

136. Lorsque l'orientation «action» et l'orientation «état» sont mesurées: L'échelle de Julius Kuhl est montrée dans «When Persistence Is Futile», de Nils B. Jostmann et Sander L. Koole, dans *The Psychology of Goals*, sous la direction de Gordon B. Moskowitz et Heidi Grant (New York: Guilford Press, 2009). Les exemples utilisés ici sont tirés de la page 345.

137. Ces orientations semblent façonnées: Sander L. Koole, Julius Kuhl, Nils B. Jostmann et Catrin Finkenauer, «Self-Regulation in Interpersonal Relationships: The Case of Action Versus State Orientation», dans *Self and Relationship*, sous la direc-

tion de Kathleen D. Vohs et E. J. Finkel (New York et Londres: Guilford Press, 2006), 360–386.

138. Une expérience réalisée par des chercheurs à Amsterdam: Sander L. Koole et Nils B. Jostmann, «Getting a Grip on Your Feelings: Effects of Action Orientation on Intuitive Affect Regulation», *Journal of Personality and Social Psychology* 87, n° 6 (2004): 974–990.

140. Leur orientation peut bien les servir: James M. Diefendorff, «Examination of the Roles of Action-State Orientation and Goal Orientation in the Goal-Setting and Performance Process», *Human Performance* 17, n° 4 (2004): 375–395.

141. Expériences menées par Sander L. Koole et David A. Fockenberg: Sander L. Koole et Daniel A. Fockenberg, «Implicit Emotional Regulation Under Demanding Conditions: The Mediating Role of Action Versus State Orientation», *Cognition and Emotion* 25, n° 3 (2011): 440–452.

Chapitre cinq: La gestion des pensées et des émotions

146. Ce que John D. Mayer et Peter Salovey ont appelé l'«intelligence émotionnelle»: John D. Mayer et Peter Salovey, «What Is Emotional Intelligence», dans *Emotional Development and Emotional Intelligence*, sous la direction de Peter Salovey et D. J. Sluyter (New York: Basic Books, 1997), 3–31.

146. Livre extrêmement populaire et d'une grande influence culturelle, écrit par Daniel Goleman: Daniel Goleman, *Emotional Intelligence: Why It Can Matter More than IQ* (New York: Bantam Books, 1994).

146. Mais ils ont désavoué publiquement: John D. Mayer, Peter Salovey et David R. Caruso, «Emotional Intelligence: New Ability or Eclectic Traits?», *American Psychologist* 65, n° 7 (septembre 2008): 515.

146. «La capacité de percevoir des émotions: Mayer et Salovey, «What Is Emotional Intelligence?», 5. Les niveaux d'intelligence émotionnelle décrits ici sont fondés sur leur chapitre, et les termes utilisés pour décrire les niveaux sont tirés de leur tableau n° 1.1.

147. Comme tout cela se passe dans la petite enfance: Daniel J. Siegel et Mary Hartzell, *Parenting from the Inside Out* (New York: Jeremy P. Tarcher/Penguin: 2003), 203–205.

151. Une étude de Lisa Feldman Barrett et de ses collègues: Lisa Feldman Barrett, James Gross, Tamlin Conner Christensen et Michael Benvenuto, «Knowing What You're Feeling and Knowing What to Do About It: Mapping the Relation Between Emotion Differentiation and Emotion Regulation», *Cognition and Emotion* 15, n° 6 (2001): 713–724.

153. La guimauve et vous: Yuichi Shoda, Walter Mischel et Philip K. Peake, «Predicting Adolescent Cognitive and Self-Regulatory Competencies from Preschool Delay of Gratification: Identifying Diagnostic Conditions», *Developmental Psychology* 16, n° 6 (1990): 978–986.

155. Les chercheurs ont conclu: *Ibid.*, 985.

161. Les femmes sont plus enclines à ruminer que les hommes: Lisa D. Butler et Susan Nolen-Hoeksema, «Gender Differences in Response to Depressed Mood in a College Sample», *Sex Roles* 30, n° 5–6 (1994): 31–346.

161. D'après certaines études, les mères ont tendance à enseigner à leurs enfants de sexe masculin: Katherine M. Weinberg, Edward Z. Tronick, Jeffrey F. Cohn et Karen L. Olson, «Gender Differences in Emotional Expressivity and Self-Regulation During Early Infancy», *Developmental Psychology* 35 (1999): 175–188.

162. De plus, les mères parlent à leurs filles: Robyn Fivush, «Exploring Sex Differences in the Emotional Context of Mother-Child Conversations About the Past», *Sex Roles* 20, n° 11–12 (1989): 675–695.

162. Susan Nolen-Hoeksema et Benita Jackson: Susan Nolen-Hoeksema et Benita Jackson, «Mediators of the Gender Difference in Rumination», *Psychology of Women Quarterly* 25 (2001): 37–47.

164. Libérer les ours: Daniel M. Wegner, «Setting Free the Bears: Escape from Thought Suppression», *American Psychologist* (novembre 2011): 671–679.

Chapitre six : Faire le point

172. Avez-vous vu le gorille ? : Christopher Chabris et Daniel J. Simons, *The Invisible Gorilla : How Our Intuitions Deceive Us* (New York : Broadway Paperbacks, 2011) ; Daniel J. Simons et Christopher Chabris, « Gorillas in Our Midst : Sustained Inattention Blindness », *Perception* 28 (1999) : 1 059–1 074.

173. L'un des chercheurs, Simons : Daniel J. Simons et Daniel T. Lewin, « Failure to Detect Changes to People During a Real-World Interaction », *Psychonomic Bulletin and Review* 5, n° 4 (1998) : 644–649.

174. Dans une expérience de suivi réalisée par Daniel T. Levin : Daniel T. Levin, Nausheen Momek, Sarah B. Drivdahl et Daniel J. Simons, « Change Blindness Blindness : The Metacognitive Error of Overestimating Change-Detection Ability », *Visual Cognition* 7, n° 1–3 (2000) : 397–412.

176. « Les objectifs en folie : Lisa D. Ordóñez, Maurice E. Schweitzer, Adam D. Galinsky et Max H. Bazerman, « Goals Gone Wild : The Systematic Side Effects of Over-Prescribing Goal Setting ». Document de travail 09-083, Harvard Business School, Boston.

177. Un important résumé d'Edwin A. Locke et Gary P. Latham : Edwin A. Locke et Gary P. Latham, « New Directions in Goal-Setting Theory », *Current Directions in Psychological Science* 15, n° 5 (octobre 2006) : 265–268.

178. Les candidats à un MBA qui se fixaient des objectifs plus vastes : *Ibid.*, 266.

178. De nombreuses études, notamment celle qui a été réalisée par Anat Drach-Zahavy : Anat Drach-Zahavy et Miriam Erez, « Challenge Versus Threat Effects on the Goal Performance Relationship », *Organizational Behavior and Human Decision Process* 88 (2002) : 667–682.

180. Les grandes lignes de l'histoire de la Pinto : Ordóñez et coll., « Goals Gone Wild », 4.

181. La Pinto n'est que l'un des nombreux exemples : *Ibid.*, 10–11.

181. La réplique à « Objectifs en folie » (Goals Gone Wild) : Edwin A. Locke et Gary P. Latham, « Has Goal Setting Gone Wild, or

Have Its Attackers Abandoned Good Scholarship?», *Academy of Management Perspectives* 23, n⁰ 1 (2009): 27–23. Voir aussi la réplique vigoureuse à l'accusation: Lisa D. Ordóñez, Maurice E. Schweitzer, Adam D. Galinsky et Max H. Bazer, «On Good Scholarship, Goal Setting and Scholars Gone Wild». Document de travail 09-122, Harvard Business School, Boston.

184. Le «pigeon superstitieux»: B. F. Skinner, «Superstition in the Pigeon», *Journal of Experimental Psychology* 38 (1938): 168–172.

185. L'article publié dans *Atlantic*: Anne-Marie Slaughter, «Why Women Still Can't Have It All», *Atlantic*, juillet-août 2012, www.theatlantic.com/magazine/archive/2012/07/why-women-still-cant-have-it-all/309020.

193. C'est la question que soulève William Bridges: William Bridges, *Transitions: Making Sense of Life's Changes* (New York: Da Capo Press, 2004), 116–117.

196. Pourquoi il est si difficile de se libérer de pensées intrusives: Ezequiel Morsella, Avi Ben-Zeev, Meredith Lanska et John A. Bargh, «The Spontaneous Thoughts of the Night: How Future Tasks Breed Intrusive Cognitions», *Social Cognition*, 28, n⁰ 5 (2012): 640–649.

199. Enseignements de la science sur les humeurs, particulièrement les humeurs mystères: N. Pontus Leander, Sarah G. Moore et Tanya L. Chartrand, «Mystery Moods: Their Origins and Consequences», dans *The Psychology of Goals*, sous la direction de Gordon B. Moskowitz et Heidi Grant (New York et Londres: Guilford Press, 2009), 480–504.

200. Ce que Tanya Chartrand et ses collègues appellent un objectif «non conscient»: Tanya L. Chartrand, Clara Michelle Cheng, Amy L. Dalton et Abraham Tesser, «Nonconscious Incidents or Adaptive Self-Regulatory Tool?» *Social Cognition* 28, n⁰ 5 (2010): 569–588.

Chapitre sept: La cartographie de nos objectifs

203. Pendant des années, de nombreux livres et discussions: La nouvelle en primeur, à ce sujet, est annoncée par Sid Savara,

« Writing Down Your Goals : The Harvard Written Goal Study ; Fact or Fiction ? », Exercice de perfectionnement personnel de Sid Savara, page Web visitée le 17 juin 2013, http:// sidsavara. com/personal-productivity/fact-or-fiction-the-truth-about-the-harvard-written-goal-study.

203. Une étude réalisée aux universités McGill et de Toronto en 2011 : Dominique Morisano et coll., « Setting, Elaborating, and Reflecting on Personal Goals Improves Academic Performance », *Journal of Applied Psychology* 85, n° 2 (2010) : 255–264.

206. Comme le décrivent le psychologue Richard M. Ryan et ses collègues : Richard M. Ryan, Kennon M. Sheldon, Tim Kasser et Edward L. Deci, « All Goals Are Not Created Equal : An Organismic Perspective on the Nature of Goals and Their Regulation », dans *The Psychology of Action*, sous la direction de Peter M. Gollwitzer et John A. Bargh (New York et Londres : Guilford Press, 1996), 1–26. Voir aussi Kennon M. Sheldon, Richard M. Ryan, Edward L. Deci et Tim Kasser, « The Independent Effects of Goal Contents : It's Both What You Pursue and Why You Pursue It », *Personality and Social Psychology Bulletin* 30, n° 4 (avril 2004) : 475–486 ; Edward L. Deci et Richard M. Ryan, « The 'What' and 'Why' of Goal Pursuits : Human Needs and the Self-Determination of Behavior », *Psychological Inquiry* 13, n° 4 (2000) : 227–268.

207. Dans une étude intitulée « Further Examining the American Dream » : Tim Kasser et Richard M. Ryan, « Further Examining the American Dream : Differential Correlates of Intrinsic and Extrinsic Goals », *Personality and Social Psychology Bulletin* 22, n° 3 (mars 1996) : 280–287.

215. L'un de ces principes est celui du « flux » : Mihaly Csikszentmihalyi, *Flow : The Psychology of Optimal Experience* (New York : Harper Perennial/Modern Classics, 2008).

216. « L'expérience autotélique » : *Ibid.*, 67.

217. « Avec un peu de chance » : *Ibid.*

218. L'expérience optimale du flux : *Ibid.*, 53–66.

221. La compétence nécessaire : Gabriele Oettingen et Peter M. Gollwitzer, « Strategies of Setting and Implementing Goals :

Mental Contrasting and Implementation Intentions», dans *Social Psychological Foundations of Clinical Psychology*, sous la direction de J. E. Maddux et J. P. Tanguy (New York: Guildford Press, 2010), 114–135.

221. La complaisance et l'appesantissement ne mènent qu'à un engagement tiède: Gabriele Oettingen et coll., «Turning Fantasies about Positive and Negative Futures into Self-Improvement Goals», *Motivation and Emotion* 29, n° 4 (décembre 2003): 237–267.

225. À l'aide de l'imagerie mentale: Anja Achtziger et coll., «Strategies of Intention Formation Are Reflected in Continuous MEG Activity», *Social Neuroscience* 4, n° 1 (2009): 11–27.

225. «Ce qui donne à penser que le contraste mental»: *Ibid.*, 23.

226. Dans une étude sur le monologue intérieur, Ibrahim Senay: Ibrahim Senay, Dolores Abarracin et Kenji Noguchi, «Motivating Goal-Directed Behavior Through Introspective Self-Talk: The Role of the Interrogative Form of Simple Future Tense», *Psychological Science* 21, n° 4 (2010): 499–504.

Chapitre huit: Réussir son départ

236. Comme le disaient Roy Baumeister et ses collègues: Roy F. Baumeister, Ellen Bratslavsky, Catrin Finkenauer et Kathleen Vohs, «Bad Is Stronger than Good», *Review of General Psychology* 5, n° 4 (2001): 323–370. La citation est à la page 323.

243. Comme le soulignent les psychologues néerlandais Marcel Zeelenberg et ses collègues: Marcel Zeelenberg et Rik Pieters, «A Theory of Regret Regulation 1.0», *Journal of Consumer Psychology* 17, n° 1 (2007): 29–35.

243. L'une des premières théories relatives aux regrets: Daniel Kahneman, *Thinking, Fast and Slow* (New York: Farrar, Straus et Giroux, 2011), 346 et suivantes.

244. Dans son livre intitulé *Système 1/Système 2: Les deux vitesses de la pensée*: *Ibid.*, 348.

245. Mais cette théorie a été remise en question: Thomas Gilovic et Victoria Husted Medvec, «The Experience of Regret: What,

When, and Why», *Psychological Review* 102, n° 2 (1995): 379-395.

245. Le désaccord entre Kahneman, Gilovic et Medvec: Thomas Gilovic, Victoria Husted Medvec et Daniel Kahneman, «Varieties of Regret: A Debate and Partial Resolution», *Psychological Review* 105, n° 3 (1995): 602-605.

246. Les actes regrettables deviennent moins douloureux: Gilovic et Medvec, «The Experience of Regret», 387.

248. Leur théorie de la justification de la décision: Terry Connolly et Marcel Zeelenberg, «Regret in Decision Making», *Current Directions in Psychological Science* 11, n° 6 (décembre 2002): 212-216.

248. Un homme qui conduit sa voiture pour retourner à la maison après être allé à une réception: *Ibid.*, 213.

249. Les chercheurs Todd McElroy et Keith Dows ont découvert que les personnes orientées «action»: Todd McElroy et Keith Dows, «Action Orientation and Feelings of Regret», *Judgment and Decision Making* 2, n° 6 (décembre 2007): 333-341.

250. Colleen Saffrey et ses collègues: Colleen Saffrey, Amy Summerville et Neal J. Roese, «Praise for Regret: People Value Regret Above Other Negative Emotions», *Motivation and Emotion* 31, n° 1 (mars 2008): 46-54.

251. Les participants se sont vu remettre un exercice d'évaluation des regrets: *Ibid.*, 53.

251. Créés à l'origine par Barry Schwartz: Barry Schwartz et coll., «Maximising Versus Satisficing: Happiness Is a Matter of Choice», *Journal of Personality and Social Psychology* 63, n° 5 (2002): 1 178-1 197.

253. Croire que le regret est positif n'est peut-être qu'un mécanisme d'adaptation: Ibid., 52.

253. Le «système immunitaire psychologique»: Daniel Gilbert, *Stumbling on Happiness* (New York: Vintage Books, 2007), 177-178.

253. La pensée contrefactuelle: Kai Epstude et Neal J. Roese, «The Functional Theory of Counterfactual Thinking», *Personality and Social Psychology Review* 12, n° 2 (mai 2008): 168-192.

255. Dans une intéressante méta-analyse : Neal J. Roese et Amy Summerville, « What We Regret Most... and Why », *Personality and Social Psychology Bulletin* 31, n° 9 (septembre 2008) : 1 273–1 285.

256. « Les occasions engendrent les regrets » : *Ibid.*, 1 274.

256. Marcel Zeelenberg et Rik Pieters : Rik Pieters et Marcel Zeelenberg, « A Theory of Regret Regulation 1.1 », 33.

258. Dans une étude réalisée sur la rumination : Annette van Randenborgh, Joachim Hüffmeier, Joelle LeMoult et Jutta Joormann, « Letting Go of Unmet Goals : Does Self-Focused Rumination Impair Goal Disengagement ? », *Motivation and Emotion* 34, n° 4 (décembre 2010) : 325–332.

260. Nous devons tous déposer le canard : Au cas où vous ne connaîtriez pas ce sketch, le voici : « Sesame Street (Vintage) : Put Down the Duckie », YouTube, téléversé par Hellfrick, le 24 août 2007, www.youtube.com/watch?v=SMAixgo_zJ4.

Chapitre neuf : Réinitialisez votre boussole intérieure

261. Comme le remarquaient Charles S. Carver et Michael F. Scheier : Charles S. Carver et Michael F. Scheier, *On the Self-Regulation of Behavior* (Cambridge et Londres : Cambridge University Press, 1998), 348.

262. Comme l'explique Robert A. Emmons, les êtres humains n'éprouvent pas : Robert A. Emmons, « Striving and Feeling : Personal Goals and Subjective Well-Being », dans *The Psychology of Action*, sous la direction de Peter Gollwitzer et John A. Bargh (New York et Londres : Guilford Press, 1996), 314.

263. « Les gens sont plus qu'une combinaison : *Ibid.*, 331.

263. « La quête d'un sens à sa vie » : *Ibid.*, 333.

264. Dans son livre intitulé *Flow* : Mihaly Csikszentmihalyi, *Flow : The Psychology of Optimal Experience* (New York : Harper Perennial/Modern Classics, 2008), 158–159.

266. La psychologue Patricia Linville : Patricia W. Linville, « Self-Complexity and Affective Extremity : Don't Put All of Your Eggs in One Cognitive Basket », *Social Cognition* 1, n° 1 (1985) : 94–120.

266. Patricia Linville avance l'hypothèse : *Ibid.*, 97.

267. La complexité de soi en tant que zone tampon cognitive : Patricia W. Linville, « Self- Complexity As a Cognitive Buffer Against Stress-Related Illness and Depression », *Journal of Personality and Social Psychology* 12, n° 4 (1987) : 663–676. Voir aussi Erika J. Koch et James A. Shepherd, « Is Self-Complexity Linked to Better Coping ? A Review of the Literature », *Journal of Personality* 72, n° 4 (août 2004) : 727–760.

268. « L'affect négatif et l'autoévaluation : *Ibid.*, 663.

269. Dans leur livre, devenu un classique, sur l'autocontrôle : Carver et Scheier, *On the Self-Regulation of Behavior*, 348.

271. « Une attente généralisée relativement stable de bons résultats : Carsten Wrosch et Michael F. Scheier, « Personality and Quality of Life : The Importance of Optimism and Goal Adjustment », *Quality of Life Research* 12, suppl. 1 (2003) : 59–72.

271. Test d'orientation dans la vie : Charles S. Carver, « LOT-R (Life Orientation Test — Revised) », University of Miami, Department of Psychology, Coral Gables, FL, visité le 1er juillet 2013, www.psy.cmu.edu/faculty/scheier/scales/LOTR_Scale.pdf.

272. Wrosch and Scheier affirment : *Ibid.*, 69.

273. L'un des arguments ayant le plus de poids présentés par Peter M. Gollwitzer : Peter M. Gollwitzer, « Action Phases and Mindsets », dans *Handbook of Motivation and Cognition : Foundation of Social Behavior*, sous la direction d'E. Tory Higgins et Richard M. Sorrentino (New York et Londres : Guilford Press, 1990), 2 : 53–92.

276. Les chercheurs ont demandé aux participants de citer deux problèmes personnels : Peter M. Gollwitzer, Heinz Heckhausen et Heike Katajczak, « From Weighing to Willing : Approaching a Change Decision Through Pre- or Postdecisional Mentation », *Organizational Behavior and Human Decision Processes* 45 (1990) : 41–65. Voir aussi Inge Schweiger Gallo et Peter M. Gollwitzer, « Implementation Intentions : A Look Back at Fifteen Years of Progress », *Psicothema* 19, n° 1 (2007) : 37–42.

278. La pensée « non consciente » qui fait parfois obstacle : Peter M. Gollwitzer, « Implementation Intentions : Strong Effects of

Simple Plans», *American Psychologist* 54, n° 7 (1999): 493–502. La citation est à la page 496.

279. Comme l'ont noté Gollwitzer, Ute C. Bayer et Kathleen C. Molloch: Peter M. Gollwitzer, Ute C. Bayer et Kathleen Molloch, «The Control of the Unwanted», dans *The New Unconscious*, sous la direction de Ran R. Hassin, James S. Uleman et John A. Bargh (New York: Oxford University Press, 2006), 485–515.

279. Le chemin du bonheur: Sonja Lyubomirsky, Kennon M. Sheldon et David Schkade, «Pursuing Happiness: The Architecture of Sustainable Change», *Review of General Psychology* 9, n° 2 (2005): 111–131.

280. «Ces associations relativement faibles»: *Ibid.*, 117.

280. «L'adaptation hédoniste tend à ramener: *Ibid.*, 118.

281. Sheldon et Lyubomirsky ont vérifié cette hypothèse: Kennon M. Sheldon et Sonja Lyubomirsky, «Achieving Sustainable Gains in Happiness: Change Your Actions, Not Your Circumstances», *Journal of Happiness Studies* 7 (2006): 55–86.

282. «Dans la mesure où vous agissez: *Ibid.*, 80.

Bibliographie

Achtziger, Anja, Thorsten Fehr, Gabriele Oettingen, Peter M. Gollwitzer et Brigitte Rockstroh. « Strategies of Intention Formation Are Reflected in Continuous MEG Activity », *Social Neuroscience* 4, n° 1 (2009) : 11–27.

Ackerman, Joshua M., Noah J. Goldstein, Jenessa R. Shapiro et A. Bargh. « You Wear Me Out : The Vicarious Depletion of Self-Control », *Psychological Science* 70, n° 3 (2009) : 327–332.

Ainsworth, Mary. *Patterns of Attachment : A Psychological Study of the Strange Situation*, Hillsdale, N.J. : L. Laurence Erlbaum Associates, 1978.

Alan, Lorraine G., Shepherd Siegel et Samuel Hannah. « The Sad Truth About Depressive Realism », *Quarterly Journal of Experimental Psychology* 60, n° 3 (2007) : 482–495.

Alloy, Lauren B. et Lyn Y. Abramson. « Judgment of Contingency in Depressed and Non-Depressed Students : Sadder but Wiser ? », *Journal of Experimental Psychology* 108, n° 4 (1978) : 441–485.

Bargh, John A. et Tanya L. Chartrand. « The Unbearable Automaticity of Being », *American Psychologist* 54, n° 7 (July 1999) : 462–479.

Bargh, John A., Mark Chen et Lara Burrows. « Automaticity of Social Behavior : Direct Effects of Trait Construct and Stereotype Activation on Actions », *Journal of Personality and Social Psychology* 71, n° 2 (1996) : 230–244.

Bargh, John A., Peter Gollwitzer, Annette Lee-Chai, Kimberly Barndollar et Roman Trötschel. « The Automated Will : Nonconscious Activation and Pursuit of Behavior Goals », *Journal of Personality and Social Psychology* 81, n° 6 (2001) : 1 014–1 027.

Bargh, John A. et Ezequiel Morsella. « The Unconscious Mind », *Perspectives on Psychological Science* 3, n° 1 (2003) : 73–79.

Barrett, Lisa Feldman, James Gross, Tamlin Conner Christensen et Michael Benvenuto. « Knowing What You're Feeling and Knowing What to Do About It: Mapping the Relation Between Emotion Differentiation and Emotion Regulation », *Cognition and Emotion* 15, n° 6 (2001): 713–724.

Baumann, Nicola et Julius Kuhl. « How to Resist Temptation: The Effects of External Control Versus Autonomy Support on Self-Regulatory Dynamic, », *Journal of Personality* 73, n° 2 (avril 2005): 444–470.

_____ « Intuition, Affect, and Personality: Unconscious Coherence Judgments and Self-Regulation of Negative Affect », *Journal of Personality and Social Psychology* 83, n° 5 (2002): 1 213–1 225.

_____ « Self-Infiltration: Confusing Tasks As Self-Selected in Memory », *Personality and Social Psychology Bulletin* 29, n° 4 (avril 2003): 487–497.

Baumeister, Roy F., Ellen Bratslavsky, Mark Muraven et Dianne M. Tice. « Ego Depletion: Is the Active Self a Limited Resource? », *Journal of Personality and Social Psychology* 74, n° 5 (1998): 1 252–1 265.

Baumeister, Roy F., Ellen Bratslavsky, Catrin Finkenauer et Kathleen Vohs. « Bad Is Stronger than Good », *Review of General Psychology* 5, n° 4 (2001): 323–370.

Baumeister, Roy F. et John Tierney. *Willpower: Rediscovering the Great est Human Strength*, New York: Penguin Books, 2011.

Bridges, William. *Transitions: Making Sense of Life's Changes*, New York: Da Capo Press, 2004.

Butler, Lisa D. et Susan Nolen-Hoeksema. « Gender Differences in Response to Depressed Mood in a College Sample », *Sex Roles*, 30: 331–346.

Carver, Charles S. « Approach, Avoidance, and the Self-Regulation of Affect and Action », *Motivation and Emotion* 30 (2006): 105–110.

_____ « Negative Affects Deriving from the Behavior Approach System », *Emotion* 4, n° 1 (2004): 3–22.

Carver, Charles S. et Michael F. Scheier. *On The Self-Regulation of Behavior*, Cambridge and London: Cambridge University Press, 1998.

_____ « Scaling Back Goals and Recalibration of the Affect Systems Are Processes in Normal Adaptive Self-Regulation: Understanding The "Response-Shift" Phenomena », *Social Science and Medicine* 50 (2000): 1 715–1 722.

Chabris, Christopher et Daniel Simons. *The Invisible Gorilla: How Our Intuitions Deceive Us*, New York: Broadway Paperbacks, 2011.

Chartrand, Tanya L. et John A. Bargh. «The Chameleon Effect: The Perception-Behavior Link and Social Interaction, *Journal of Personality and Social Psychology* 76, n° 6 (1999): 893–910.

Chartrand, Tanya L., Rick B. van Baaren et John A. Bargh. «Linking Automatic Evaluation to Mood and Information Processing Style: Consequences for Experienced Affect, Impression Formation, and Stereotyping», *Journal of Experimental Psychology* 35, n° 1 (2006): 70–79.

Chartrand, Tanya L., Clara Michelle Cheng, Amy L. Dalton et Abraham Tesser. «Nonconscious Incidents or Adaptive Self-Regulatory Tool?», *Social Cognition* 28, n° 5 (2010): 569–588.

Connolly, Terry et Marcel Zeelenberg. «Regret in Decision Making», *Current Directions in Psychological Science* 11, n° 6 (décembre 2002): 212–216.

Csikszentmihalyi, Mihaly. *Flow: The Psychology of Optimal Experience*, New York: Harper Perennial/Modern Classics, 2008 (en français: *Vivre, la psychologie du bonheur*, Paris, Robert Laffont, 2004).

Deci, Edward L. et Richard M. Ryan. «The "What" and "Why"' of Goal Pursuits: Human Needs and the Self-Determination of Behavior», *Psychological Inquiry* 13, n° 4 (2000): 227–268.

Diefendorff, James M. «Examination of the Roles of Action-State Orientation and Goal Orientation in the Goal-Setting and Performance Process», *Human Performance* 17, n° 4: 375–395.

Diefendorff, James M., Rosalie J. Hall, Robert G. Ord et Mona L. Strean. «Action-State Orientation: Construct Validity of a Revised Measure and Its Relationship to Work-Related Variables», *Journal of Applied Psychology* 85, n° 2 (2000): 250–261.

Drach-Zahavy, Anat et Miriam Erez. «Challenge Versus Threat Effects on the Goal Performance Relationship», *Organizational Behavior and Human Decision Process* 88 (2002): 667–682.

Duhigg, Charles. *The Power of Habit: What We Do in Life and Business*, New York: Random House, 2012.

Dunning, David, Dale W. Griffin, James D. Mikojkovic et Lee Toss. «The Overconfidence Effect in Social Prediction», *Journal of Personality and Social Psychology* 58, n° 4 (1990): 568–581.

Dunning, David et Amber L. Story. «Depression, Realism, and the Overconfidence Effect: Are the Sadder Wiser When Predicting Future Actions and Events?», *Journal of Personality and Social Psychology* 61, n° 4 (1981): 521-532.

Elliot, Andrew J. «A Hierarchical Model of Approach-Avoidance Motivation», *Motivation and Emotion* 29 (2006): 111-116.

Elliot, Andrew J. et Todd M. Thrash. «Approach-Avoidance Motivation in Personality: Approach and Avoidance Temperaments and Goals», *Journal of Personality and Social Psychology* 82, n° 5 (2002): 804-818.

_____ «Approach and Avoidance Temperament As Basic Dimensions of Personality», *Journal of Personality* 78, n° 3 (juin 2010): 865-906.

_____ «The Intergeneration Transmission of Fear of Failure», *Personality and Social Psychology Bulletin* 30, n° 8 (août 2004): 957-971.

Elliot, Andrew J. et Marcy A. Church. «Client-Articulated Avoidance Goals in the Therapy Context», *Journal of Counseling Psychology* 49, n° 2 (2002): 243-254.

Elliot, Andrew J. et Harry T. Reis. «Attachment and Exploration in Adulthood», *Journal of Personality and Social Psychology* 85, n° 2 (2003): 317-331.

Elliot, Andrew J. et Kennon M. Sheldon. «Avoidance Achievement Motivation: A Personal Goals Analysis», *Journal of Personality and Social Psychology* 73, n° 1 (1997): 151-185.

Elliot, Andrew J., Todd M. Thrash et Jou Murayama. «A Longitudinal Analysis of Self-Regulation and Well-Being: Avoidance Personal Goals, Avoidance Coping, Stress Generation, and Subjective Well-Being», *Journal of Personality* 73, n° 3 (juin 2011): 643-674.

Emmons, Robert A. et Laura King. «Conflict Among Personal Stirrings: Immediate and Long-Term Implications for Psychological and Physical Well-Being», *Journal of Personality and Social Psychology* 54, n° 6 (1988): 1 040-1 048.

Epstude, Kai et Neal J. Roese. «The Functional Theory of Counterfactual Thinking», *Personality and Social Psychology Review* 12, n° 2 (mai 2008): 168-192.

Fivush, Robyn. «Exploring Sex Differences in the Emotional Context of Mother-Child Conversations About the Past», *Sex Roles* 20, n°s 11-12 (1989): 675-695.

Friedman, Ron, Edward L. Deci, Andrew J. Elliot, Arlen C. Moller et Henk Aarts. «Motivational Synchronicity: Priming Motivation Orientations with Observations of Others' Behaviors», *Motivation and Emotion* 34 (2010): 34–38.

Gable, Shelley L. «Approach and Avoidance Social Motives and Goals», *Journal of Personality* 74, n° 1 (février 2006): 175–222.

Gallo, Inge Schweiger et Peter M. Gollwitzer. «Implementation Intentions: A Look Back at Fifteen Years of Progress», *Psicothema* 19, n° 1 (2007): 37–42.

Gibson, E. J. et R. D. Walk. «The Visual Cliff», *Scientific American* 202, n° 4 (1960): 67–71.

Gilbert, Daniel T. *Stumbling on Happiness*, New York: Vintage Books, 2007.

Gilbert, Daniel T., Erin Driver-Linn et Timothy D. Wilson. «The Trouble with Vronsky», dans *The Wisdom in Feeling: Psychological Processes in Emotional Intelligence*, sous la direction de Lisa Feldman Barrett et Peter Salovey, New York: The Guilford Press, 2002.

Gilbert, Daniel T. et Jane E. J. Ebert. «Decisions and Revisions: The Affective Forecasting of Changeable Outcomes», *Journal of Personality and Social Psychology* 82, n° 4 (2002): 503–514.

Gilbert, Daniel T., Carey K. Morewedge, Jane L. Risen et Timothy D. Wilson. «Looking Forward to Looking Backward», *Psychological Science* 15, n° 5 (2004): 346–350.

Gilovic, Thomas et Victoria Husted Medvec. «The Experience of Regret: What, When, and Why», *Psychological Review* 102, n° 2 (1995): 379–395.

Gilovic, Thomas, Victoria Husted Medvec et Daniel Kahneman. «Varieties of Regret: A Debate and Partial Resolution», *Psychological Review* 105, n° 3 (1995): 602–605.

Goleman, Daniel. *Emotional Intelligence: Why It Can Matter More than IQ*, New York: Bantam Books, 1994.

Gollwitzer, Peter M. «Implementation Intentions; Strong Effects of Simple Plans», *American Psychologist* 54, n° 7 (1999): 493–502.

_____ «Action Phases and Mindsets», dans *Handbook of Motivation and Cognition: Foundation of Social Behavior*, publié sous la direction de E. Tory Higgins et Richard M. Sorrentino, 2: 53–92, New York et Londres: Guilford Press, 1990.

Gollwitzer, Peter M., Heinz Heckhausen et Heike Katajczak. «From Weighing to Willing: Approaching a Change Decision Through Preor Postdecisional Mentation», *Organizational Behavior and Human Decision Processes* 45 (1990): 41–65.

Gollwitzer, Peter M., Ute G. Bayer et Kathleen Molloch. «The Control of the Unwanted», dans *The New Unconscious*, publié sous la direction de Ran R. Hassin, James S. Uleman et John A. Bargh, 485–515, New York: Oxford University Press, 2006.

Gollwitzer, Peter M. et John A. Bargh, éditeurs. *The Psychology of Action: Linking Cognition and Motivation to Behavior*, New York: Guilford Press, 1996.

Heatherton, Todd et Patricia A. Nichols. «Personal Accounts of Successful Versus Failed Attempts at Life Change», *Personality and Social Psychology Bulletin* 20, n° 6 (décembre 1994): 664–675.

Henderson, Marlone D., Peter M. Gollwitzer et Gabriele Oettingen. «Implementation Intentions and Disengagement from a Failing Course of Action», *Journal of Behavior Decision Making* 20 (2007): 81–102.

Houser-Marko, Linda et Kennon M. Sheldon. «Eyes on the Prize or Nose to the Grindstone: The Effects of Level of Goal Evaluation on Mood and Motivation», *Personality and Social Psychology Bulletin* 34, n° 14 (novembre 2008): 1 556–1 569.

Inzlicht, Michael et Brandon J. Schmeichel. «What Is Ego Depletion? Toward a Mechanistic Revision of the Resource Model of Self-Control», *Perspectives on Psychological Science* 7, n° 5 (2012): 450–463.

Johnson, Joel T., Lorraine M. Cain, Toni L. Falker, Jon Hayman et Edward Perillo. «The "Barnum Effect" Revisited: Cognitive and Motivational Factors in the Acceptance of Personality Descriptions», *Journal of Personality and Social Psychology* 49, n° 5 (1985): 1 378–1 391.

Jostmann, Nils B., Sander L. Koole, Nickie Y. Van Der Wulp et Daniel A. Fockenberg. «Subliminal Affect Regulation: The Moderating Role of Action Versus State Orientation», *European Psychologist* 10 (2005): 209–217.

Kahneman, Daniel. «A Perspective on Judgment and Choice: Mapping Bounded Rationality», *American Psychologist* 85, n° 9 (septembre 2003): 692–720.

_____ *Thinking, Fast and Slow*, New York: Farrar, Straus et Giroux, 2011 (en français: *Système 1, système 2: les deux vitesses de la pensée*, Paris Flammarion, 2012).

Kahneman, Daniel et Amos Tversky. «Prospect Theory: An Analysis of Decision Under Risk», *Econometrica* 47, n° 2 (mars 1979): 263–291.

Kasser, Tim et Richard M. Ryan. «Further Examining the American Dream: Differential Correlates of Intrinsic and Extrinsic Goals», *Personality and Social Psychology Bulletin* 22, n° 3 (mars 1996): 280–287.

_____ «The Dark Side of the American Dream: Correlates of Financial Success As a Central Life Aspiration», *Journal of Personality and Social Psychology* 65, n° 3 (1993): 410–422.

Kay, Aaron C., S. Christian Wheeler, John A. Bargh et Lee Ross. «Material Priming: The Influence of Mundane Physical Objects on Situational Construal and Competitive Behavior Choice», *Organizational Behavior and Human Decision Process* 93 (2004): 83–96.

Klinger, Eric. «Consequences of Commitment to and Disengagement from Incentives», *Psychological Review* 82, n° 2 (1975): 1–25.

Koch, Erika J. et James A. Shepherd. «Is Self-Complexity Linked to Better Coping? A Review of the Literature», *Journal of Personality* 72, n° 4 (août 2004): 727 760.

Koole, Sander L., Julius Kuhl, Nils B. Jostmann et Catrin Finkenauer. «Self-Regulation in Interpersonal Relationships: The Case of Action Versus State Orientation», dans *Self and Relationship*, sous la direction de Kathleen D. Vohs et E. J. Finkel, 360–386, New York et Londres: The Guilford Press, 2006.

Koole, Sander L. et Nils B. Jostmann. «Getting a Grip on Your Feelings: Effects of Action Orientation on Intuitive Affect Regulation», *Journal of Personality and Social Psychology* 87, n° 6 (2004): 974–990.

_____ «On the Waxing and Waning of Working Memory: Action Orientation Moderates the Impact of Demanding Relationship Primers on Working Memory Capacity», *Social Psychology Bulletin* 32, n° 12 (décembre 2006): 1 716–1 728.

Koole, Sander L. et Daniel A. Fockenberg. «Implicit Emotional Regulation Under Demanding Conditions: The Mediating Role of Action Versus State Orientation», *Cognition and Emotion* 25, n° 3 (2011): 440–452.

Koole, Sander L., Julius Kuhl, Nils B. Jostmann et Kathleen D. Vohs. « On the Hidden Benefits of State Orientation: Can People Prosper Without Efficient Affect-Regulation Skills ? », dans *Building, Defending, and Regulating the Self*, sous la direction d'Abraham Tesser, Joanne Woods et Diederik Stapel, 217–244, New York: Psychology Press, 2005.

Kruger, Justin. « Lake Wobegon Be Gone ! The "Below-Average Effect" and the Egocentric Nature of Comparative Ability Judgments », *Journal of Personality and Social Psychology* 77, n° 2 (1999): 221–232.

Kuhl, Julius. « Motivational and Functional Helplessness: The Moderating Effect of State Versus Action Orientations », *Journal of Personality and Social Psychology* 40, n° 1 (1981): 155–170.

Lench, Heather C. et Linda J. Levine. « Goals and Responses to Failure: Knowing When to Hold Them and When to Fold Them », *Motivation and Emotion* 32 (2008): 127–140.

Levin, Daniel T., Nausheen Momek, Sarah B. Drivdahl et Daniel J. Simons. « Change Blindness Blindness: The Metacognitive Error of Overestimating Change-Detection Ability », *Visual Cognition* 7, n°s 1–3 (2000): 397–412.

Linville, Patricia W. « Self-Complexity and Affective Extremity: Don't Put All of Your Eggs in One Cognitive Basket », *Social Cognition* 1, n° 1 (1985): 94–120.

_____ « Self-Complexity As a Cognitive Buffer Against Stress-Related Illness and Depression », *Journal of Personality and Social Psychology* 12, n° 4 (1987): 663–676.

Locke, Edwin A. et Gary P. Latham. « Has Goal Setting Gone Wild, or Have Its Attackers Abandoned Good Scholarship ? », *Academy of Management Perspectives* 23, n° 1 (février 2009): 27–23.

_____ « New Directions in Goal-Setting Theory », *Current Directions in Psychological Science* 15, n° 5 (octobre 2006): 265–268.

Loewenstein, George F. et Drazen Prelec. « Preferences for Sequences of Outcomes », *Psychological Review* 100, n° 1 (1993): 91–108.

Lovallo, Dan et Daniel Kahneman. « Delusions of Success: How Optimism Undermines Executives' Decisions », *Harvard Business Review* (juillet 2003), 56–63.

Lyubomirsky, Sonja, Kennon M. Sheldon et David Schkade. « Pursuing Happiness : The Architecture of Sustainable Change », *Review of General Psychology* 9, n° 2 (2005) : 111–131.

Masicampo, E. J. et Roy F. Baumeister. « Consider It Done ! Plan Making Can Eliminate the Cognitive Effects of Unfulfilled Goals », *Journal of Personality and Social Psychology* (2 juin 2011), publication en ligne avancée. DOI : 10.1037/90024192.

Mayer, John D., Peter Salovey et David R. Caruso. « Emotional Intelligence : New Ability or Eclectic Traits », *American Psychologist* 65, n° 7 (septembre 2008) : 515.

McElroy, Todd et Keith Dows. « Action Orientation and Feelings of Regret », *Judgment and Decision Making* 2, n° 6 (décembre 2007) : 333–341.

Mikulincer, Mario, Philip R. Shaver et Dana Pereg. « Attachment Theory and Affect Regulation : The Dynamics, Development, and Cognitive Consequences of Attachment-Related Strategies », *Motivation and Emotion* 27, n° 2 (juin 2003) : 77–102.

Miller, Gregory E. et Carsten Wrosch. « You've Gotta Know When to Fold'Em : Goal Disengagement and Systemic Inflammation in Adolescence », *Psychological Science* 18, n° 9 (2007) : 773–777.

Morisano, Dominique, Jacob B. Hirsh, Jordan B. Peterson, Robert O. Pihl et Bruce M. Shore. « Setting, Elaborating and Reflecting on Personal Goals Improves Academic Performance », *Journal of Applied Psychology* 85, n° 2 (2010) : 255–264.

Morsella, Ezequiel, Avi Ben-Zeev, Meredith Lanska et John A. Bargh. « The Spontaneous Thoughts of the Night : How Future Tasks Breed Intrusive Cognitions », *Social Cognition* 28, n° 5 (2010) : 640–649.

Moskowitz, Gordon B. et Heidi Grant, éditeurs. *The Psychology of Goals*, New York : Guilford Press, 2009.

Muraven, Mark, Dianne M. Tice et Roy M. Baumeister. « Self-Control As Limited Resource : Regulatory Depletion Patterns », *Journal of Personality and Social Psychology* 74, n° 3 (1998) : 774–789.

Nolen-Hoeksema, Susan et Benita Jackson. « Mediators of the Gender Difference in Rumination », *Psychology of Women Quarterly* 25 (2001) : 37–47.

Oettingen, Gabriele. « Future Thought and Behaviour Change », *European Review of Social Psychology* 23, n° 1 (2012) : 1–63.

Oettingen, Gabriele et Doris Mayer. «The Motivating Function of Thinking About the Future: Expectations Versus Fantasies», *Journal of Personality and Social Psychology* 83, n° 5 (2002): 1198-1212.

Oettingen, Gabriele et Peter M. Gollwitzer. «Strategies of Setting and Implementing Goals: Mental Contrasting and Implementation Intentions», dans *Social Psychological Foundations of Clinical Psychology*, sous la direction de J. E. Maddux et J. P. Tanguy, 114-135, New York: Guildford Press, 2010.

Oettingen, Gabriele, Doris Mayer, Jennifer S. Thorpe, Hanna Janetzke et Solvig Lorenz. «Turning Fantasies About Positive and Negative Futures into Self-Improvement Goals», *Motivation and Emotion* 29, n° 4 (décembre 2003): 237-267.

Oettingen, Gabriele, Hyeon-ju Pak et Karoline Schnetter. «Self-Regulation of Goal-Setting: Turning Free Fantasies About the Future into Binding Goals», *Journal of Personality and Social Psychology* 80, n° 5 (2001): 736-753.

Ordóñez, Lisa D., Maurice E. Schweitzer, Adam D. Galinsky et Max H. Bazerman. «Goals Gone Wild: The Systematic Side Effects of Over-Prescribing Goal Setting», Document de travail 09-083, Harvard Business School, Boston, 2009.

_____ «On Good Scholarship, Goal Setting and Scholars Gone Wild», Document de travail 09-122, Harvard Business School, Boston, 2009.

Pieters, Rik et Marcel Zeelenberg. «Theory of Regret Regulation 1.1», *Journal of Consumer Psychology* 17, n° 1 (2007): 29-35.

Pronin, Emily, Daniel Y. Lin et Lee Ross. «The Bias Blind Spot: Perceptions of Bias in Self Versus Others», *Personality and Social Psychology Bulletin* 28, n° 3 (mars 2002): 369-381.

Reid, R. L. «The Psychology of the Near Miss,» *Journal of Gambling Behavior* 2, n° 1 (1986): 32-39.

Roese, Neal J. et Amy Summerville. «What We Regret Most... and Why», *Personality and Social Psychology Bulletin* 31, n° 9 (septembre 2008): 1273-1285.

Ryan, Richard M. et Edward L. Deci. «Intrinsic and Extrinsic Motivations: Classic Definitions and New Directions», *Contemporary Educational Psychology* 25 (2000): 54-67.

Saffrey, Colleen, Amy Summerville et Neal J. Roese. «Praise for Regret: People Value Regret Above Other Negative Emotions», *Motivation and Emotion* 31, n° 1 (mars 2008): 46-54.

Salovey, Peter et D. J. Sluyter. *Emotional Development and Emotional Intelligence*, New York: Basic Books, 1997, 3-31.

Samuelson, William et Richard Zeckhauser. «The Status Quo Bias in Decision-Making», *Journal of Risk and Uncertainty* 1 (1988): 7-59.

Schmeichel, Brandon J. et Kathleen Vohs. «Self-Affirmation and Self-Control: Affirming Core Values Counteracts Ego Depletion», *Journal of Personality and Social Psychology* 96, n° 4 (2009): 770-782.

Schwartz, Barry, Andrew Ward, John Monterosso, Sonja Lyubomirsky, Katherine White et Darrin R. Lehrman. «Maximizing Versus Satisficing: Happiness Is a Matter of Choice», *Journal of Personality and Social Psychology* 83, n° 5 (2002): 1 178-1 197.

Senay, Ibrahim, Dolores Abarracin et Kenji Noguchi. «Motivating Goal-Directed Behavior Through Introspective Self-Talk: The Role of the Interrogative Form of Simple Future Tense», *Psychological Science* 21, n° 4 (2010): 499-504.

Shaver, Philip R. et Mario Mikulincer. «Attachment-Related Psycho-dynamics», *Attachment and Human Development* 4 (2002): 133-161.

Sheldon, Kennon M. et Sonja Lyubomirsky. «Achieving Sustainable Gains in Happiness: Change Your Actions, Not Your Circumstances», *Journal of Happiness Studies* 7 (2006): 55-86.

Sheldon, Kennon M. et Tim Kasser. «Pursuing Personal Goals: Skills Enable Progress But Not All Progress Is Beneficial», *Personality and Social Psychology Bulletin* 24, n° 12 (1998): 1 319-1 331.

Sheldon, Kennon M., Tim Kasser, Kendra Smith et Tamara Share. «Personal Goals and Psychological Growth: Testing an Intervention to Enhance Goal Attainment and Personality Integration», *Journal of Personality* 70, n° 1 (février 2002): 5-31.

Sheldon, Kennon M., Richard M. Ryan, Edward L. Deci et Tim Kasser. «The Independent Effects of Goal Contents: It's Both What You Pursue and Why You Pursue It», *Personality and Social Psychology Bulletin* 30, n° 4 (avril 2004): 475-486.

Shoda, Yuichi, Walter Mischel et Philip K. Peake. «Predicting Adolescent Cognitive and Self-Regulatory Competencies from Preschool Delay of Gratification: Identifying Diagnostic Conditions», *Developmental Psychology* 16, n° 6 (1990): 978–986.

Siegel, Daniel J. et Mary Hartzell. *Parenting from the Inside Out*, New York: Jeremy P. Tarcher/Penguin: 2003.

Simons, Daniel J. et Christopher Chabris. «Gorillas in our Midst: Sustained Inattention Blindness», *Perception* 28 (1999): 1 059–1 074.

Simons, Daniel J. et Daniel T. Lewin. «Failure to Detect Changes to People During a Real-World Interaction», *Psychonomic Bulletin and Review*, 5, n° 4 (1998): 644–649.

Skinner, B. F. «Superstition in the Pigeon», *Journal of Experimental Psychology* 38 (1938): 168–172.

Slaughter, Anne-Marie. «Why Women Still Can't Have It All», *Atlantic*, juillet/août 2012. www.theatlantic.com/magazine/archive/2012/07/why-women-still-cant-have-it-all/309020.

Sorce, James F., Robert N. Emde, Joseph Campos et Mary D. Klinnert. «Maternal Emotional Signaling: Its Effect on the Visual Cliff Behavior of 1-Year-Olds», *Developmental Psychology* 21, n° 1 (1985): 195–200.

Staw, Barry M. «The Escalation of Commitment to a Course of Action», *Academy of Management Review* 6, n° 4 (octobre 1981): 577–587.

Thrash, Todd M. et Andrew J. Elliot. «Implicit and Self-Attributed Achievement Motives: Concordance and Predictive Validity», *Journal of Personality* 70, n° 5 (octobre 2002): 729–755.

Tversky, Amos et Daniel Kahneman. «Availability: A Heuristic for Judging Frequency and Probability», *Cognitive Psychology* 4 (1973): 207–232.

Vallone, Robert P., Dale W. Griffin, Sabrina Lin et Lee Ross. «Overconfident Prediction of Future Actions and Outcomes by Self and Others», *Journal of Personality and Social Psychology* 58, n° 4 (1990): 582–591.

van Randenborgh, Annette, Joachim Hüffmeier, Joelle LeMoult et Jutta Joormann. «Letting Go of Unmet Goals: Does Self-Focused Rumination Impair Goal Disengagement?», *Motivation and Emotion* 34, n° 4 (décembre 2010): 325–332.

Vohs, Kathleen D. et Todd Heatherton. «Self-Regulatory Failure: A Resource Failure Approach», *Psychological Science* 11, n° 3 (mai 2000): 249–254.

Vohs, Kathleen D., Roy F. Baumeister, Nicole L. Mead, Wilhelm Hoffman, Suresh Ramanathan et Brandon J. Schmeichel. « Engaging in Self-Control Heightens Urges and Feelings », document de travail.

Wagner, Dylan D. et Todd F. Heatherton. « Self-Regulatory Depletion Increases Emotional Reactivity in the Amygdala », *Social, Cognitive and Affective Neuroscience* (août 27, 2012). DOI : 10/1093scan/nss082.

Wegner, Daniel M. *The Illusion of Conscious Will*, Cambridge, MA : MIT Press, 2002.

_____ « Ironic Processes of Mental Control », *Psychological Review* 101, n° 1 (1994) : 34–52.

_____ « Setting Free the Bears : Escape from Thought Suppression », *American Psychologist* (novembre 2011) : 671–679.

_____ *White Bears and Other Unwanted Thoughts : Suppression, Obsession, and the Psychology of Mental Control*, (New York et Londres : Guilford Press, 1994), 70.

_____ « You Can't Always Think What You Want : Problems in the Suppression of Unwanted Thoughts », *Advances in Experimental Psychology* 25 (1992) : 193–225.

Wegner, Daniel M., David J. Schneider, Samuel R. Carter III et Teri L. White. « Paradoxical Effects of Thought Suppression », *Journal of Personality and Social Psychology* 53, 1 (1987) : 5–13.

Weinberg, Katherine M., Edward Z. Tronick, Jeffrey F. Cohn et Karen L. Olson. « Gender Differences in Emotional Expressivity and Self-Regulation During Early Infancy », *Developmental Psychology* 35 (1999) : 175–188.

Wilson, Timothy D. *Strangers to Ourselves : Discovering the Adaptive Unconscious*, Cambridge, MA : Belknap Press of Harvard University, 2002.

Wilson, Timothy D. et Daniel T. Gilbert. « Affective Forecasting », *Advances in Experimental Social Psychology* 35 (2003) : 346–411.

Woodzicka, Julie A. et Marianne LaFrance. « Real Versus Imagined Gender Harassment », *Journal of Social Issues* 57, n° 1 (2001) : 15–39.

Wrosch, Carsten et Michael F. Scheier. « Personality and Quality of Life : The Importance of Optimism and Goal Adjustment », *Quality of Life Research* 12, suppl. 1 (2003) : 59–72.

Wrosch, Carsten, Gregory E. Miller, Michael F. Scheier et Stephanie Brun de Pontet. « Giving Up on Unattainable Goals : Benefits for Health ? », *Personality and Social Psychology Bulletin* 33, n° 2 (février 2007) : 251–265.

Wrosch, Carsten, Michael F. Scheier, Gregory E. Miller, Richard Schulz et Charles S. Carver. « Adaptive Self-Regulation of Unattainable Goals : Goal Disengagement, Goal Reengagement, and Subjective Well-Being », *Personality and Social Psychology Bulletin* 29, n° 12 (décembre 2003) : 1 494–1 508.

Wrosch, Carsten, Michael F. Scheier, Charles S. Carver et Richard Schulz. « The Importance of Goal Disengagement in Adaptive Self-Regulation : When Giving Up Is Beneficial », *Self and Identity* 2 (2003) : 1–20.

Zeelenberg, Marcel et Rik Pieters. « Theory of Regret Regulation 1.0 », *Journal of Consumer Psychology* 17, n° 1 (2007) : 3–18.

Index

Table des matières

Suivez-nous sur le Web

Consultez nos sites Internet et inscrivez-vous à l'infolettre pour rester informé en tout temps de nos publications et de nos concours en ligne. Et croisez aussi vos auteurs préférés et notre équipe sur nos blogues !

EDITIONS-HOMME.COM
EDITIONS-JOUR.COM
EDITIONS-PETITHOMME.COM
EDITIONS-LAGRIFFE.COM

Achevé d'imprimer au Canada
sur papier Enviro 100% recyclé